D1722597

ALFONS ROSENBERG / DURCHBRUCH ZUR ZUKUNFT

ALFONS ROSENBERG

DURCHBRUCH ZUR ZUKUNFT

DER MENSCH IM WASSERMANNZEITALTER

TURM VERLAG 712 BIETIGHEIM/WÜRTT.

ISBN 3 7999 0156/6

TURM VERLAG BIETIGHEIM
Gesamtherstellung: Verlagsdruckerei Zluhan, Bietigheim

VORWORT ZUR ZWEITEN AUFLAGE

DIE PROGNOSEN DIESES BUCHES WURDEN VOR MEHR ALS zwölf Jahren zum ersten Male veröffentlicht. Damals wurden sie von Wissenschaftlern mit Befremden zur Kenntnis genommen. Allerdings steckte zu jener Zeit die Zukunftsforschung noch in den Kinderschuhen. Man war zwar erschreckt über die fast unlösbaren Probleme, mit denen die Menschheit konfrontiert war, mit der drohenden Menschenlawine, mit der Verseuchung der Natur durch Industriegifte einschließlich des Atommülls, dem sich mehrenden Hunger eines großen Teils der Menschheit und anderen Übeln von globalem Ausmaß. Dennoch fanden sich nur zögernd Gruppen von Fachleuten: Physiker, Soziologen, Philosophen u. a. zusammen, um gemeinsam die schnell wachsende Bedrohung abzuwenden.

Erst seit der Zeit des Erscheinens von „Durchbruch zur Zukunft" ist dies allmählich anders geworden. Seitdem ist eine Fülle, ja eine Überfülle von Büchern erschienen, die sich mit Prognosen der näheren oder ferneren Zukunft befassen, welche die Veränderungen der Technik, der Gemeinschaftsformen und der Umweltsbedingungen zu erahnen oder zu berechnen suchen. Zudem entstanden im letzten Jahrzehnt allzu langsam Institute zur Erforschung der Zukunft, die oft auf ungute Weise miteinander wetteiferten, weil sie teils von den Regierungen, teils von der Industrie subventioniert werden.

Jedoch litt und leidet diese offizielle Zukunftsforschung unter einem Mangel: sie befaßt sich nur mit den technischen Bedingungen und Bedürfnissen der sich im Wandel befindlichen Menschheit. Sie suchte zwar nach Mitteln, um deren Überleben zu ermöglichen. Doch blieben die Forscher in ihren Büchern oder Instituten meist in der Analyse des Vordergrundes der Verhältnisse stecken. Die tieferen Gründe des gewaltigen Aufbruchs, der zu einer Erschütterung aller Lebensverhältnisse geführt hat, blieben ihnen unbekannt – auch interessierten sie diese nicht.

Aber in Wirklichkeit sind nicht die technischen Fortschritte und die Sozial-Explosionen die eigentliche Ursache der Veränderung, sondern vielmehr eine Wandlung des menschlichen Geistes. Weil sich seine Art der Erkenntnis und des Liebens gewandelt hat, betrachtet der Mensch sich selber und die Welt mit anderen Augen als bisher. Was aber hat den Geist des Menschen derart verändert, daß es zu einer Kettenreaktion von Weltrevolutionen kommen konnte, daß es ihn drängt, seine Nährmutter Erde zu verlassen und das Welthaus, in dem er lebt, seinem neuen Begreifen entsprechend umzugestalten?

Der Grund ist: der Mensch ist kein fixes, sondern ein werdendes Wesen. Er ist von Anfang an auf Vollendung angelegt, aber er ist nicht vollendet. Er ist, im Gegensatz zu seinen Mitgeschöpfen, ein Lebewesen mit Zukunft, weil er es vermag, sich selber zu übersteigen; nur durch solches Sich-selbst-Übersteigen gewinnt er Gegenwart. Wer oder was aber steuert solche Wandlung und Entwicklung des Menschen auf das Ziel der Vollendung hin, auf das hin er angelegt ist? Man spricht zur Erklärung von der Entelechie, der zielgerichteten Entwicklungsfähigkeit und dem inneren Formprinzip, die im Menschen wirksam sind. Daß dem so ist, lehrt die Betrachtung der Menschheitsgeschichte. Auf diese zurückschauend, können wir feststellen, daß keinesfalls nur Zufall oder nur Umweltsbedingungen (Eiszeiten, Wüstenbildungen, Völkerwanderungen etc.) seine Verhaltens- und Erkenntnisweise, seinen Typus, kontinuierlich oder sprunghaft, immer höher entwickelt haben. Wir können rückblickend eine derart deutliche Leitlinie seiner Entwicklung feststellen, daß der Verdacht unabweisbar wird, es müsse diese von Kräften, die zwar im Menschen wirken, aber zugleich auch auf ihn einwirken, angetrieben werden.

Das Geheimnis ist dies: der Mensch ist zwar frei zur Hinwendung auf das ihm vorgegebene Ziel, zugleich ist er aber den Mächten des Kosmos verbunden. Der Kosmos ist seine Amme, die ihn unaufhörlich mit immer neuen Kräften begabt. So hat schon die große Seherin Hildegard von Bingen den Menschen geschaut: als den Kosmos-Menschen, stehend in der Mitte der konzentrischen Sphären und Kraftfelder des Kosmos, deren Wirkkräfte ihm zuströmen. Unter „Kosmos" ist jedoch nicht nur das Insgesamt der physischen, sondern auch der geistigen Kräfte zu verstehen. Denn im Lebendigen sind Geist und Physis nicht getrennt, auch ist nicht einer der Feind, sondern der Helfer des andern. Im Medium der physikalischen Kräfte offenbart sich der Geist, durch sie treibt er die Entwicklung der Welt und des Menschen voran, führt er beide zum Ziele ihrer Entelechie — zur Freiheit und zur Vollendung.

Doch nicht regellos und wie eine alles überspülende Sturmflut dringt der Geist im Medium der kosmischen Kräfte auf den Menschen ein. Vielmehr kommt die jeweilige Offenbarung des von der Gottheit ausgesandten Geistes immer „zu seiner Zeit", dann, wenn die Menschheit jeweils fähig ist, eine neue Einstrahlung, die Erweckung zu neuen Erkenntnissen auszuhalten und zu verarbeiten. Darum offenbart und wirkt der Geist stufenweise in Weltperioden, deren geistiges Vorzeichen gesetzmäßig wechselt.

Weil aber dies nach unserer Überzeugung so ist, kann die Ausfaltung des Menschen, das tiefere Verständnis seiner bisherigen Geschichte wie seiner Zukunft, nur durch eine Verstehensweise erfaßt werden, in welcher das Wirken der kosmischen Kräfte mit der Geistesart und der Entwicklung des Menschen synchronisiert ist. Es handelt sich bei dieser um die älteste aller „Wissenschaften", um die Astrosophie, die Weisheitslehre von der kosmischen Verbundenheit des Menschen. Diese, viel gelästert und gerühmt, heute zu neuer Blüte erwacht, ist fähig, über das individuelle Schicksal hinaus, die Gesamtgeschichte des Menschen, seine jeweilige Gegenwart und seinen Gang in die Zukunft in große Symbole zu fassen.

Man nennt eine solche auf das allgemeine Schicksal bezogene Wissenschaft von den Zusammenhängen „Mundan-Astrologie". Auf dieser beruhen die Thesen und Prognosen im „Durchbruch zur Zukunft". Mit ihrer Hilfe wurde es unternommen, die Strukturen des auf uns Zukommenden, der Zukunft des *Menschen* zu erfassen und zu deuten. Dies Unternehmen ist als Dienst gedacht. Denn zu dem Schwierigsten, Erregendsten und zugleich Bedrückendsten gehört für unsere Generation, zu unterscheiden, was am Geschehen der Gegenwart dem Vergehenden, Verwesenden einer abgelebten Zeit und was einer noch unbegreiflichen Zukunft angehört. Die Ausdrucksweisen beider Bereiche sind einander oft so ähnlich, daß meist die Unterscheidung nur willkürlich erfolgt, wodurch Fehlgriffe unvermeidlich werden.

Dies Buch soll darum der Klärung dienen: was war in der Vergangenheit rechtens, was aber gehört an dem sich Ereignenden schon einer künftigen Lebens- und Geistweise an? Insofern hat sich das Buch zur Aufgabe gestellt, ein Führer durch das Labyrinth der Gegenwart zu sein. Freilich: Abschiede müssen geleistet werden, und sie erregen Schmerzen. Aber vielleicht können wir in der Betrachtung der Zukunft inne werden, daß uns noch Größeres und Bedeutungsvolleres erwartet als das, auf das wir von nun ab verzichten müssen. Ein Zeitalter versinkt, wie einst Atlantis, aber ein neues helles, vielleicht überhelles, steigt aus der Flut des Werdens empor.

Es hat sich nicht als notwendig erwiesen, am Text von 1958 Wesentliches zu ändern. Er hat seine Gültigkeit bis heute behalten. Nur in den Anmerkungen wurde ältere oder vergriffene Literatur gegen neuere hilfreiche ausgewechselt. Gewiß wünschte der Verfasser einige Thesen und Ansagen des Buches noch weiter zu präzisieren und differenzieren. Jedoch ist dies aus technischen Gründen nicht möglich.

Manches von dem Angesagten ist bereits eingetroffen. Freilich hat sich seit der Abfassung des Buches auch manches Bedeutsame, das das Werden des Wassermann-Zeitalters vorantreibt, ereignet. So insbesondere die Konjunktion der sieben klassischen Planeten im Zeichen Wassermann des Jahres 1962. Diese ungewöhnliche Konstellation hat der wassermannhaften Mentalität vollends zum Durchbruch verholfen. Seitdem löst sich die alte Gesittung mit großer Schnelligkeit auf, und eine neue, freiere, vorerst teilweise noch anarchische Gesinnung meldet sich stürmisch an. Stürmisch: ein Weltensturm braust über die Erde und reißt das Morsche, aber auch manches unwiederbringlich Edle, das der Derbheit gegenwärtigen Lebens nicht standzuhalten vermag, von den Lebensbäumen. Leid und Bitterkeit auf der einen Seite, Triumphgeschrei auf der andern ist die Folge. Aber beides wird vergehen und verstummen, wenn in etwa 170 Jahren das volle Licht des Wassermann-Prinzipes durch alle Schatten dringen wird.

Ich versuchte Wolfgang Amadeus Mozart im „Durchbruch zur Zukunft“ als einen Erstling des Wassermann-Zeitalters zu verstehen; sowohl seine Musik der sinnlichen Geistes- und Himmelsklänge wie sein Horoskop mit der vierfachen Besetzung des Wassermannzeichens weisen darauf hin. Was ich aber in bezug darauf hier nur stichwortartig andeuten konnte, habe ich ausführlich in meiner Darstellung von Mozarts Mysterium „Die Zauberflöte“ (Prestel-Verlag, München) dargelegt. Der frühe Untergang Mozarts, den wir heute noch betrauern, war zugleich das Signal für das Anbrechen eines neuen Zeitalters.

Auch die Revolution der religiösen Gesinnung vermochte ich im „Durchbruch zur Zukunft“ nur in Kürze darzustellen. Ich habe jedoch das Notwendige in einem Buche nachgeholt, welches das vorliegende ergänzt, in „Das Experiment Christentum“ (Pfeiffer-Verlag, München 1969).

Und schließlich habe ich manchen lebenden oder schon abgeschiedenen Freunden und Weggefährten zu danken, die mich auf dieser Wanderung in die Zukunft begleitet haben und mir mit Rat und Tat beigestanden sind.

Epiphanie 1971 — Alfons Rosenberg

EINLEITUNG

EIN ENTWURF DES KÜNFTIGEN MENSCHEN?

DIE ERSTE NIEDERSCHRIFT DER GRUNDGEDANKEN DIESES Werkes wurde, wenn auch in eingeschränkter Form, Ende Juli 1939 nach Jahren der Besinnung auf die innere Bedeutung des vollzogenen Umsturzes unternommen. Sie entsprang dem Wunsche, Klarheit darüber zu erlangen, was sich hinter der dunklen Sturmwand, die sich damals erhob, in Wirklichkeit verbarg und was denn durch die Katastrophe der Zeit hindurch Gestalt gewinnen wollte. Um in das „nach der Sintflut" Kommende Einblick zu gewinnen, legte sich eine Denk- und Lebenshaltung nahe: Nicht auf die ebenso erschreckende wie faszinierende Gegenwart, sondern auf den Zusammenhang und den Rhythmus des Ganzen zu schauen und zu versuchen, des Gesetzes der großen geschichtlichen Wellenbewegungen inne zu werden. Als ein Schlüssel zu solchen Gesetzen der geschichtlichen Großperioden bot sich als wirklich „aufschließend" die jahrtausendealte, aber in jedem Aeon wieder neu formulierte Lehre von den Weltaltern an. Erst durch diese Lehre, deren Realitätsgehalt sich an Hand zahlloser Geschichtsdaten bestimmen ließ, und durch die Zusammenschau der Zeiten, Abläufe wie der geschichtlichen Zyklen, ergab sich auch eine Ortsbestimmung der Gegenwart.

Jene Niederschrift von 1939 beschäftigte sich, nach Feststellung der rhythmischen Gesetze der Geschichte, vor allem mit der Problematik der religiösen Wandlungen im Verlauf der Weltalter. So wurden die drei großen typischen Phasen des Religiösen und ihre nicht umkehrbare Abfolge aufgefunden: Die prophetisch-aktive, auf Umgestaltung der Welt in Gott gerichtet (im „Wir" der Gemeinschaft), sodann die passiv-empfängliche der Mystik, für die nur die Innerlichkeit Wirklichkeit ist und die nach individueller Erfahrung verlangt (entsprechend dem „Ich" des Erlebenden), und schließlich die von der Gemeinschaft und vom Erlebnis abgelöste, abstrakte Lehre vom göttlich Wahren (entsprechend dem „Es" des gesetzeshaft Richtigen).

Da sich aber der Dreischritt der religiösen Wandlung (die noch weiter nach Einzelheiten unterschieden werden kann) nicht nur im Innern des Menschen, sondern zugleich auf der Spielbühne der Welt vollzieht, und im lebendigen Vollzug sich das innere Leben nicht vom äußern, das Göttliche auch nicht wirklich vom Irdischen scheiden läßt, erwies es sich als notwendig, das Religiöse, als ein allerdings grundlegendes Element, in eine Gesamtdarstellung der Weltalter einzubeziehen.

Warum aber ist es überhaupt notwendig, die alte Formulierung „Weltalter" zur Erschließung der Rhythmen und des Sinnes von Vergangenheit, Gegenwart und Zukunft wieder heranzuziehen? Der Grund ist bereits allgemein einleuchtend geworden: Es hat sich erwiesen, daß die weltweite politische, wirtschaftliche und geistige Dauerkrise, aus deren Kraftfeld wir scheinbar gar nicht mehr hinausgelangen können, die Symptomatik des Überschrittes von einem Weltalter in ein neues darstellt. Die Leiden unsrer Gegenwart sind die Geburtswehen eines neuen Zeitalters.

Doch wenn auch heute durch die Häufung der Zeugnisse der Überschritt der Menschheit in ein neues Zeitalter vielen unmittelbar einleuchtend geworden ist, so wurden und werden noch an dieses globale Ereignis die verschiedenartigsten Hoffnungen geknüpft. Als ein „drittes Zeitalter des Geistes" wurde es von Lessing und Fichte erwartet (wobei sie die Verkündigung des seherischen Abtes Joachim von Fiore neu ausdeuteten); Schelling hat es als eine „neue Bewußtseinsstufe" umschrieben und Rudolf Steiner als ein „michaelisches Zeitalter" angekündigt. Durch den „Untergang des Abendlandes" sah es Oswald Spengler eingeleitet, während Pater Lombardi ein „Zeitalter Jesu" erwartet. Andre erhoffen oder befürchten ein „Zeitalter des Geistmenschen", ein neues Matriarchat oder den Ausbruch der Hölle. Vielfach wird bereits — von Geschickten und Ungeschickten — von der Heraufkunft eines „Wassermann-Zeitalters" gesprochen. Einer der „alten Weisen" unsrer Zeit, ein Kenner der Traditionen, wie deren Umwerter und Fortsetzer, nämlich der Psychologe C. G. Jung, nimmt den Anbruch des „Wassermann-Zeitalters" zum Ausgangspunkt seines neuen Buches „Ein moderner Mythos", „von Dingen, die am Himmel gesehen werden" [1]). Obwohl er sich Rechenschaft darüber ablegt, wie unpopulär seine diesbezüglichen Erwägungen sind und wie sehr er von den blinden Blindenführern, den Rationalisten unsrer Zeit, in die Nähe von „Zeichendeutern und Weltverbesserern" gerückt werden wird, kann er es vor seinem Gewissen nicht unterlassen, darauf hinzuweisen, daß wir psychischen Wandlungsphänomenen entgegengehen, wie sie „jeweils am Ende eines platonischen Monats (d. i. eines Weltjahrs) und zu Anfang des nachfolgenden auftreten ... Diese Wandlung hat innerhalb geschichtlicher Tradition angehoben und ihre Spuren hinterlassen, zunächst im Übergang des Stier-Zeitalters zu dem des Aries (Widder), sodann vom Zeitalter des Aries zu dem der Pisces (Fische), dessen Anfang mit der Entstehung des Christentums zusammenfällt. Wir nähern uns jetzt der großen Veränderung, die mit dem Eintritt des Frühlingspunktes in Aquarius (Wassermann) erwartet werden darf." C. G. Jung unternimmt nämlich die Deutung dessen, was aller Wahrscheinlichkeit nach geschehen wird, weil er bekümmert ist „um das Los derer, die unvorbereitet von den Ereignissen überrascht werden und ahnungslos deren Unfaßbarkeit ausgeliefert sind".

Jedoch trotz der ungeheuren Wandlung, in der wir begriffen sind, gehen wir weder einem ersehnten „Zeitalter des Hl. Geistes" noch einer „Epoche des Teufels" entgegen. Einmal freilich wird alle Geschichte und alle Zeit durch das angekündigte Gericht beendet und vollendet werden — aber dessen Stunde weiß weder ein Geschichtskundiger noch ein Prophet. Uns bleibt darum nichts anderes, als in der Erwartung der Ewigkeit dem auf uns zukommenden Äon entgegenzugehn.

So ist, wenn auch in vielfacher Deutung, der Anbruch eines „neuen Zeitalters" von gewandelter Bewußtseinslage und mit den Anfängen einer Lebenshaltung, die nicht mehr auf dem bisherigen Einvernehmen mit der Natur beruht, heute allgemeine Überzeugung geworden. Wohin aber die Menschheit in dem anhebenden neuen Weltalter steuern wird, dem ein Traditionsbruch ohnegleichen vorangegangen ist, darüber gibt es bisher nur teils angsterfüllte, teils hoffnungsvolle Vermutungen. Dennoch ist es notwendig, sich darüber, wenn auch nur in großen Umrissen, schlüssig zu werden. Denn die Gegenwart, der wir verpflichtet sind, kann heute und niemals nur aus sich selbst begriffen werden. Sie aber nur zu erleiden, genügt nicht. Der Mensch ist ein von Gott absichtsvoll in die Welt gesetztes Wesen, darum sind ihm Setzungen, Sinngebungen aufgetragen — und ohne solche, die ihn erst in den größeren Zusammenhang einreihen, verdirbt das Werk seiner Hände.

Gerade weil nicht nur die Vergangenheit, sondern auch die Zukunft Quelle der Gegenwart ist, erweist es sich als notwendig, daß sich der Mensch in schöpferischer Überschau über die Gegenwart erhebt und es unternimmt, Entwürfe für die Zukunft bereitzustellen, sei es als rationale Konstruktion oder als irrationale Utopie (deren geschichtsbestimmende Macht sich heute erneut erweist). Wird solches versäumt, dann besteht die Gefahr, daß der Mensch es nicht mehr vermag, die Gegenwart auf die Zukunft hin zu gestalten.

Für den Versuch eines Vorentwurfes der Zukunft, ihrer Projektion, ist es von *höchster Wichtigkeit*, sich eines möglichst universalen Schlüssels zu bedienen, der zugleich eine Vielzahl von Türen, d. h. von Problemen, zu erschließen vermag. Hierzu dient nun eine Theorie — wörtlich Überschau — in der sich die Fülle der Erfahrungen des Menschengeschlechtes bis zu seiner Frühzeit zurück auskristallisiert hat: Die alte Lehre von der Abfolge der Welt-Alter, an deren Entfaltung die Weisen aller Zeitenkreise mitgearbeitet haben, sie ständig mit neuen Einsichten und Erfahrungen erweiternd.

Diese Lehre von den Welt-Altern ermöglicht gerade dadurch, daß sie Vergangenheit und Zukunft gleicherweise umfaßt, eine synthetische Geschichtsschau, Einsicht in die Gesetze der geschichtlichen Rhythmen und in die Struktur des Künftigen. Daß auch diese „große Theorie" wie jede Schau des Menschen an der Grenze seines Erkenntnisvermögens ihre Schranke findet, muß die selbstverständliche Voraussetzung ihrer Anwendung bilden. Mit Hilfe dieser von Heiden wie von Christen vielfach abgewandelten Lehre von den Welt-Altern wird im Nachfolgenden der Versuch unternommen, die Kräfte, die Gestalt- und Strukturprinzipien jenes „neuen Zeitalters" zu erschließen, in das die Menschheit heute bereits eingeschritten ist. Allerdings sollte hierbei berücksichtigt werden, daß alle Geschichte den Menschen und die ihn durchwirkenden Geistmächte zu Urhebern hat. Ein neues Zeitalter, das will sagen: eine neue, Jahrtausende als Einheit umfassende Geschichtsepoche, beruht darum auf der Heraufkunft einer neuen Menschenart, eines gewandelten Bewußtseins und einer neuen Gesinnung.

Es ist darum aussichtslos, ein zulängliches und nachdenkbares Bild der Zukunft zu entwerfen, ohne das Bild und die Lebensart des künftigen Menschen zumindest in Umrissen darzustellen. Nicht ein abstraktes System bildet darum die Voraussetzung dieses Versuches zur Bestimmung des künftigen Welt-Alters, sondern eine Darstellung des künftigen Menschen, widerspruchsvoll in sich selber, wie notwendigerweise jede Beschreibung des Lebendigen. Die Diagnose der Zukunft ist darum eine solche des künftigen Menschen. Dostojewskij hat seine Heraufkunft bereits geahnt, wenn er in seinen Politischen Schriften ankündet: „Jetzt klopft jemand an die Tür ... ein neuer Mensch mit einem neuen Wort. Er will die Tür öffnen und eintreten ... Wer aber ist er — das ist die Frage. Ist es ein ganz neuer Mensch oder einer, der wieder uns allen, uns alten Menschen gleicht?".

Der *„Entwurf des künftigen Menschen"*, der den Inhalt dieses Buches bildet, versucht auf diese Frage eine Antwort zu geben. Allerdings wird man darin vergebens Klagen über Versäumtes und Verlorenes, Rezepte für die Heraufführung einer besseren Welt, Weltverbesserungsvorschläge, Angstvisionen vom baldigen Weltuntergang und dergleichen finden. Die Welt geht ihren Gang — in ihrer Schönheit und Grausamkeit ist sie Gottes. Was von ihrem Gang in die Zukunft mit einiger Wahrscheinlichkeit festzustellen ist, das wurde hier aufgeschrieben. Hierbei sind Widersprüche nicht zu vermeiden gewesen. Jedoch liegen sie in der Natur der Sache. Weil das Leben selber widerspruchsvoll ist, und es niemals, auch nicht durch Mühe und Systeme, auf einen Nenner gebracht werden kann — darum muß auch jede Umschreibung von Lebensvorgängen widerspruchsvoll sein und bleiben.

ERSTER TEIL

DIE LEHRE VON DEN WELTZEITALTERN

DIE GEGENWART BRICHT AUS DER ZUKUNFT HEREIN

DER MENSCH IST, IM GEGENSATZ ZU TIER UND PFLANZE, die mit ihrer jeweiligen Gegenwart identisch sind, ein geschichtliches Wesen. Das will sagen, daß er in jedem Augenblick im Schnittpunkt von sich sternförmig kreuzenden Lebens- und Zeitlinien steht. Von diesem Stern, dem Zeichen einer unaufhörlich sich verändernden, labilen Gegenwart, strahlen diese Linien nach allen Zeit- und Lebensrichtungen aus. Nur eine unrealistische, kausalistische Betrachtungsweise wird zur Anschauung gelangen können, daß jene Linien einzig von der Vergangenheit aus, diesem Vorratshaus gegebener Matrizen der Geschichte, in die Sterne der Gegenwart einmünden.

In Wirklichkeit strömen die Kräfte und Impulse zur Gestaltwerdung dem Menschen von allen Seiten, von innen wie von außen, aus der Natur wie aus der Übernatur, aus der Vergangenheit wie aus der Zukunft zu. Das Paradoxon: Die Gegenwart bricht aus der Zukunft herein, mag zwar den Sachverhalt überspitzen, ist aber dennoch die gemäße Beschreibung des geschichtlichen Gefälles. Für die Bildung der Gegenwart liefert zwar die Vergangenheit „vorgeprägte Hohlformen", die jedoch substanziell erst aus der Samenkraft der Zukunft gefüllt werden können.

Erst durch eine solche „Vergegenwärtigung" der Zukunft tritt auch der Sinngehalt der Gegenwart mehr und mehr hervor; der gesetzmäßige Wandel der Zeitläufe zeichnet sich ab, ob nun die Griechen den Geschichtsverlauf kreisläufig als ewige Wiederkehr des Gleichen verstanden, ob ihn die Bibel als spiralige Erhebung zu dem von Ewigkeit vorbestimmten Welt-Ziele sah, oder ob die moderne – im Grunde schon überwundene – Fortschrittsgläubigkeit ihn gradlinig als Vollendbarkeit der Geschichte durch den Willen des Menschen auffaßte.

Zweifellos ist das moderne Geschichtsdenken — bewußt oder unbewußt auf der christlichen Geschichtstheologie beruhend — futuristisch ausgerichtet. Aber bereits dasjenige der alten Hochkulturen bezog in dem Maße, als die Kontinuität der Geschichte trotz aller Umschwünge deutlich wurde, wenn auch nicht so konsequent, die Zukunft mit in die Gegenwart ein. Doch obwohl das Weltbild des Alten Testamentes bereits futuristisch ausgerichtet ist, gelingt es dem Geschichtsdenken Indiens und Griechenlands nur teilweise, sich von der Befangenheit in der kosmisch-kreisläufigen Weltsicht zu lösen.

Inzwischen ist aber längst die Einsicht durchgedrungen, daß die Gegenwart nur unter Zuhilfenahme der Zukunft zu verstehen sei. Denn jede „geschichtliche Situation, der sich ein Zeitalter gegenübergestellt sieht, ist vorausgeworfen (Freyer)“ — d. h. bereits aus der Zukunft in die Gegenwart projiziert.

Als Folge der Einsicht von der Notwendigkeit, die Elemente der Zukunft in der Gegenwart zu erkennen und ihr zugleich mit Vorentwürfen entgegenzugehen, wurden unaufhörlich neue Utopien, Weltentwürfe, Ideologien konzipiert. Solche Versuche wurden allerdings in gewissen Zeiten als fragwürdig betrachtet, so z. B. in der Aufklärungszeit, die freilich selber einen idealen Entwurf des künftigen „völlig vernünftigen“ Menschen hervorgebracht hat.

Inzwischen aber ist die geschichtsbildende, die Zukunft konstellierende Macht der Utopie — von Platons Idealstaat bis zu Karl Marx' sozial-idealer klassenloser Gesellschaft — wiederum entdeckt worden. Solche Entwürfe der Zukunft, zugleich Mittel der Wirkung auf die Gegenwart gab es, kleine und große, in allen Zeitaltern. Als Beispiele aus ganz verschiedenen Kategorien und Zeiten seien die jüdischen Propheten Jesaia, Jeremia und Ezechiel genannt, der Dichter Virgil, Hildegard von Bingen und Joachim von Fiore, Kaiser Karl V. und Napoleon I., Anna Katharina Emmerich und Don Bosco, Jules Verne und Franz Werfel. Der Mensch erleidet nicht nur die Zukunft — er fordert sie heraus.

Indem aber der Mensch die Gestaltkräfte der Zukunft — die vom heutigen bis zum jüngsten Tage reicht — zu sich „herableitet“, werden sie, da er bereits in jedem Augenblick von ihnen angetrieben wird, zu Elementen seiner Gegenwart. Denn indem er durch sein Denken, Imaginieren und Handeln auf den unendlichen Bereich der Zukunft wirkt, wirkt diese andererseits auch in sein gegenwärtiges Handeln, in die Struktur seines Daseins hinein: Die Gegenwart bricht darum buchstäblich aus der Zukunft herein. Des Menschen Leben gedeiht nun einmal nicht zur Gestalt- und Sinnfülle ohne einen Überblick über das Ganze und seine Teile, wenn er es unterläßt, den Bogen des Geistes von der Vergangenheit bis zur Zukunft zu spannen.

DIE ZUKUNFT UND DIE HEILSGESCHICHTE

Offensichtlich ist der christliche Glaube auf einer futuristischen Schau der Geschichte gegründet. Denn er verkündet, daß alles, was seit der Menschwerdung Gottes und seitdem bis zum Anbruch der letzten Zeit geschieht — wie lange es auch dauern möge — auf eine unausweichliche Weise auf das Kommen des Eschaton bezogen sei. „Die zeitliche Dimension eines endgültigen Zieles ist somit eine eschatologische Zukunft, und Zukunft ist für uns nur da in Erwartung und Hoffnung. Der letzte Sinn (alles zeitlichen Geschehens) ist der Brennpunkt einer erwarteten Zukunft" (K. Löwith).

Durch die Botschaft Jesu ist daher das Bestimmtsein ins Absolute erhoben worden. Erst durch die aus der Wurzel des jüdischen Messianismus erwachsene Erwartung des Eschaton ist die „Zukunft zum wahren Brennpunkt der Geschichte" geworden. Freilich handelt es sich hierbei nicht um eine zeitliche, sondern um die überzeitliche Zukunft, auf die alle Linien des Lebens zulaufen, in der dann alle Verheißungen eingelöst und alle Gerichte vollzogen werden. Damit wurde erstmals in der Geschichte nicht nur deren Ziel, sondern auch deren Sinn enthüllt. Ein Vorhang vor dem Hintergrund der Schöpfung und der Zeit wurde fortgeschoben, wobei es sich zeigte, daß die Geschichte nicht, wie zuvor angenommen, ohne Ziel ins Unendliche läuft oder in großen Kreisen wiederkehrt. Erst durch die Verkündigung der Apokalypse des Johannes ist offensichtlich geworden, daß der Geschichte ein Ende bestimmt ist, daß sie nicht geradeaus, sondern in Spiralen einem zeitenthobenen Ziele zustrebt, in dem sie aufgehoben und vollendet wird.

Damit aber erlangt die Menschheitsgeschichte eine eigentümliche Spannung — jede Geschichtsperiode und alle Ereignisse erweisen sich auf jene Zukunft jenseits aller Zukunft hinbezogen. Sie werden über ihre sachliche und aktuelle Bedeutung hinaus zu prophetischen Zeichen. Die Vergangenheit wird zu einem Versprechen der Zukunft; die vergangene Geschichte zur „rückwärtsgewandten Prophetie", und die Geschichte der Gegenwart und der Zukunft — nach der Apokalypse des Johannes oder der Prophetie des Joachim von Fiore — zur „Enthüllung" dessen, was kommen wird, zur vorgreifenden Prophetie. Erst von der „totalen Zukunft", dem Ende der Geschichte her, die von der Ewigkeit verschlungen wird, ist eine Gliederung der unaufhörlich fließenden und zerfließenden Zeit möglich. Ein Zielpunkt jenseits der Zeit wird zum „Richter", zur Ausrichtung der Zeitabläufe. Dadurch wird das Bedeutungsvorzeichen aller Zeiten und Taten grundlegend verändert. Die Bedeutung eines Geschehens wird nun nicht mehr allein durch seine Nützlichkeit, seine Größe oder seinen sittlichen Wert, sondern letztendlich durch die Art seiner Bezogenheit auf die zeitlose Zeit, das Eschaton bestimmt. Alle Zeiten erscheinen dann als Stufen zu diesem hin, als Weisen des Harrens auf Erlösung, als ein vielfach gegliederter Advent. Sie enthüllen sich über alle Sachlichkeit hinaus als weissagender Vorgriff auf die künftige Erfüllung, oder – wenn in sich selber verschlossen – als Mißgriff der in der Geschichte wirkenden Mächte. Dadurch, daß sich der apokalyptische Christus als Herr der Geschichte und als ihr Vollender geoffenbart, wird die Dimension der absoluten Zukunft, der Metahistorie, enthüllt – nicht als Hinzufügung eines höheren Elementes zur Gegenwart, sondern als das verwandelnde Ferment alles Geschehens. Es handelt sich hierbei nicht um eine bloße Harmonisierung des Vorhandenen, sondern um eine Scheidung der Welt, des Menschen, seiner Geschichte und ihrer Wesenselemente.

GESCHICHTSRHYTHMEN

Neben dieser, erst durch die Offenbarung in Jesus Christus möglichen, heilsgeschichtlichen Schau des Weltgeschehens hat sich die Menschheit in allen Zeitaltern von jeher um die Erfassung innerweltlicher Geschichtsrythmen bemüht. Sie hat versucht, im Ablauf der Geschichte gesetzmäßige Gliederungen festzustellen. Das Geschichtsverständnis des Orients, aber auch dasjenige des christlichen Mittelalters, fußte als Voraussetzung auf verschiedenartigen Periodenlehren. In Indien weiß man in der Weltentwicklung und in der Geschichte das Gesetz von Systole und Diastole, Weltentag und Weltennacht in unaufhörlichem Wechsel wirksam – kennt darüber hinaus aber auch die Abfolge riesiger Weltperioden von Jahrhunderttausenden. Nach dieser Lehre würden wir uns heute in der Dunkelzeit des Kali-Yuga befinden.

Die Chinesen kennen acht Welt-Jahreszeiten. Die alttestamentliche Schau unterscheidet nach dem Danielbuch vier große Geschichtsperioden, entsprechend den „vier Reichen", die im fünften, dem „Reich der Gottesfreunde" ihre Auflösung und Erfüllung finden sollen. Talmud und Kabbala gliedern – entsprechend dem Siebenersystem des Alten Testamentes – die Geschichte in sieben Großperioden. In der Apokalypse des Johannes wird diese Siebenerperiodik wie eine Fuge durchkomponiert. Die Griechen und Römer sehen die Geschichte als Abfolge des goldenen, silbernen, kupfernen und eisernen Zeitalters, die in Kreisläufen wiederkehren.

Eine Unzahl von Forschern, Historikern, Philosophen, Mathematikern und Biologen haben sich seit der Zeit der französischen Revolution, aber nicht minder im Mittelalter damit beschäftigt, innerhalb der scheinbar regellos und zufällig verlaufenden Geschichte der Menschheit einen sinnvollen Rhythmus, im Meere der geschichtlichen Ereignisse ein Wellenmuster, die regelmäßige Wiederkehr von gleichartigen Abläufen festzustellen. Die berühmten „Quatrains" des Michel de Nostradamus seien nur am Rande erwähnt, da sie nicht nur aus astrologischen Gesetzen, sondern auch aus prophetischer Schau gewonnen wurden, wodurch sie jedes System sprengten. Aber schon kurz vor der Wirk- und Lebenszeit des Nostradamus, um 1480, veröffentlichte der französische Kardinal Peter d'Ailly seinen berühmten „Tractus de imagine mundi", den Entwurf einer Geschichtsrhythmik auf Grund astrologischer Prinzipien, der mit einer Periode von 48 Konjunktionen von Jupiter und Saturn oder 953 Jahren arbeitet. Auf Grund seiner Methode vermochte er den Zeitpunkt der französischen Revolution (1790) — mehr als 300 Jahre voraus — gesetzmäßig anzukündigen.

Nur wenig später entwarf der portugiesische Rabbi Abarbanel (gest. 1508) ein geschichtsrhythmisches System, demzufolge jeweils nach 239 Jahren wesentliche Veränderungen, nach 959 Jahren aber entscheidende Umwälzungen im Leben der vorherrschenden Völker eintreten müßten. Daß sich Kepler eingehend mit Geschichtsrhythmik — in Parallele zu den Rhythmen der Astralwelt — beschäftigte, ist bekannt. Er versuchte u. a., den „Stern von Bethlehem" mit einer dreimaligen Konjunktion von Saturn und Jupiter im Tierkreiszeichen der Fische zu identifizieren. Im 19. Jahrhundert war es Ennemoser, der um 1860 ein „Horoskop der Weltgeschichte" entwarf.

Auch die zeitgenössischen Geschichtsforscher haben sich um Darstellungen der Periodizität des Geschichtsverlaufes bemüht. Spengler sah den Ablauf der Geschichte durch die zyklische Gesetzmäßigkeit des organischen Lebens bestimmt. Toynbee sucht in der Geschichte einen wiederkehrenden Rhythmus des Geschehens durch ein Schema von Werden und Wachsen, von Niedergang und Zersetzung, von Integration und Desintegration der Kulturen darzustellen. Die Desintegration erfolgt nach seiner Lehre im Rhythmus von dreieinhalb Takten. Im Jahre 1896 ließ Rudolph Mewes sein Werk „Kriegs- und Geistesperioden im Völkerleben" erscheinen. Sein Vorgänger ist Baurat Sasse mit seinem „Zahlengesetz der Weltgeschichte". Selbst Bismarck hat sich mit Geschichtsrhythmik beschäftigt. In seiner zweiten Rede „zur Heeresverstärkung" rechnet er mit einem jeweils zwanzigjährigen Rhythmus der Wiederkehr politischer Krisen. Freiherr von Stromer-Reichenbach hat vor dem ersten Weltkrieg auf Grund der Vergleichung von 60000 Geschichtsdaten das System seiner Historionomie entwickelt, das ihn zur Feststellung eines fortschreitenden Revolutionszyklus von jeweils 130-150 Jahren geführt hat. Stromer-Reichenbach hat wiederum auf Max Kemmerich („Die Berechnung der Geschichte und Deutschlands Zukunft") und vor allem auf Oswald Spengler und dessen organisch-rhythmische Geschichtsbetrachtung gewirkt. Im Jahre 1924 erschien „Die Weltgeschichte und ihr Rhythmus" von Friedrich Cornelius und im Jahre 1929 „Das Wellengesetz in der Geschichte" von Herbert Kraus. Aus ähnlichen Gedankengängen, und zwar durch Beobachtung organischer Prozesse, entwickelte W. Fries seine Biorhythmik mit den beiden Grundperioden von 23 und 28 Tagen. Paul Kammerer wies zur gleichen Zeit in seinem Werk „Gesetz der Serie" nach, daß auch der Ablauf der äußern Vorgänge des Alltags gesetzmäßig rhythmisch gegliedert sei. Fast jedes ernsthafte Lehrbuch des astrologischen Weltbildes und der astrologischen Technik enthält Hinweise auf den Rhythmus der Geschichte in Parallelsetzung zu den kosmischen Rhythmen, so die Werke von Sindbad-Weiss, Fankhauser, Paris, Kritzinger, Kündig[2]), vor allem das kleine aber bedeutsame Werk des Psychologen Hans Künkel „Das große Jahr", in dem die alte Lehre von den Weltaltern auf eine knappe, klare, wenn auch unvollständige Weise abgewandelt wird.

Die Arbeiten von Burckhardt und Michelet im 19. Jahrhundert haben zur Bewußtwerdung des kunstgeschichtlichen und geschichtlichen Epochenbegriffs geführt durch die Feststellung, daß der Rhythmus von Früh-, Hoch- und Spätkunst oder der Archaik, der klassischen Kunst, des Barock, des Rokoko und der realistisch-impressionistischen Spätkunst in jeder Großkulturperiode in etwa derselben Reihenfolge (abgesehen von Phasenverschiebungen) wiederkehrt. Dadurch stehen aber die einzelnen Stilperioden einer Großperiode in Korrespondenz zu der entsprechenden Stilperiode der vorhergegangenen Großperioden.

Diese Abläufe sind durch die Kunstgeschichte heute so klar herausgearbeitet und die Korrespondenzen der Perioden durch die Ausgrabungen und Erforschungen der Antike so deutlich geworden, daß ein höchst origineller Kunstgeschichtler, Paul Ligeti, eine „Deutung des Weltgeschehens aus dem Rhythmus der Kunstgeschichte" unternehmen konnte. Das Grundschema seiner Geschichtsrhythmik ist ein quaternales: In den Anfängen jeder Kultur herrscht die Architektur vor, auf dem Höhepunkt die Plastik; mit der Malerei und mit der Vorherrschaft der Musik ist dann das Wellental und die Spätzeit der Kultur herangekommen. Diese vier Kunstformen werden für ihn zu Schlüsselfiguren von Kultur- und Weltzuständen, die er in differenzierten Schemata darstellt.

Sieht man genauer zu, so entdeckt man, daß die meisten dieser geschichts- und lebensrhythmischen Theorien die Wirksamkeit einer logoshaften, das will sagen sinn- und regelvollen, steuernden Kraft im Geschichtsverlauf voraussetzen. Die Geschichte — das läßt sich diesen Theorien ablesen — ist weder sich selber überlassen, noch wird sie allein von kosmischen Kraftfeldern aus angetrieben; vielmehr hat sich Gott selber in sie eingewirkt, sie durch seine Selbstentäußerung miterleidend. Von dieser Einsicht aus könnte die kühne „Frohe Botschaft" von der Menschwerdung Gottes in Jesus Christus auch als die Vollendung des Eingewirktseins Gottes in der Geschichte verstanden werden.

Wenn sich aber Gott und Welt durch die Herablassung Gottes derart gegenseitig durchdringen, dann bilden die innerweltlichen, geschichtsrhythmischen Systeme durchaus keinen unvereinbaren Gegensatz zu einem auf das Eschaton ausgerichteten Weltgeschehen. Auch dann bleibt die Geschichte in sich selber übersehbar und überdenkbar, in Teile und Epochen gegliedert, die untereinander in einer folgerichtigen Beziehung stehen, und alle diese Epochen sind zugleich auf das Ziel der Geschichte, auf das Eschaton ausgerichtet. Der Vollender einer solch doppelsinnigen „gekreuzten" Geschichtsbetrachtung war im Mittelalter Joachim von Fiore[3]), dessen große Utopie von den drei Zeitaltern — in Analogie zu den Personen der göttlichen Trinität — auf die verschiedenste Weise bis heute fruchtbar nachwirkt. Joachim verstand als Geschichtstheologe den Geschichtsverlauf als einen finalen, da er auf das Weltgericht und die künftige Wiederherstellung der Welt bezogen ist. Zugleich aber wußte er ihn in Epochen gegliedert, die er sowohl nach dem altüberlieferten Siebenersystem der Apokalypse, wie in Analogie zur hl. Trinität bestimmte. Dadurch wurde Joachim zum Klassiker der europäischen Geschichtsrhythmik[2]), schon deshalb, weil er die Anschauung vertrat, daß sich in jeder Geschichtsperiode immer nur ein Aspekt Gottes abpräge, daß also jede einen unverwechselbar eigenartigen, sich aber von Periode zu Periode wandelnden Charakter aufweise.

DER GROSSE SONNENRHYTHMUS

Die volle Entfaltung der Geschichtsrhythmik wird jedoch erst durch die vollkommene Zwölferreihe oder deren Vielfaches möglich — entsprechend dem Sonnenrhythmus des Jahres, in dem alle Arten von Abläufen in ein umgreifendes Periodensystem zusammengefaßt werden können. Der kosmische Rhythmus der scheinbaren Sonnenbahn durch den zwölfgeteilten Tierkreis ist das Vor- und Abbild einer vollkommenen Harmonie, des idealen Rundlaufes und der völligen Entfaltung und Gestaltung des Einen in der Vielfalt der Ausprägungen. Da der Mensch (als Bild Gottes) wie die Geschichte (als der in die Raumzeitlichkeit auseinandergefaltete Mensch) nicht nur aus sich selber begriffen und gedeutet werden kann, bedarf es eines außermenschlichen Urprinzips zu deren Deutung. Für den Menschen ist es Gott selber, für die Geschichte aber sind es die Präfigurationen und Prärhythmen des Kosmos, insbesondere der Sonnenbahn.

Die Bezogenheit der kosmischen Rhythmen und der Menschengeschichte war der Menschheit der bisherigen Hochkulturen theoretisch und praktisch bekannt, wenn auch unter anderen Gesichtspunkten als sie es heute unter dem Vorwalten des durchaus noch nicht überwundenen Rationalismus sind. Eine aus der Beobachtung des Zusammenklanges von Oben und Unten, der Wechselwirkung des Kosmischen und des Menschlichen, des Ineinanderwirkens von Materie und Kraft hervorgegangene Weisheitslehre vom Welt-, Lebens- und Geschichtsrhythmus, hat es schon seit Jahrtausenden unternommen, die Analogie von Sternenlauf und Geschichtsverlauf aufzudecken und auf Grund des großen kosmischen Zyklus unseres Planetensystems die Theorie eines sinnvoll gegliederten, nachprüfbaren geschichtlichen Periodensystems darzustellen. Die Grundprinzipien eines solchen Systems wurden schließlich durch die Entdeckung (vielleicht war es auch nur eine Wiederentdeckung) des sogenannten Präzessionszyklus durch den griechischen Astronomen Hipparch von Samos – um 180 v. Chr. – festgelegt.

Der Frühlingspunkt, der Schnittpunkt von Äquator und Ekliptik, der Ort des Tierkreises, in dem die Sonne am 20. März, dem Frühlingsanfang steht, verschiebt sich durch die ständig kreiselnde Bewegung der Erdachse und rückt so im Laufe von 2100 Jahren jeweils in ein neues Tierkreiszeichen ein. Indem der Frühlingspunkt, rückläufig durch die scheinbare Sonnenbahn des Tierkreises wandernd, innerhalb von etwa 25200 Jahren durch die 360 Grade des Tierkreises eine große Kreisbewegung vollzieht, weist die kreiselnde Erdachse gleich einem Uhrzeiger etwa alle 2100 Jahre auf ein anderes Tierkreiszeichen. Und weil sich Ekliptik und Himmelsäquator durch diese Bewegung ständig gegeneinander verschieben, bedarf es eines Zeitraumes von 25200 Jahren ehe der Frühlingspunkt die 12 Tierkreiszeichen durchwandert und wieder seinen Ausgangspunkt erreicht hat. Diese 25200 Jahre, das große oder auch das platonische Jahr genannt, werden durch die Zwölfheit der Tierkreisbilder in 12 „kleine" Weltjahre von 2100 Jahren, und jedes von diesen wiederum durch die Zwölfzahl in Weltmonate von je etwa 175 Jahren unterteilt.

Warum aber sollte nun die Verlagerung der Erdachse und die Wanderung des Frühlingspunktes als geo- und astrophysikalische Vorgänge im Zusammenhang mit der Geschichte des Menschen stehen? Dies darum, weil die Welt, obwohl vielschichtig, ein sinnvolles Ganzes bildet, denn alle ihre Teile sind durch göttliche Dynamis, durch eine universale Sympathie zu einer lebendigen Einheit verbunden, innerhalb derer alles auf alles wirkt. Auch der Mensch steht geistig und physisch in Verbindung mit allen Kräften und Vorgängen der Schöpfung. Er ist in sie eingewirkt, von ihr ernährt, durch sie bedingt. Frei davon ist er nur in höchster Hinsicht, in seiner ichübersteigenden Liebe und im Selbstopfer. Aber sonst bleibt er an die gegebenen Weltverhältnisse und Kraftfelder gebunden.

Weil aber Kosmos, Erde und Mensch in Entsprechung zueinander stehen, wirkt sich das Weltjahr, das große wie das kleine, in den Geschichtsperioden der Erde und des Menschen aus. Die Mentalität und Gestaltkraft der einzelnen Perioden entsprechen dem jeweiligen Stand des Frühlingspunktes im Tierkreis, der Symbolik und Prägekraft der jeweiligen Tierkreiszeichen. Dies ist der Grund, warum die Lehre von der Abfolge der Weltalter sich nicht mit zahlenmäßigen Angaben und Abgrenzungen begnügen muß, sondern es vermag, über die dem Präzessionsrhythmus entsprechenden Geschichtsepochen – sei es von 2100 oder von 175 Jahren – wesenhafte und charakteristische Aussagen zu vermitteln. Aus diesem Zusammenhang unternimmt es die Weltalterlehre, die Kreiselbewegung der Erdachse durch die Tierkreiszeichen mit den Wandlungen der Geschichte, der Kulturen und Völkerkreise derart in Beziehung zu setzen, daß der Zeiger der kosmischen Weltuhr auch den Stundenschlag der Geschichte anzeigt.

Nach den Forschungen von Fritz Siewert wirken drei das Leben konstellierende und bestimmende Kreisläufe ineinander: Der Werdekreislauf, der Kreislauf der Bewußtwerdung und als dritter — bedeutungsvoll für die Darstellung der Entwicklung und der Zukunft der Menschheit — der Zyklus der Präzession oder des platonischen Jahres. Durch die langsam rotierende Bewegung der Erdachse erfährt o Grad Widder, der Frühlingspunkt, in jedem Weltjahr einen anderen Bezug zu den hinter ihm liegenden Fixsternbildern, d. h. zum Weltraum als Ganzem. So erhält der Mensch, die Erde, der Kosmos kontinuierlich ein anderes Analogieverhältnis zu der nächsthöheren Ordnung, in die er eingebettet ist.

Sowohl der Werdekreislauf wie auch der Bewußtseinskreislauf wandeln sich ständig. Nachweisbar ist dieser Rhythmus vor allem im Werden und Vergehen der Kulturkreise, die dem platonischen Großjahr und seinen 12 Kleinjahren jeweils in unmittelbarem Bezug entsprechen. Jedem derselben entspricht ein Tierkreiszeichen, das genau den Ausdruck seiner Verhaltens- und Seinsweise, seiner Geistigkeit und seines Verhältnisses zur Sinnenwelt darstellt.

Solange der Frühlingspunkt sich in einem bestimmten Tierkreiszeichen befindet, tritt auch, bei aller Differenzierung, die Einheit eines bestimmten Kulturkreises, einer bestimmten Gesinnung und Geisteshaltung zutage, die sich ensprechend der Signatur des nachfolgenden Zeichens in eine neue, meist entgegengesetzte Haltung und Gesinnung umbildet.

Es handelt sich bei dieser Entsprechunglehre nicht um ein abstraktes Schema, sondern um ein System der Wirklichkeit, das umso genauer hervortritt, je konsequenter man die Fakten der Geschichte untereinander in Beziehung setzt, das will sagen, im schöpferischen Bewußtsein die geschichtlichen Abläufe rhythmisch nachvollzieht. Dabei sollte man sich vergegenwärtigen, daß es sich bei den gesetzmäßig geordneten Tierkreiszeichen um die Erscheinung von Urbildern handelt, die sowohl dem kosmischen wie dem seelischen Leben, aber auch der Struktur des Bewußtseins zugrundeliegen. Das Hervortreten oder das Verblassen dieser Urbilder, an kosmischen Rhythmen ablesbar, konstelliert auch die jeweiligen Formen der Gemeinschaft, ihre schöpferischen Taten und damit den Ablauf der Geschichte. Darum sollte das Werden und Entwerden der Kulturkreise aus ihrem Zusammenhang mit den geistigen Weltkräften, und aus ihrer Prägung durch die großen Urbilder verstanden werden.

Im Kreislauf der Bewußtwerdung entwickelt sich die individuelle Gestalt, die persönliche Geschichte des Menschen, durch den der Präzession – ihrem größeren und langsameren Schritt entsprechend – die Weltgeschichte, die Geschichte vom Werden und Vergehen der Staaten, der Kulturen, der religiösen Formen. Doch obwohl die menschliche Geschichte unter Einbeziehung der Elemente der Naturordnung verwirklicht wird, kann sie nicht als bloße Naturgeschichte verstanden werden; denn in ihren Phasen spiegelt sich auch das Insgesamt und der Rhythmus der göttlichen Weltordnung wieder.

Die menschliche Geschichte ist wie ein Spiegel in Gottes Hand. Wir vermögen mit Hilfe der Erkenntnis der kosmischen Ordnung in diesem Spiegel zwar nur Umrisse zu erschauen. Aber dieser uns gewährte Blick macht schon deutlich, daß der Geschichte eine sinn- und regelvolle Figur innewohnt. Denn obwohl sie sich in Kreisläufen riesiger Art bewegt, stehen diese – gewissermaßen übereinander gelagert – untereinander wieder in Verbindung; sie bilden die Figur einer Spirale, die sich in immer neuen und regelvollen Windungen zum Ziel alles Seins, und damit auch der Geschichte, bewegt. Freiheit und Nötigung verschränken sich in ihrem Ablauf. Die Struktur des Weges, wie auch die Art des Zieles sind vorgegeben; nur innerhalb derselben ist dem Menschen die Möglichkeit der Entscheidung und Gestaltung gegeben.

DIE WELTZEITALTER

Die Lehre von der Abfolge und dem regelvollen Wechsel von Weltzeitaltern[4]), die sich durch eine rhythmische Gliederung der Erd- und Menschheitsgeschichte ergeben, gehört zum ältesten geistigen Erbgut der Menschheit. Dem Abendland ist die Überlieferung dieser Lehre aus dem Bereich des östlichen Mittelmeers zugekommen. Dort haben die Rabbiner (im Talmud und in der Kabbala) die Lehre von den sieben Weltzeitaltern aus den Berichten der Bibel hergeleitet. Die Offenbarung des Johannes drückt dieser Geschichtstypologie nach dem Siebenerprinzip eine göttliche Signatur auf. Beide biblischen Traditionen, die alt- und die neutestamentliche, bildeten die Grundlage der mittelalterlichen Geschichtstypologie, wie sie von den großen Lehrern bis zur Grenze der Aufklärungszeit unermüdlich und immer differenzierter dargestellt wurde.

Eine zweite Quelle der Lehre von den Welt- und Geschichtsperioden bildeten für das Abendland die Überlieferungen der griechischen Denker. Ist für die Bibel Gott selber die einzige Macht, die — als Antwort auf das Handeln und die jeweilige Entscheidung des Menschen — den Ablauf der Geschichte in Weltperioden teilt, so sind im Gegensatz hierzu für die Griechen die kosmischen Rhythmen und Kreisläufe die Ursache der Weltperioden. Während nach der Offenbarungsschau der Bibel Gott einen Anfang und ein Ende setzt, und die Weltperioden dazwischen spiralig zum Ziel der Geschichte, der Verwandlung der Welt aufsteigen, bleibt die griechische Geschichtsperiodik durch ihre Lehre von der unendlichen Wiederkehr des Gleichen im Verlaufe der Weltperioden im kosmischen Denken befangen. Heraklit und Empedokles, Eudomos und die Stoiker haben fast ein Jahrtausend lang diese kosmischen Kreisläufe als Ursachen des periodischen Unterganges und der periodischen Erneuerung der Welt und der Kulturen dargestellt. Nach der Anschauung Heraklits bilden 18 000 Sonnenjahre den Zeitraum einer Weltperiode, die er als erster „das große Jahr" benannte, dessen „Monate, Stunden und Tage" den Typus und die Dauer der einander ablösenden Geisteshaltungen, Kulturen und Völkerschicksale anzeigen. Andere griechische Weise teilten eine große Weltperiode in „Jahreszeiten" — in Analogie zum jahreszeitlichen Rhythmus des irdischen Jahres — so insbesondere der in Griechenland wirkende Babylonier Berossos, der dem Westen die Kunde von den orientalischen Periodenlehren vermittelte.

Nach dessen Lehre ereignet sich der Winter des „großen Jahres", wenn alle Planeten im Zeichen des Steinbocks versammelt sind, was dann einen „Weltuntergang" durch Wasserfluten zur Folge hätte. Wenn im Weltensommer sich alle Planeten im Krebs-Zeichen befinden, sollte die Welt durch eine Feuerkatastrophe heimgesucht werden. Diese zwiefache Weltkatastrophe durch Wasser und Feuer entspricht nicht nur der Anschauung der Bibel (die Feuerkatastrophe in 2. Petr. 3,7), sondern ist — in Variationen — auch der heidnischen Überlieferung vom Weltenjahr eigentümlich. Platon (im Timaios), Aristoteles, die hellenistischen Ägypter Nechepso und Petosiris (spätantike Astrologen), die Pythagoräer, die Stoiker, (z. B. Zeno, Chrysipp und Poseidonios) haben sich zu dieser Annahme bekannt[5]).

Von größter Bedeutung, als Gabe wie als Begrenzung, ist die Anschauung der griechischen Denker von der Wiederkehr nicht nur aller typischen Geschichtsereignisse, sondern auch jedes Individuums in jedem neuen Weltjahr. Nietzsche hat diese vorchristliche Lehre von der unendlichen Wiederkehr des Gleichen als neue heroische Weltanschauung, in verzweifelter Abwehr des modernen positivistischen Fortschrittsglaubens, noch einmal verkündet.

Wenn auch diese griechische Lehre zu keinem Durchbruch in den Bereich der Freiheit über das Kosmische hinausführt, so enthält sie doch einen Kern von Wahrheit. Denn die Beobachtung der Geschichtsperioden ergibt die unwiderlegliche Tatsache, daß in jedem Weltjahr Geschehen, Ideen, Handlungen und Gestaltungen des vorangegangenen, ja sogar einer Mehrzahl von vorangegangenen an der entsprechenden Stelle des rhythmischen Ablaufes wiederkehren. Was gesetzeshaft ist, wiederholt sich gesetzmäßig — nicht aber das einmalige und unteilbare Individuum. Es gibt ein Typisches in allen Abläufen, das wohl variiert, aber nicht grundlegend geändert werden kann. Das Individuum ist in seiner eigentlichen und persönlichen Entscheidung frei — es kann für sich selber die kosmischen Bedingtheiten und die geschichtlichen Verhältnisse zum Eschaton hin durchbrechen, es kann sich in geistiger Überschau (der Theoria) und in der Liebe, durch Selbstverleugnung zugunsten des ewig Guten und Wahren, über den in typischer Weise vorgeprägten Weltlauf, über das Dasein und Gang der Schöpfung gewährleistende Gesetz erheben. Aber das Gesetz als solches (sei es das des Gegensatzes oder der rhythmischen Bestimmtheit alles Lebendigen oder Geformten) ist nicht aufzuheben, sondern nur zu erfüllen. Der Mensch kann sich die Spielbühne, auf der er zu agieren hat, die Umgebung und die Mittel hierzu, die Zeit, in der alles geschieht, nicht aussuchen. All diese Vorgegebenheiten muß er hinnehmen, um sich im Irdischen verwirklichen zu können.

Der typische Rhythmus der Welt-, Menschen- und Geistesgeschichte läuft immer in ähnlicher Weise ab, jedoch mit einer Einschränkung: Jedes Weltalter steht — wie dies im Folgenden eingehend dargelegt wird — unter dem prägenden Vorwalten eines andern Lebens-Urbildes, eines andern archetypischen Tierkreiszeichens. Dies aber hat zur Folge, daß jeder Impuls, jede Idee stets erneut und unmittelbar gestaltet werden muß, so, als ob sich noch niemals Ähnliches ereignet hätte. Es bedarf jederzeit schöpferischer Akte, um das typisch Vorgegebene in seiner unwiederholbaren Einmaligkeit in Erscheinung treten, zum Faktum und zur geschichtlichen Gestalt werden zu lassen.

Alles ist schon dagewesen und dennoch war nichts Gegenwärtiges jemals da; in diesem Widerspruch ereignet sich alles Geschehen. Jedoch: War auch das Individuum als Typus schon unzählige Male da, so bleibt es doch als Person einmalig und in seinem Wert, in seiner Bedeutung, in seiner Entscheidung unvergleichlich und unvertauschbar.

Freilich läßt sich die Einsicht in die strukturelle Vorgegebenheit der Geschichte erst durch das seit dem Beginn der Neuzeit vorwaltende historische Denken erweisen. Am weitesten ist in dieser Hinsicht die

Kunstgeschichte vorgedrungen. Sie hat nicht nur eine gesetzmäßige Abfolge von Kunststilen oder Kunstperioden in den Bereichen der Hochkulturen auf der ganzen Erde festgestellt (und zwar überall gleichzeitig, abgesehen von grundsätzlich nicht bedeutsamen Phasenverschiebungen), sondern auch entdeckt, daß die gleiche Abfolge auch in früheren Groß-Kulturepochen nachzuweisen ist.

Seit dem Untergang des römischen Reiches hat sich die abendländische Kunst, grob gesprochen, in den Epochen und Stilen der herben, objektiven Früh- und Spätarchaik (Romanik), der beseelten Gotik, der Klassik, des Barock und des Rokoko, des Klassizismus, des Naturalismus, des Impressionismus und des Historizismus ausgefaltet. Mit Erstaunen konnte man feststellen, daß, je zuverlässiger und umfassender man die Kunst der vorchristlichen Zeit (genauer des Widder-Weltjahres) kennen lernte, auch diese in derselben typischen Weise durch die gleiche Abfolge der Stile bestimmt war. Da aber der geistige Hintergrund einer Kulturgroßepoche als Auswirkung eines andern Lebens-Urbildes sich in einem jeden Weltalter wandelt, so entsteht zwar an der jeweils gleichen Zeitachse z. B. im Widder-Weltjahr oder parallel im Fische-Weltjahr archaische oder rokokohafte Kunst. Dennoch besteht offensichtlich bei aller Ähnlichkeit der Formen doch ein wesentlicher Unterschied zwischen der Archaik oder dem Rokoko der griechischen Antike und des christlichen Abendlandes.

Aus dieser schon längst bekannten, durch die fortschreitende Forschung immer deutlicher hervortretenden rhythmischen Gesetzlichkeit der Geschichte der Kunst haben Paul Ligeti (in seinem Werk „Der Weg aus dem Chaos, eine Deutung des Weltgeschehens aus dem Rhythmus der Kunstentwicklung") und Prof. E. Kirschbaum S. J. (in seinen, Ligeti kritisch korrigierenden Vorlesungen an der Università Gregoriana in Rom) die bisher weitgehendsten Folgerungen gezogen. Denn die in der Geschichte der Kunst feststellbaren rhythmischen Gesetze wirken sich nachweisbar in der gesamten Kulturgeschichte aus.

Jede Weltperiode weist ähnliche Strukturen auf wie die vorhergehenden und nachfolgenden — allerdings mit dem entscheidenden Unterschied, daß sich in jeder Periode zusätzlich ein anderes geistiges Prinzip auswirkt, alles durchdringend und färbend, dessen Substanz und Eigenart gesetzmäßig durch eines der Tierkreiszeichen zu umschreiben ist. Aber auch von den Weltjahren gilt das gleiche wie von den Wandlungen der Kunststile: sie lassen sich untereinander in Beziehung setzen. Jedem Ereignis im Fische-Weltjahr entspricht z. B. auf typische Weise ein ähnliches im Widder-Weltjahr. Man kann darum in einer Art Synopsis die parallelen Geschichtsereignisse in verschiedenen Weltjahren feststellen. So findet z. B. ein Ereignis aus der Mitte des 9. Jahrhunderts nach Chr. seine Entsprechung in einem solchen um die Zeit 1150 v. Chr. (wobei wegen der „Unschärferelation" des Synchronismus nicht Jahre, sondern zumindest Jahrzehnte in Betracht zu ziehen sind).

Im Grunde ist die Aufstellung solcher synchroner Geschichtsparallelen heute bereits volkstümlich geworden, wenn auch die dilettantische Weise, in der dies meist geschieht, nur zu oft gefährliche Irrtümer heraufbeschwört. So vergleicht man mit Vorliebe den Niedergang Europas mit demjenigen Roms in der späten Kaiserzeit. In Wirklichkeit aber — das wird noch zu erweisen sein — sind die Ereignisse unserer Gegenwart in Parallele zu setzen mit denen etwa des Jahres 150 v. Chr., dem Ende des dritten punischen Krieges und der unbestreitbar gewordenen Vormachtstellung Roms (= Amerika). Europas Verhältnisse aber stehen in Parallele zu denen Griechenlands jener Zeit, das damals mehr oder minder zum Protektorat Roms geworden war, jenes Rom, das sich anschickte, nach Asien überzugreifen (heutige vorderasiatische Konflikte). Wie heute die Juden Palästina durch ihren Idealismus, durch List und Waffengewalt wieder in Besitz nahmen, so erkämpften sie es auch um 150 v. Chr. in den Makkabäerkriegen. Die Heraufkunft der Diktatur in unserm Jahrhundert steht in genauer geschichtsrhythmischer Parallele zur Diktatur und dem Ausbau des Zentralismus in China durch Schi-Huang-Ti um 150 v. Chr.

Um die Bedeutung der geschichtlichen Wirkkraft eines Ereignisses zu beurteilen — sei es eines solchen der Vergangenheit oder der Gegenwart — ist es notwendig, es mit dem entsprechenden Ereignis in einem andern Weltjahr in Beziehung zu setzen. Dadurch, daß die Weltjahre zeitlich ziemlich genau umschränkt werden können, ist eine solche Parallelisierung durch eine sehr einfache Rechnung möglich und kaum zu verfehlen. Rückblickend in die Vergangenheit kann man so die Gegenwart in ihrer eigentlichen Bedeutung registrieren; die durch Vergleich der Gegenwart mit der Vergangenheit gewonnenen Einsichten in den Gang der Geschichte ermöglichen mit dem Mittel der rationalen Prophetie auch einen Einblick in die mutmaßliche Zukunft. Versteht man das Vorzeichen eines Zeitenkreises, so läßt sich etwa ermessen, in welcher gewandelten Weise sich der typologisch aus der Vergangenheit bekannte Ablauf des kommenden Zeitalters ereignen wird.

Gewiß lassen sich auch auf diese Weise keine Einzelheiten verbindlich festlegen — aber der Gang der Dinge im Großen, die Art und das Wesen des Menschen als Medium wie als Urheber des Kommenden wird dann in Umrissen und vielleicht in mehr als solchen deutlich. Hiezu ist es aber notwendig: 1.) zurückzublicken in die Vergangenheit, um den in ihr geschichtlich wirksamen Rhythmus festzustellen, 2.) umherzublicken in der Gegenwart, um des Welt-Augenblicks, bei dem wir inmitten der entgegengesetzten Strömungen und der Zerrissenheit der Zeit halten, inne zu werden, und 3.) vorwärts zu blicken in die Zukunft, um die Umrisse jener Ereignisse und Gestalten heraufzubeschwören, die im Kommen sind und die auch dann kommen werden, wenn wir sie nicht wünschen, die kommen werden unter Blut und Tränen, trotz dem messianischen Triumphgeschrei der Neuerer, die die Fata Morgana einer „besseren Welt" am Horizont der Zeit zu erblicken glauben. Aber sie werden auch kommen trotz Blut und Tränen, als Enthüllung verborgener Liebeskraft und als Hervortreten der seltsamsten aller bisherigen Arten des Menschen, des „menschlichen Menschen".

Zu solchem Unterfangen stehen uns folgende Mittel zur Verfügung:

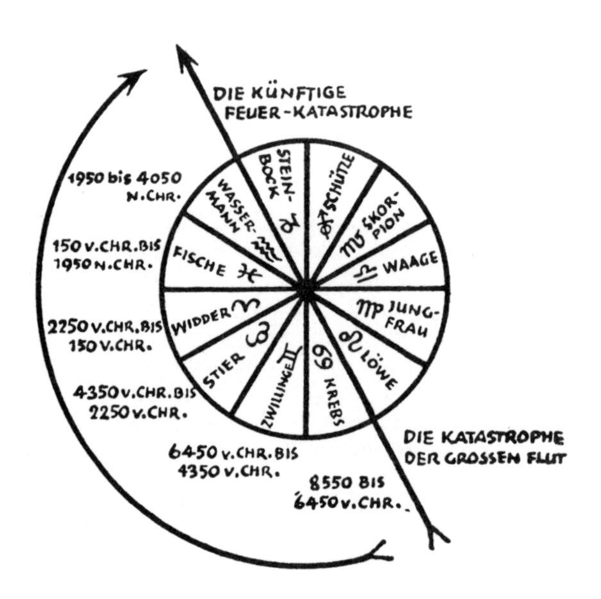

Der Rhythmus der Weltalter

1.) Die Entfaltung und Darstellung der Lehre von der Abfolge der Weltzeitalter in ihrer umfassendsten und durch die heutige Erfahrung erweiterten Gestalt. Die Voraussetzung bildet die Tatsache der kreiselnden Bewegung der Erdachse, die innerhalb eines Zeitraumes von 25 200 Jahren einen kosmischen Kreis durch die 360 Grade des Tierkreises beschreibt. Dieser Bewegung entspricht eine ähnlich langsame Veränderung in Geist und Leben der Menschenwelt. Diese Veränderung wird erst faß- und übersehbar, wenn man das „große" oder das „platonische Jahr" durch jene Zwölfheit der Tierkreiszeichen unterteilt, durch die infolge der Kreisbewegung der Erdachse der Frühlingspunkt wandert. Die sich dadurch ergebenden 12 „kleinen" Weltjahre von je 2100 Jahren sind strukturmäßig durch den Charakter jenes Tierkreiszeichens geprägt, in das der Frühlingspunkt eingerückt ist. Da dieser — im Gegensatz zur scheinbaren Sonnenbahn — rückwärts durch den Tierkreis wandert, beginnt ein Weltjahr von 2100 Jahren jeweils bei 30 Grad des Zeichens und endet bei 0 Grad.

Im Folgenden wird jedoch nur der Zeitraum von sechs kleinen Weltjahren oder die Hälfte eines Großjahres gedeutet und dargestellt, nämlich die Zeit von 8500 v. Chr. bis 4050 nach Chr., wobei über zwei Weltjahre, das des Krebses (8500—6400) und des Zwillings (6400—4300) — als der Vorgeschichte zugerechnet — nur in der allgemeinsten Weise im Kapitel: „Die Welt nach der Sintflut" berichtet wird, weil zu Weiterem das historische Vergleichsmaterial fehlt. Die Weltjahre des Stiers, des Widders, der Fische — die Zeit der bisherigen Hochkulturen der Menschheit — erfordern dann eine von Zeitalter zu Zeitalter umfänglicher werdende Darstellungsweise. Die Hauptarbeit aber ist dem in diesem Jahrhundert anhebenden und bis 4050 n. Chr. sich auswirkenden Weltjahr des Wassermann gewidmet — der Darstellung der nächsten 2000 Jahre, aus der sich ein Totalbild des künftigen Menschen ergibt.

2.) Ein Zeitraum von 2100 Jahren ist jedoch viel zu umfänglich, als daß man innerhalb eines solchen genauere, faßbare und überprüfbare Aussagen machen könnte. Um den vielschichtigen Prozeß eines großen Kulturverlaufes darzustellen, muß er darum in seine Fazetten zerlegt werden, in verschiedenartige Kraftfelder, durch deren Zusammenstimmung das reiche und einheitliche Bild des Ganzen hervortritt. Es handelt sich also darum, nach alter, auch heute wieder erprobten Überlieferung das „Lebensrad" oder das Horoskop zu Rate zu ziehen und ein solches für jedes Weltalter aufzustellen. Das Lebensrad besteht — entsprechend der sonnenhaften Zwölfteilung — aus 12 Lebensfeldern, die am besten durch folgendes Schema (siehe auch S. 251) dargestellt werden:

Ein weiteres Schema zeigt, in welcher Weise ursprünglich, im Idealhoroskop (das zugleich dasjenige des Widder-Zeitalters ist), die Tierkreiszeichen den einzelnen Lebensfeldern zugeordnet sind. Jedes „Horoskop" wird, vom ersten Felde (ursprünglich vom Widder-Zeichen signiert) ausgehend, rechtsläufig „gelesen". Das erste Feld ist das des Anfangs – seinem Tierkreiszeichen schließen sich jeweils in der üblichen Reihenfolge die 11 weiteren Zeichen an.

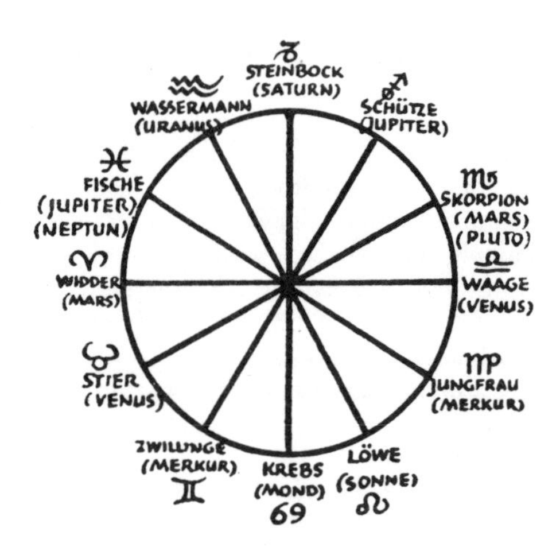

Im Laufe jedes Weltalters rückt der Frühlingspunkt um ein Zeichen in das nächste Feld vor (im schon erwähnten Rückwärtsgang). Dies neue Zeichen wird nun zu dem des ersten Feldes, des sog. Aszendenten und gibt dem ganzen Zeitalter, das es prägt, den Namen. Die vier wichtigsten Punkte des jeweiligen „Horoskopes" bilden ein stehendes Kreuz, das aus dem Aszendenten (1. Feld), dem Deszendenten (7. Feld), der Himmelstiefe, dem Imum Coeli (4. Feld) und der Himmelshöhe, Medium Coeli (10. Feld) geformt wird. Die Bedeutung dieses Kreuzes als Signatur des Zeitalters wird jeweils näher erläutert.

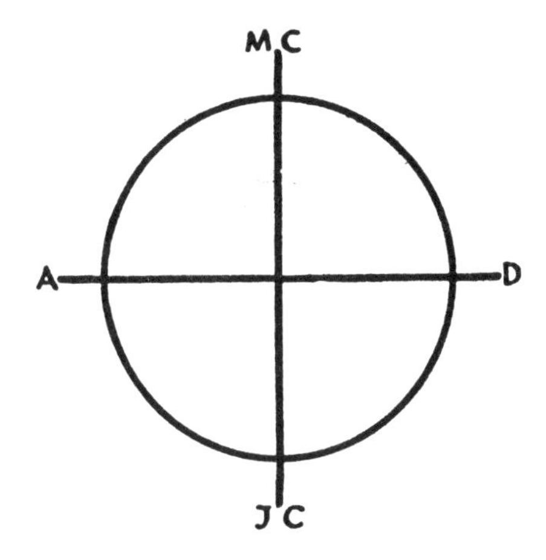

Durch das jeweilige Horoskop des Weltjahres ist es möglich, die Veränderung und Bedingtheit aller Lebensgebiete, wie sie im System der 12 Lebensfelder zur Darstellung kommen, aufzuweisen. Ebenso ist es dann möglich zu zeigen, wie die einzelnen Lebensformen untereinander in Beziehung stehen, wie sich in jeweils wechselnder Weise Licht und Schatten, Mangel und Fülle verteilen. Denn da sich in jedem Weltalter das Zeichen des Aszendenten (1. Feld) um 30 Grad verschiebt, so wechseln infolgedessen auch alle andern Felder ihre Signaturen in der gleichen Weise. Dementsprechend läßt sich die allmähliche gesetzmäßige Wandlung der menschlichen Mentalität wie an einer Uhr übersichtlich ablesen.

3.) Eine weitere Differenzierung der Weltalterlehre wurde durch die Entdeckung der 12 „Weltmonate" möglich, die sich durch die Teilung eines „kleinen Weltjahres" von 2100 Jahren mit Hilfe des Zwölferschlüssels ergeben. Jedes von ihnen umspannt einen Zeitraum von 175 Jahren, die — wie die jederzeit nachprüfbare Erfahrung erweist —

Geschichtsperioden von ausgeprägter und jeweils wechselnder Eigenart darstellen, unter dem Vorwalten der in dem entsprechenden Tierkreiszeichen versammelten geistigen Kraft. Die Erfahrung lehrt weiterhin, daß das entscheidende Ereignis einer solchen Kleinperiode der Geschichte meist an ihrem Ende hervortritt.

Will man nun den klassischen Typus eines Weltjahres feststellen, d. h. jene Periode, in der sich geistig, in Gesinnung und Gestaltung das Typische eines Weltjahres besonders rein ausgeprägt hat, so muß man das Doppelzeichen betrachten, das will sagen, jenen „Monat", der dasselbe Vorzeichen besitzt, wie das Weltjahr, in dem er auftaucht. Also: den Stier-Monat im Stierjahr, den Widder-Monat im Widderjahr, den Fische-Monat im Fischejahr, den Wassermann-Monat im Wassermannjahr. Die Erfahrung lehrt, daß sich in der Zeit der Verdoppelung der Zeichen stets die entscheidenden und für die ganze Epoche typischen Ereignisse begeben — wobei dieses am Ende (wie im Widderjahr) oder zu Beginn (wie im Fischejahr) stehen kann.

Jedenfalls tritt durch die Unterteilung der 12 Weltmonate die Struktur des Geschichtsverlaufes in einer bisher noch nicht gekannten Klarheit und Übersichtlichkeit hervor. Man kann den Prozeß der Entfaltung der Grundmentalität eines Weltjahres entsprechend seinem Vorzeichen durch die 12 Felder der Wirkung und der Wandlung, den Weg der Inkarnation des Grundprinzips, sein Aufblühen und Welken und sein Hinübersterben in das es ablösende Prinzip auf eine anschauliche Weise verfolgen. Eine Tabelle der Zeiten der 12 Weltmonate innerhalb von drei Weltjahren ist im Anhang zu finden.

ZWEITER TEIL

VON DER SINTFLUT BIS ZUR GEGENWART

DIE WELT NACH DER SINTFLUT

DIE ENTFALTUNG DER WELTALTERLEHRE HAT EINERSEITS die Kenntnis der sich in den 12 Tierkreiszeichen darstellenden Lebens-Urbilder oder Archetypen, andererseits das Wissen um die Abfolge der bisherigen Kulturperioden zur Voraussetzung. Denn nur, wenn es gelingt, beide Bereiche, das der Urbilder und das der Geschichte, in einen regelvollen Bezug zueinander zu setzen, läßt sich der Rhythmus der Weltalter darstellen. Theoretisch wäre die Ausfaltung eines ganzen platonischen „großen" Weltjahres von 25 200 Jahren und seiner 12 „kleinen" Weltjahre von je 2 100 Jahren durchaus möglich. Praktisch sind jedoch einer solchen Darstellung Grenzen gesetzt, da die Kenntnis der Geschichte im engeren Sinne nicht über den Bereich der letzten 6 000 Jahre, die Zeit der Hochkulturen, hinausreicht. Die Vorgeschichte überschauen wir nur in Fragmenten, mit Hilfe jener Funde (Werkzeuge, Höhlenmalereien, Knochenfunde), die da und dort aus dem Erdreich zutage gefördert wurden.

Aus diesem Grunde kann für eine Deutung und Darstellung der Weltalter nicht weiter zurückgegriffen werden, als bis etwa zur Mitte des 5. Jahrtausends vor Christus, dem Beginn des Stier-Zeitalters. Gerade in jenem Jahrtausend scheint sich ein entscheidender Umschwung in der Entwicklung des Menschen und seiner Kultur angebahnt zu haben. Dieser Zeitraum erscheint geradezu als eine Art von Wasserscheide zwischen Vorgeschichte und Geschichte; eine völlig neue menschliche Mentalität tritt hier zutage. Man könnte sie bereits eine „moderne" nennen, denn sie bildete bis vor kurzem noch die Grundlage des Verhältnisses des Menschen zu sich selber und zur Welt.

Im 5. Jahrtausend überschritt der Mensch eine große Kulturschwelle. Heute vollzieht er durch die „zweite Revolution" den Übergang zur Industriekultur und zur Beherrschung des Anorganischen. Ein neues Kapitel der Menschheitsgeschichte beginnt. In der „ersten Revolution", zu Beginn des Neolithikums, handelte es sich hingegen um den Übergang von der Jägerkultur zur Bauernkultur, zum Ackerbau, zum festgelegten Gesetz und Ritus und im weiteren zum Städtebau und zur Stadtkultur.

Jener gewaltige Umbruch, die Basis von allem, was wir seitdem als Kultur betrachten, sei es als Tempel- oder Straßenbau, Einehe oder Staatsverfassung, Dichtung oder Gesetzgebung, hatte sein Zentrum in einem geographisch umschränkten Bereich der Erde, nämlich auf der Landbrücke zwischen Asien und Afrika, der „paradiesischen Erdmitte" zwischen dem Zweistromland und dem Nil. Als „paradiesische Erdmitte" kann das Gebiet zwischen dem Zweistromland und dem Nil mit seinem Kern, dem heiligen Land, darum bezeichnet werden, weil die Bibel etwa diesen Umkreis als den geographischen Ort des irdischen Paradieses umschreibt.

Selbstverständlich bedeutet das Paradies als die sichtbare heile Welt, als vollkommene Erde, unendlich mehr als das „paradiesische" Zentrum der Hochkulturen im Übergang von der Mittel- zur Jungsteinzeit. Das Paradies ist ein „göttlicher Garten" — die spätere „Paradieslandschaft" ein menschlicher. Dennoch ist es erstaunlich, wie genau sich das Urparadies und die spätere Kernlandschaft der Kultur, trotz dem unmeßbaren zeitlichen Abstand überlagern. Ein geistiges Band bestand zwischen beiden: Nirgends auf dem ganzen Erdkreis hat sich Gott so vielfach bezeugt wie in der „Paradieslandschaft", die dadurch von Gott selber erwählt und ausgesondert zum „Heiligen Lande" wurde, nicht nur dem der Juden, wie sie selber wähnen, sondern zu dem der Menschheit. Hier hat sich Gott einen Ort — Jerusalem nämlich — zum Schemel seiner Füße, zu seinem Throne, zu seiner Menschwerdung erwählt und dies nicht nur symbolisch, sondern auch geschichtlich und geographisch.

Es scheint, daß diese Paradieslandschaft mit ihren Randgebieten des Zweistromlandes und des Nillandes, schon von jeher zur heiligen Erdmitte, zur Stätte der Berührung von Himmel und Erde, zum Ort der gegenseitigen Durchdringung von Gottes- und Menschenreich bestimmt gewesen ist. Darum erscheint es durchaus möglich, daß das Heilige Land, heute das Kolonisationsgebiet eines Teils der Exiljuden, einstmals in dem „letzten Kampf" zwischen Christ und Antichrist vor dem Weltgericht seine latent gewordene Bedeutung zurückgewinnen wird.

Von dieser heiligen Erdmitte aus breitete sich die menschliche Hochkultur strahlenförmig — wenn auch in verschiedenen zeitlichen Rhythmen — über die Kontinente aus, vorzugsweise innerhalb des zwischen dem 20. und 40. Breitengrad gelegenen Ländergürtels. Diese „Paradieslandschaft", der Herd der menschlichen Hochkultur, besaß etwa im Schnittpunkt des 35. Breiten- und Längengrades ein sowohl geistiges wie geographisches Zentrum, das den Symbolnamen Jerusalem trug und noch trägt. In der heiligen Überlieferung erscheint die Weltmitte Jerusalem als Sitz des Königs der Gerechtigkeit in der Stadt des Friedens. Aus dieser um die „Mitte" Jerusalem zentrierten „Paradieslandschaft" stammt im Wesentlichen die Prägung der Kultur der Menschheit bis zum 19. Jahrhundert[6]).

Wie war es aber möglich, daß diese gewaltige, das Wesen des Menschen und das Gesicht der Erde so entscheidend verändernde Revolution sich verhältnismäßig plötzlich, wenn auch nicht überall gleichzeitig, ereignete? Das Rätsel löst sich durch die Feststellung einer vorangegangenen jahrtausendlangen Inkubationszeit, in der der Mensch seine Kräfte zu sammeln und auf höhere Gemeinschaftsziele auszurichten vermochte. Bedingt war diese lange Dunkel- und Vorbereitungszeit anscheinend durch eine ungeheure Wasserkatastrophe, durch die weite Länderteile der Erde unbewohnbar wurden und der ein Großteil der Menschen zum Opfer gefallen ist. Mit guten Gründen bringt man längst — und heute mit neuen Beweisen — die „große Flut" mit dem Untergang von Atlantis in Zusammenhang. Otto Muck untersucht in seinem Buch „Atlantis, die Welt vor der Sintflut"[7]) mit allen heute zu Gebote stehenden Mitteln der Forschung den unvergessenen Bericht Platons von der Existenz und dem Untergang der zwischen Europa, Afrika und Amerika gelegenen Rieseninsel Atlantis, einem Kontinent etwa von der Größe Australiens. Muck vermag nicht nur die genaue Lage und Beschaffenheit der sagenhaften Insel nachzuweisen, sondern auch die Zeit ihres für die Menschheitsgeschichte und -entwicklung so bedeutsamen Unterganges ungefähr auf das Jahr 8500 v. Chr. zu fixieren, ein Datum, das zugleich den Beginn des Zeitalters des Krebses anzeigt. Die durch den Untergang von Atlantis ausgelöste „große Flut" ergoß sich als Spring- und Schlammflut über weite Länder, die dadurch in Sumpfgebiete verwandelt wurden. Zudem hat wohl die damit in Zusammenhang stehende Klimaänderung die Reste der überlebenden Menschheit nach Südosten, nach der „Paradieslandschaft" abgedrängt, wo sie geeignete klimatische und geologische Verhältnisse zum Aufbau einer neuen Kultur vorfand.

Mit dieser Flutkatastrophe und ihren Folgen brach nicht nur ein neues Erd-Zeitalter, das Alluvium an, sondern auch ein neues Menschheits-Zeitalter, das sich bisher in die Weltjahre des Krebses, des Stiers, des Widders und der Fische ausgliederte, während in den gegenwärtigen Jahrzehnten dasjenige des Wassermanns anhebt. Es sind dies die Weltzeitalter der eigentlichen menschlichen Hochkulturen und deren unmittelbare Vorbereitungszeiten. Was aber unerklärlich plötzlich, „wie aus dem Nichts" als jungsteinzeitliche Kultur erschien, als Übergang vom Jägertum zur Bauern- und Stadtkultur, das ist „verglichen mit der Alt- und Mittelsteinzeit ein absolutes Novum, ein gänzlich neuer Anfang und daher (wahrscheinlich) die Schöpfung eines neuen, logischerweise in der abgelaufenen Inkubationszeit neu entwickelten Menschen- und Rassetypus" (Muck).

Mit unbegreiflicher Schnelligkeit — verglichen mit dem Rhythmus der bisherigen Entwicklung — mit gesammelter Kraft und Expansionsfähigkeit und mit dem Vermögen, Traditionen zu bilden, erstehen die Anfänge der Hochkulturen. So wie die europäische Kultur im 19. und 20. Jahrhundert zu einer Revolution aller Lebensformen auf der ganzen Erde geführt hat, so ist der Übergang vom schweifenden Jägertum zum seßhaften Bauerntum und zur höheren Stadtkultur in der Jungsteinzeit nach neuerer Auffassung vom vorderen Arabien ausgegangen, d. h. vom Gebiet zwischen dem Zweistromland und dem Nil. „Zusammenfassend ist zu sagen, daß die Menschheit im Neolithikum vom ganzen Erdball Besitz ergriff und das Antlitz der Erde zu wandeln begann." Erst jetzt vermochte der Mensch, sich die Erde zu unterwerfen und ihr seinen Willen aufzuzwingen — damit aber werden die Anfänge unserer heutigen Kultur sichtbar.

Diese neue besitzergreifende Aktivität des Menschen bildete nun Lebensverhältnisse und geschichtliche Ereignisse aus, die bei aufmerksamer Betrachtung in Analogie stehen zu den jeweils wirksamen Lebens-Urbildern. Allerdings ist es nicht fruchtbar, die Verhältnisse und Ereignisse vor dem 5. Jahrtausend hierfür in Anspruch zu nehmen, denn in diesem Zeitraum sind sie noch zu wenig faßbar. Es ist darum aus praktischen Gründen ratsam, bei der Darstellung der Weltalter erst mit dem Stier-Zeitalter, der Zeit von 4350—2250 v. Chr. zu beginnen.

Diesem ging von 6450—4350 v. Chr. das Zwillings-Zeitalter voran, in dem die Menschenstämme auf der Suche nach neuen Jagdgründen und Wohnplätzen unruhig über die feuchte Erde zogen; immerhin traten in dieser Zeit auch schon die ersten Anfänge des seßhaften Bauerntums in der Paradiesmitte Syriens hervor. Vielleicht erwachte in jenem Weltjahr im Menschen erstmals die Fähigkeit der rationalen, schlußfolgenden Denkkraft, durch die er sich allmählich dem Bann der magischen Verflochtenheit in das ihm so eng benachbarte Tierdasein und die zwingenden Umweltsverhältnisse zu entziehen vermochte.

Um das Jahr 8550 begann das Weltjahr des Krebses; sein Auftakt kann sehr wohl die „große Flut" gewesen sein, die einer riesigen, nur dürftig zu erhellenden Menschheitsperiode ein Ende setzte. Das Krebszeichen, die Signatur des „Zeitalters der großen Flut" gilt als

Urbild alles Mütterlichen und Gebärenden, Erduldenden, Hinnehmenden, Allumfassenden, unterschiedslos Ineinandergeschwemmten. Hier bleibt alles ganz nah den Gründen und den Wurzeln — es ist ein Zeichen des Lebens-Ursumpfes, des richtungslos Wuchernden, ohne vertikales Strebevermögen, — des bloßen Hierseins.

Die Tendenzen, die sich in diesem Zeichen auswirken, entsprechen durchaus dem möglichen Zustand einer „verwässerten" Erde mit ihrer Sumpfvegetation, einer Menschenart, deren Werke dahingeschwemmt wurden und die mühsam die Möglichkeit einer Wiedergeburt suchte, einen Ausweg aus dem Sumpf, in den sie innerlich und äußerlich geraten war. Wahrscheinlich waren die — einem solchen Seinszustand entsprechenden — Eigenschaften des Fühlens und Witterns damals vielmehr ausgebildet als die des Denkens und Scheidens, die erst im Zwillings-Zeitalter bestimmend hervortraten. Im Krebs-Zeitalter ist aller Wahrscheinlichkeit nach eine „alte" Welt — weil in ihrer Kraft und Berufung zu Ende gegangen — in den auflösenden Fluten versunken und erst wieder allmählich in einem langen schmerzlichen Prozeß wiedergeboren worden.

Seitdem geht der Weg des Menschen, bildlich gesprochen, vom Sumpf über den Acker zum Berg, — oder vom Versunkensein im Unbewußten zur Klarheit und weiter zu einer Überschärfe des Bewußtseins, durch die schließlich das relativ einheitliche Ganze heillos zerstückt ward. Am Ende des Wassermann-Zeitalters aber — vom Zeichen Krebs zu dem des Steinbocks spannt sich ein Weltenhalbjahr — wird sich nach alter Überlieferung und nach der Einsicht in die rhythmische Bewegung des Weltkreises, wieder eine Weltkatastrophe ereignen, — diesmal nicht durch Wasser, sondern durch Feuer, durch eine Aufzehrung der organischen Verhältnisse und Kräfte, durch eine vom Menschen verursachte Entbindung der in allen Geschöpfen und Elementen innewohnenden Feuerkräfte. Erstickte die Welt einst in Wasserfluten, so wird sie um 4000 n. Chr. — übermäßig „vergeistigt" und frevelhaft entleibt — von Gluten verzehrt, in Flammen aufgehen.

DAS ZEITALTER DES STIERES
4350 – 2250 v. Chr.

Überschau

Alles wirkt auf alles – die fernste Vergangenheit und die fernste Zukunft wirken auf jeden Augenblick der Gegenwart. Dennoch gründet der jeweils gegenwärtige Augenblick der Geschichte nicht im Unbegrenzten und Unendlichen, sondern in einer ganz bestimmten Zeugungsstunde des Geschichtsablaufes. So ist zwar jeder Mensch von Ewigkeit her im Geiste Gottes beschlossen, aber sein einzigartiges Lebensdrama entfaltet sich, unter Gottes Augen, erst durch seine Inkarnation in der Zeugungs- und Geburtsstunde. Ähnlich wie der Mensch haben Kulturen als lebendige und einheitliche Gebilde, weil durch organische Lebensgesetzlichkeit bestimmt, ihre Zeugungsstunde, auf die ihre Tendenzen während ihrer Dauer offen oder heimlich zurückweisen. Diejenige unserer Kultur-, Lebens- und Geistesart liegt im Beginn des Fische-Zeitalters, in der großen Menschheitsrevolution, die dessen Anbruch (etwa 150 v. Chr.) einleitete. Dieses Fische-Zeitalter aber ward zum Erben der eben abgelaufenen großen Weltperiode eines Großjahres von 25 200 Jahren, aber insbesondere seiner drei letzten kleinen Weltjahre, derjenigen der Zwillinge, des Stieres und des Widders.

Diese Zeugungsstunde unserer Kultur, in der das Erbe dieser drei Weltjahre in das neue eingeschmolzen ward, wirkt noch durch zwei weitere Weltjahre fort. Denn ein aus der Erfahrung gewonnenes Gesetz besagt, daß ein geistiger oder Formimpuls dreier (kleiner) Weltjahre, also 6300 Jahre bedarf, um sich ganz zu verwirklichen. So hat sich, was im Zwillings-Jahre begann, erst am Ende des Widder-Jahres voll ausgewirkt, und ebenso wird das, was an der Wasserscheide des Fische-Jahres als Impuls in die Welt trat, sich erst im Steinbockjahr völlig erfüllen, um dann sein Erbe der nächsten Trias als umzuprägendes Material zu überliefern. So wirkt, was im Zwilling begann, bis an die Schwelle der Fischezeit fort. Andererseits zeugen sich die Impulse der Stierzeit bis zum Ende des Fische- und zum Beginn des Wassermann-Zeitalters, d. h. bis zur Grenze unserer Gegenwart fort.

Als die „klassische Zeit" eines Weltjahres wird diejenige bezeichnet, in der die eigentümliche Geisteshaltung und der Menschentypus eines Weltjahres in besonders reiner Prägung hervortritt. Dieser Zeitraum im Umfang eines Weltmonates von etwa 175 Jahren wandert von Weltjahr zu Weltjahr und verschiebt sich im Lauf eines Großjahres jeweils um einen „Monat". In den drei letzten Weltjahren des um 150 v. Chr. zu Ende gegangenen Großjahres lag die „klassische

Zeit" erst gegen Ende der jeweiligen Periode. Denn es ist in Betracht zu ziehen, daß jedes der 12 Weltjahre im Großjahr wiederum durch 12 Monate (was nicht mit den 12 Feldern zu verwechseln ist) unterteilt wird, und zwar umgekehrt wie im irdischen Jahr — in Rückwärtsreihung, mit den Fischen beginnend und mit dem Widder endend, entsprechend dem Rückwärtsgang des Frühlingspunktes durch die Tierkreisbilder und damit die Weltjahre. Infolgedessen findet sich die „klassische Zeit" des Zwillingsjahres zwischen 5925 und 5750 v. Chr., diejenige der Stierzeit zwischen 2600 und 2425 v. Chr. und die des Widderjahres zwischen 325 und 150 v. Chr.

In der „klassischen" Stierzeit tritt in Ägypten die 4. Dynastie (um 2600—2425) der „Pyramidenbauer" hervor, und was könnte es Stierhafteres geben als die „Erdkristalle" der Pyramiden! In dieser Periode entfalten die Pharaonen im Gottkönigtum ihren höchsten Glanz, zugleich mit dem Sonnenkult, dem Vorläufer des Ein- und Hochgottglaubens. Am Beginn jener „klassischen Zeit" ereignete sich die Erfindung des Sonnenkalenders und des Sothisjahres von 365 Tagen durch den Pyramidenbauer Imhotep, das Urbild des ägyptischen Weisen. Auf Kreta beginnt um 2600 die frühminoische Kultur mit ihrem Stierkult, mit den Labyrinthmythen und -spielen, als einem Mysterium der sterbenden und auferstehenden Sonne. Die umfänglichste Kulturleistung, auf der noch heute unsere Gesittung und Zivilisation beruht, wurde in jener „klassischen Zeit" in der Euphrat-Tigris-Tiefebene und am persischen Meerbusen durch die Sumerer hervorgebracht.

Die Entwicklung bis zum Höhepunkt einer Zeit ist aus dem Horoskop des jeweiligen Weltalters abzulesen. Die Achse zwischen dem 1. und dem 7. Feld, zwischen dem Feld des Ich und des Du, dem Sosein und dem Ideal, des Vorgegebenen und des zu Erstrebenden, läßt einen zeitlichen Ablauf erkennen. Es ist die Halbzeit eines Lebens oder auch eines Weltjahres. Von links nach rechts (vom Aszendenten zum Deszendenten) gelesen, wäre die untere Hälfte des Horoskopes der ersten Hälfte des Weltjahres zuzuordnen, die obere der zweiten. Mit dem Skorpion des 7. Feldes beginnt die zweite Halbzeit. So würde das erste Jahrtausend der Stierzeit mehr unter dem Zeichen und der Mentalität Stier zu fassen sein, dem Zeichen des Antriebs, das zweite Jahrtausend aber unter dem Gegenzeichen Skorpion, dem Zeichen des Widerspruchs und der Ergänzung. Dies ist der Ausdruck für die Tatsache, daß die Stiervölker im ersten Jahrtausend seßhaft und — weil mit sich selber und ihren Kultivationsaufgaben beschäftigt — friedlich gesinnt waren. Von der Halbzeit des Stieres an aber waren sie aufgerührt und kriegerisch, von Spannungen erfüllt, in der Versuchung, die Grenzen der Heimat zu verlassen, um neue Reiche zu gründen. Geoklimatisch und geopolitisch mögen dabei folgende Faktoren mitgewirkt haben: Weder Sumer noch Babylon oder Altägypten übertrafen ursprünglich an Flächenausdehnung das heutige Belgien. Auf den Höhen über dem Euphrat und dem Nil waren diese Urreiche der hohen Menschheitskultur gelegen, von sumpfigen Niederungen umgeben, die weder eine Ausdehnung von innen her, noch eine Bedrohung von außen her zuließen. Erst durch die Meliorierung der Sümpfe und durch die Eindämmung der Flüsse, durch die Kultivierung des Bodens wurde eine Erweiterung der Grenzen von Volk und Reich möglich; damit fiel aber auch die schützende Sumpf-Umhegung fort. Wollte das Reich nicht angegriffen werden, mußte es sich kriegerisch oder friedlich ausdehnen. So wurde durch die Umgestaltung der Landschaft während eines Jahrtausends allmählich die kriegerische Kraft des Volkes freigesetzt. Ein ähnlicher Prozeß vollzog sich auch in der ältesten Kultur-Landschaft Mittelasiens, im Industal und in China am Jangtse.

In der Stierzeit setzte sich die große nachsintflutliche Revolution, die Begründung des Bauerntums, die Zähmung der Tierwelt, auf der ganzen Erde durch. Jene Kulturen und Völker, die sich der Mitwirkung daran entzogen, wurden an den Rand der Kulturgebiete zurückgedrängt, wo sie erst wieder durch die koloniale Expansion Europas gefunden und kulturell missioniert wurden. Das Erbe der bäuerlichen Weltrevolution, aus dem die Stadtkulturen hervorgegangen sind, und damit der gesamten nachsintflutlichen Menschheitsentwicklung, trat das Christentum an und mit ihm die Völker, die seine wesentlichen und schöpferischen Träger geworden sind. Wiederum aber ist diese neue Weltperiode und die gewaltige Weltrevolution, die zur völligen Bemächtigung, ja zur Umbildung der Natur führte, vom vorderasiatischen Raum Eurasiens mit dem sowohl regionalen wie universalen Mittelpunkt Jerusalem ausgegangen, dieser geistigen Mitte des Erdballes und der Menschheit. Heute wenden die Völker der Erde ihre Aufmerksamkeit aus scheinbar äußerlichen Gründen wieder dorthin. Wenn sie sich von Gewinnsucht und Sorge um ihre Macht getrieben heute rüsten, um diese „Erdmitte" in ihre Gewalt zu bekommen, so wird deutlich, daß diese Mitte, auf die die Hälfte der Menschheit (Judentum, Christentum, Islam) mit heiliger Scheu hinblickt, trotz langem Latentzustande noch immer nichts von ihrer erregenden Strahlungskraft verloren hat.

Seit dem Stier-Zeitalter hat die Menschheit, vor allem die abendländischen Völker, ebenso die aus ihnen hervorgewachsenen Pflanzvölker in Amerika und Rußland, bis zur uranischen, in den Vorwehen des Wassermann-Zeitalters sich ereignenden französischen Revolution, in einer grundsätzlich gleichbleibenden, nur in den Methoden allmählich verfeinerten Lebensform gelebt. Sie war vom Rhythmus des Organischen, vom Sinnlich-Sichtbaren her bestimmt. Ihre Städtebildungen setzten Grundbesitz und eine kunstvolle Bearbeitung und Bewirtschaftung des Landes voraus, ihre Bauten waren aus Steinen errichtet und wie in der Stierzeit kam ihre innere Bedeutung oder diejenige des Dienstes, in dem sie standen, durch die Betonung der vertikalen Dimension zum Ausdruck.

Das von den gestaltgebenden, bindenden Venuskräften durchwirkte Stierprinzip fördert alle dinglichen, erdhaften Bindungen. Es macht zur Festlegung und Fixierung geneigt, fördert die Seßhaftigkeit und die Heimatliebe, die für die Völker der Stierzeit so kennzeichnend ist. In der Stierzeit stehen die Bezüge zum organischen Leben, zur lebendigen Natur, zum Tierischen und Pflanzlichen im Vordergrund. Hier wirkt sich das natürliche Verharrungsvermögen voll aus. Alles Bauerntum — im Stier-Zeitalter erlebte es seine erste klassische Blütezeit — ist auch heute noch durch die Stier-Mentalität bestimmt.

Der vom Stier-Prinzip bestimmte Lebenszustand ist ruhig, friedlich, stetig und zäh. Die Menschen eines solchen Äons sind untheoretisch gesinnt, praktisch, mit der Welt vertraut und ihr trauend, fähig, dem Lebendigen, sei es in der Nähe oder Ferne, den Rhythmus abzulauschen. Wahrscheinlich ist in der Stierzeit der Rhythmus des Lebens und des Kosmos erstmals erforscht und in bis heute noch gültige Gesetze gefaßt worden, wie auch damals zuerst den drängenden religiösen Fragen der Menschheit bindende, ja dogmatische Antworten gegeben wurden. Das noch auf unmittelbare Anschauung gegründete Denken, die dualistische Lebenssymbolik, der Aufbau des Staatswesens, eine auf Hand- oder Tierarbeit beruhende Technik, die Sicherung der Gesetzgebung, das alles hat, wenn auch immer wieder neu abgewandelt, und vor allem seit dem Beginn des Fische-Zeitalters vom Geiste Christi immer mehr durchdrungen, seine Wurzeln im Stier-Zeitalter.

Vor dem Anbruch der Fischezeit war eine religiöse Haltung der Innerlichkeit, ein religiöser Individualismus unbekannt. Die religiös-symbolische Bedeutung der Erde und ihrer Teile und Orte als Wiederspiegelung himmlischer Archetypen, die Erkenntnis vom Vorhandensein geistiger Erdmitten (beides dem Weltbild der Bibel entsprechend), die Überwindung der matriarchalischen Gesellschaftsform zugunsten höherer Weisen der Herrschaft, vor allem des priesterlichen Gottkönigtums, die Monarchie als Voraussetzung für die wirkliche Beherrschung der Erde durch den Menschen und für die dazu notwendigen großen Gemeinschaftswerke — dies und mehr wurzelt in der Gesinnung und in den Prinzipien der Stierzeit.

Die Natursichtigkeit, die überrationale Erfassung von Natur- und Geistzusammenhängen, Grundlage des mythischen Denkens der Stierzeit, ließ auch die älteste Wissenschaft vom Lebensganzen, die Astrologie entstehen. Hier, in der Stierzeit werden die großen symbolischen Bezüge und die regelvollen Maße der sichtbaren Welt aufgefunden. Ein Wort aus den Weisheitsbüchern der Bibel: „Gott schuf die Welt nach Maß und Zahl" ist gleichsam ein Nachklang der Gesinnung der Stierzeit.

Die harmonisierende formgebende Venuskraft des Stierprinzips hat wohl erstmals zur Ausbildung dessen geführt, was wir seitdem „Musik" nennen, zum Gesetz der Harmonie der Töne und zur Nachbildung der kosmischen Harmonien in sakralen, das Gemüt für die Einstrahlung des Göttlichen öffnenden Tonfolgen. Wahrscheinlich besitzen wir im gregorianischen Gesang, der Elemente der hebräischen Tempelmusik enthält, einen letzten Nachklang der stierzeitlichen Musik, in der wohl das sakrale und profane Element noch nicht so geschieden waren wie späterhin. So tritt zu der erdhaften und gebundenen, alles Fruchtbringende hochschätzenden, zu der zweckgerichteten, sturen, treu festhaltenden Gesinnung der Stierzeit die Liebe zum Schönen, Großartigen, zugleich Maßvollen und symbolisch Formhaften.

Neben die Liebe zur Erde und zur Bindung an sie, zur Form als Gestalt und Musik, tritt noch ein weiteres, die Stierzeit charakterisierendes Element: die Magie. Für den Menschen der Stierzeit war das Dasein undurchschaubar und unheimlich. Die Angst, entspringend aus der stierhaften Anklammerung an die Gegebenheiten, war nur durch den Kult und durch magische Beschwörung zu bannen. So stand nicht wie in der Fischezeit der Heilige, sondern der Magier als rettende, helfende, waltende Gestalt im Vordergrund. Aber diese stierhafte Magie war unpersönlich, von objektiver Art, dingbezogen und auf der Kenntnis der großen kosmischen Rhythmen und denen des biologischen Lebens aufgebaut.

Als Sinnbild nicht nur der physischen, sondern auch der göttlichen Kraft und Macht galt in der Stierzeit – bevor in der Widderzeit das Pferd zum edelsten Haustier wurde – der Stier. So war es naheliegend, daß in jener Periode das Göttliche vorzugsweise unter der Gestalt des Stiers verehrt wurde, eine Art Gottesverehrung, gegen die sich in der Widderzeit Moses und die ihm nachfolgenden Propheten des bildlosen Weltgottes mit größter Entschiedenheit wehrten. Ein wenn auch säkularisierter Überrest dieser Stier-Verehrung aus der Zeit vor 2000 v.Chr. stellt noch immer der spanische Stierkampf dar, in dem Stierverehrung und Stieropfer einen spielerischen Nachklang gefunden haben.

DAS HOROSKOP DES STIER-WELTJAHRES

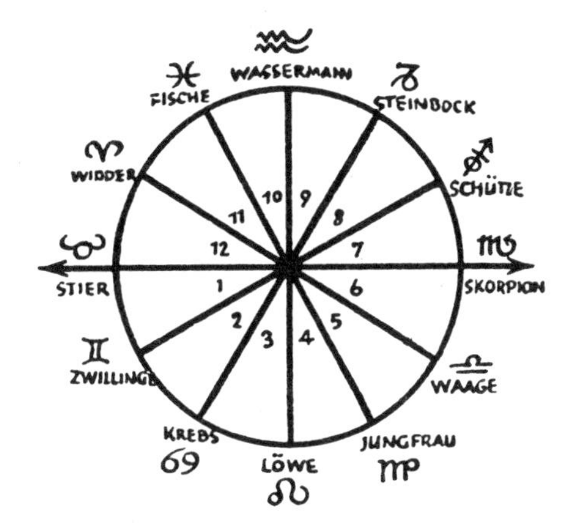

Das erste Feld

Der Bereich des Aufgangs, das erste Feld, ist im Weltjahr des Stiers vom Zeichen und Lebens-Urbild Stier geprägt. Stierhaft ist darum die Grundschwingung des Zeitalters, stierhaft zäh, beharrlich und erdgebunden seine typische Menschenart, die es mit praktischem Sinn begabt versteht, in geduldiger Arbeit ihre Interessen und Wünsche durchzusetzen. Die Menschen waren in jener Zeit vorwiegend Bauern und Tierzüchter, ihr Reichtum bestand vor allem aus Rinderherden. Die Leiblichkeit jener Menschen war erdhaft schwer und breit, wie es die Plastiken aus sumerischer und früh-ägyptischer Zeit bezeugen. Ihre Freuden und Genüsse waren bedingt durch eine reich ausgebildete Sinnlichkeit – sie besaßen eine hohe Kraft des Formens – vor allem die Architektur und die architekturgebundene Plastik erfuhren im Stier-Zeitalter eine erste bedeutsame Blüte.

Das zweite Feld

Das 2. Feld der Mittel, der Lebens-Mittel wie der Mittel zum Handeln und Gestalten, wird hier durch das Zwillingzeichen bestimmt. Dies besagt, entsprechend dem Charakter der Zwillinge, daß jene Menschheit ihre Mittel planmäßig und überlegt einzusetzen wußte – daß sie hierbei sachlich und keineswegs ideologisch zu Werke ging. Durch die Überwindung der matriarchalischen Gemeinschaftsformen und die Herbeiführung der Hochherrschaftsformen wurden die großen Gemeinschaftswerke – die Kanalisierung der Flüsse, Staudämme und Bewässerungsanlagen, die riesigen Tempel- und Grabbauten – ermöglicht. Durch planendes Denken wurde der Mensch in jener Zeit der Herr der Erde. Die Bezogenheit des Stierprinzips zu allem Erdhaften und zu allen aus Sinneserfahrungen hervorgewachsenen Formen, führte in der Stierzeit zur Errichtung von Riesenbauten aus Erdmaterial: Es entstanden die babylonischen Ziggurats, die ägyptischen Pyramiden, die megalithischen Grabbauten und die Steinsetzungen, die vielfach dem Totenkult – das achte, das Todeshaus ist das dem 2. gegenüberliegende – dienten. Denn für den Stier-Menschen erfüllte sich auch sein Todesgeschick in diesem Äon und im Bereich des Irdischen.

Das dritte Feld

Das vom Krebszeichen beherrschte 3. Feld zeigt den geradezu mystischen Gemeinschaftssinn jener Völker an, zeigt aber auch, daß deren Mentalität, die Grundstruktur ihres Denkens, eine magische war. Die Menschen suchten mit dem mütterlichen Grunde des Lebens in Verbindung zu treten. Da sie sich ganz durch das Vorgegebene und aus diesem Grunde Gespendete bestimmt wußten, war ihnen der Gedanke des Fortschritts fremd; sich vor allem auf die Vergangenheit zu stützen ist für Bauernvölker naheliegend. Darum und aus ihrem magisch gestimmten Denken war der Mensch als Individuum noch nicht in ihr Gesichtsfeld getreten. Aus diesem Zusammenhang war für sie auch noch keine persönliche Dichtung, die vom Menschen als Einzelnen handelt, möglich. Ihre Literatur war in einem großartigen Sinn einseitig – sie bestand aus Psalmen, Hymnen, Mythen und Gesetzessammlungen. Ebenso war ihre Schrift (deren Artung aus dem 3. Felde abgelesen werden kann) unindividuell und hieratisch. Die Bilderschrift wurde zwar durch das sumerische Bauernvolk und seine Priester erfunden (im Übergang des Zwillings- zum Stier-Zeitalter), aber die Buchstabenschrift ist erst eine Erfindung des beweglicheren Widder-Zeitalters. Immerhin wurde in der Stierzeit der Mensch fähig, seine Erfahrungen zu tradieren und Denkmäler zu schaffen, die ihn überdauern. Das in der Zwillingszeit physisch und psychisch „in Bewegung Gesetzte" wurde im Weltjahr des Stieres in Formen gefaßt.. Das Beharrungsvermögen, die Treue der Stierzeit und das mütterlich Hegende des Krebszeichens im 3. Feld schufen erst die Voraussetzung für die Ausbildung einer fortdauernden Tradition.

Das vierte Feld

Der Löwe, der hier das 4. Feld beherrscht, zeigt den Willen zur Herrschaft über die Heimat an. Nicht nach Reisen oder Kriegszügen gelüstete es die Menschen jener Zeit, sondern nach der herrscherlichen Ausgestaltung des Erdbesitzes. Die Siedlungen befanden sich entlang der großen Flußläufe und waren durch Befestigungen (Wälle, Hecken, Mauern) oder durch die vorgelagerten Sümpfe oder Wüsten geschützt. Das Land zu bewahren und zu befestigen war das Anliegen der Menschen der Stierzeit, deren großartige, aber auch düster-unheimliche Epen von dem großen kosmischen Kampf, von der Bemeisterung des dunklen Erdstoffes, von dem Hervortreten des Sonnenprinzips und seinem Sieg über die Dunkelmächte des Sumpfes zu berichten wußten. In ihnen kündet sich die Überwindung der Sumpfkulturen, sowohl erdgeschichtlich wie menschlich-geistig an. In dieser Zeit erscheint auch erstmals, im Gegensatz zu den Hütten der Zwillingszeit, das wirkliche, aus Lehm, Holz oder Stein errichtete Haus, entsprechend dem neuen Herrschaftsgefühl des Menschen. Der Mittelpunkt des Hauses war der Feuerherd (Feuer, das Element des Löwen). Auch die ersten, nicht mehr in dämmrigen Höhlen, sondern frei im Licht errichteten Tempel entstanden in der Stierzeit.

Das fünfte Feld

Das 5. Feld des Abenteuers, der Selbstdarstellung und der Wünsche, der Erotik und der Kinder, der Kunst als Spiel, wird hier durch das Vor-Zeichen der Jungfrau nüchtern und sachlich. Das Liebesleben der Menschen der Stierzeit war wohl kaum persönliches Abenteuer oder Spiel. Das hingebungsvolle, oft sentimentale Liebesgefühl der Fischezeit wird kaum bekannt gewesen sein. Gewiß wurden Kinder als hoher Wert erachtet — aber weniger aus persönlichen, denn aus sachlichen Gründen. Denn Kinder bedeuteten für die Eltern eine Zunahme an sozialer Gewichtigkeit und Ansehen. Gewiß war das Stierzeitalter ein solches der großen, erhabenen Kunst im Dienste der Götter oder der Königsmacht. Aber das im 5. Feld wirksame Jungfrau-Zeichen zeigt an, daß es mit der Kunst, die dem Menschen als Lebensreiz, als Unterhaltung oder Vergnügen hätte dienen können, spärlich bestellt war. Die Kunst war sakral oder sachlich-ordnend. Unter letzterem ist die bewußte und gute Ordnung in der Stadt-, Haus- und Felderplanung, der Bewässerungs- und Stauwerke zu verstehen.

Das sechste Feld

Das 6. Feld des Alltags, der Mühe, der Dienstbarkeit, aber auch der Krankheit zeigt durch die Besetzung mit dem harmonisierenden Waage-Zeichen die gemeinsame Bewältigung der fraglichen Angelegenheiten. Die notwendige, oft harte Leistung, die das Leben, aber auch die Organisation des Staates erforderte, wurde nicht als Frondienst empfunden. Denn da das Zeichen Waage ursprünglich dem 7. Felde der Partnerschaft zugeordnet ist, läßt sich erschließen, daß der Alltag und der Dienst als Gemeinschaftswerk geleistet wurde. Da unter dem Vorwalten des Waage-Zeichens der Wille nicht sehr ausgeprägt, die Sehnsucht nach Harmonie übergroß ist (bis zu voreiliger Nachgiebigkeit) so ergibt sich, daß ein empfindliches Gerechtigkeitsgefühl immer wieder für Ausgleich in der Gemeinschaft sorgte. Weil die Menschen, solange ihre Liebe zur Seßhaftigkeit nicht gestört wurde, im Grunde friedlich gestimmt waren, fiel ihnen der Gehorsam nicht schwer. Der Zusammenklang des Stier- und Waage-Zeichens im 6. Feld läßt auf einen bedeutenden Einfluß des Weiblichen schließen; zweifellos war der Einfluß der Frau im Alltag groß. In der Frau wurde zudem die Auswirkung eines Göttlichen und Heilenden gesehen. Die höchste Gottheit war weiblich — sogar der Himmel hatte, im Gegensatz zur Widderzeit und zu späteren Zeiten, ein weibliches Vorzeichen. Der Kult der himmlischen Frau, der Madonna, hat wohl im Stier-Zeitalter seinen Anfang genommen.

Auch die Krankenheilung muß sich unter dem Vorzeichen des „Weiblichen", auch wenn sie von Priestern ausgeübt wurde, vollzogen haben. Wahrscheinlich waren die Krankheiten damals meist, wie heute durch Kreislaufstörungen, durch Störungen der Harmonie im Gesamt des Leiblichen bedingt, worauf die Stier-Mentalität besonders negativ reagiert.

Das siebente Feld

Das 7. Feld der Partnerschaft und Gemeinschaft steht im Gegensatz zum 1. der Ich- und Selbstbehauptung. Im Horoskop des Stier-Zeitalters herrscht hier das spannungsvolle, unruhige, aufwühlende Zeichen Skorpion, das nun alle Formen der Partnerschaft und des Gemeinsamen prägt. An sich ist der Mensch jener Zeit durch das allgemeine Vorzeichen Stier traditionsgebunden, beharrlich, aber auch ängstlich, wenn seine irdische Grundlage angetastet oder labil wird. Hier liegt die Wurzel der Angst im Stier-Zeitalter. Nun steht aber dem erdhaften Beharrungsvermögen und der Vorliebe für ruhige Lebensformen durch das Skorpion-Zeichen im 7. Feld eine spannungsreiche Beweglichkeit und Unruhe in der Partnerwelt und in Bezug auf die erstrebten Ideale gegenüber. Darum erscheinen die Götter und Herrscher der Stierzeit als gewalttätige Wesen von fast dämonischem Charakter, in deren Mythen die tragische Empfindung des Lebensganzen zum Ausdruck kam. Hier ist auch die auswegslose Fasziniertheit der Stiervölker von der Unterwelt und ihrem Grauen angedeutet. Diese Götter oder die sie vertretenden Herrscher waren keine liebevollen Gestalten — sie hatten vielmehr den Tod im Gefolge — Großkönige, die sich Riesenreiche erzwangen, Gesetzgeber, die ihre Gesetzestafeln gleichsam von den Göttern empfingen, wie König Hammurabi von Babylon, Priesterkönige von tyrannischer Gewalt, die um höchster Zielsetzungen willen die Völker vergewaltigten, und große Magier, die Menschen und Götter für ihre machtvollen Wirkungen in Anspruch nahmen.

Das achte Feld

Das 8. Feld des Todes, des durch den Tod Verlorenen und Gewonnenen, der Erbschaft in jedem Sinn, jedoch auch der schöpferischen Kräfte, steht unter dem nach Weite drängenden, jupiterhaften Schütze-Zeichen. Durch dessen Optimismus und Lebensbejahung, ja durch sein Heilvermögen war der Tod kein tragisches Problem wie z. B. in der nachfolgenden Widderzeit. Der Tod war aufs Große gesehen miteingeschlossen in den großen Lebenskreislauf, aus dem Lebende und Tote nicht herausfallen können und in dem sie geborgen waren. Darum aber hatten das Grab und der Totenkult eine so ungeheure Bedeutung. Man lebte mit den Toten — die Ahnenverehrung setzte sie immer gegenwärtig — sie waren nicht nur die zerstörenden, sondern auch die guten und die beschützenden Geister der Lebenden, die freilich immer wieder durch Opfer zu erinnern und günstig zu stimmen waren. So waren die Stiervölker, obwohl sie von keiner Erlösung aus dem Kreislauf des großen Lebens wußten, in Bezug auf den Tod dennoch hoffnungsfroh. Die Totenwelt jener Zeit trug irdisches Gepräge. Darum mußte der Tote von seinem wichtigsten Besitztum oder dessen Abbildern begleitet sein, um dort bestehen zu können. Auch die übergroße Bedeutung des Leichnams für das nachtodliche Leben und der Aufwand zu seiner Erhaltung entspringt aus der erdhaft gebundenen Gesinnung der Stierzeit. Ein biblisches Wort wie: „Von Erde bist du und zur Erde sollst du wieder werden", mag aus solcher Mentalität stammen.

Das neunte Feld

Die durch den Steinbock im 9. Feld gekennzeichnete Religion war von äußerster Strenge, mehr von objektivem als subjektivem Charakter, mehr durch das unerbittliche Gesetz als durch Liebe bestimmt und mehr durch das kultische gemeinschaftliche Handeln als durch die persönliche Gottbegegnung. Die Menschen der Stierzeit waren keine Mystiker, sie suchten und fanden die Gottmächte in der Objektwelt.

Ihre Religion ging auf Wirklichkeit und Verwirklichung und war nicht gefühlsbestimmt. Religion war ein harter und verpflichtender Dienst, ein sich Unterstellen unter die Hierarchie der Götter und der

Lebensgesetze, als deren Hüter sie wirkten. Zur Kenntnis der Gesetze, die das Leben bestimmen, zum Wunsch nach Wirkung gehörte auch die Beherrschung der Magie. Magie war eine priesterliche Wissenschaft, die Priester waren zugleich Magier. Eine Trennung in weiße und schwarze Magie gab es noch nicht. Dies war erst durch die Entfaltung der Innerlichkeit, die allerdings bereits die Aufhebung jeder Magie bedeutet, möglich geworden.

Von einer Erlösungsreligion kann in jener magischen Stierzeit nicht gesprochen werden, obwohl auch schon hier die eigentümliche Gestalt des sterbenden und wiederkehrenden Vegetationsgottes Tamuz auftaucht. Aber dessen Bezug zum persönlichen Geschick des Menschen war wohl noch unbekannt.

Das in dieser Weise konstellierte 9. Feld zeigt auch an, daß Reisen hier nicht zum Vergnügen gehörten, wie am Ende der Widder- und der Fischezeit. Es war bitterer Dienst zu reisen oder zu weiten Kriegszügen auszuziehen, und es mußten schon sehr ernste Gründe vorliegen, bevor die Stiervölker ihre über alles geliebte Heimat, diese unversiegliche Quelle ihrer Kräfte, zu verlassen sich anschickten.

Das zehnte Feld

Im 10., dem Feld des Berufes, der Öffentlichkeit und der großen in der Öffentlichkeit wirkenden Persönlichkeiten, im Feld dessen, was sichtbar wird, tritt durch das Zeichen Wassermann als vorherrschender Typus der führenden Persönlichkeit nicht der Täter, sondern der Magier hervor, der als ein Wissender geistig in einer Parallele steht zu den Erbauern der großen, schützenden, die Fruchtbarkeit regelnden Bewässerungssysteme. Diese magischen Herrscher und Techniker sind die Regler des „geistigen Wassers" — der geistigen Lebenskräfte im Menschen — von deren Zu- und Überfluß die Fülle oder Dürre des leib-seelischen Lebens und des Gemeinschaftslebens abhängt. Diese Priester oder Priesterkönige hatten einen ungewöhnlichen, unmittelbaren wie mittelbaren Einfluß auf die Führung der Politik und die Gestaltung des Lebens; der Kult war die unbestrittene Mitte der Kultur.

Die Priester waren nicht nur Hüter, sondern auch Mehrer der Weisheit, die sie weithin verbreiteten. Weil sie in ihrem Schauen und Wissen, aber auch in ihrem Wirken in die fernsten Räume und Zusammenhänge einzudringen verstanden, vermochten sie auch das Kontinuum der Zeiten und Rhythmen zu erfahren und zu überliefern. Dadurch kam es auch zur Ausbildung der weltweiten Weisheitslehre der Astrologie und der Orakelkunde, die für die Beherrschung der Außenwelt eingesetzt wurden.

Unsere heutigen Traditionen, soweit sie nicht vom Aufstand der „modernen Welt" (französische Revolution und nachfolgende) beschädigt worden sind, gehen meist auf Traditionsreihen aus der Stierzeit zurück. Alles Überliefern (historischer Sinn, Konservativismus) ist stierhaft und gründet in Weisheit und Leistungen der Stierzeit.

Das elfte Feld

Das 11. Feld der Freundschaft, durch die Fische bezeichnet, zeigt das Empfinden freundschaftlicher Allverbundenheit an. Man wußte sich unter dem gleichen opferheischenden Schicksalsgesetz stehend und empfand sich darum wie in einem verborgenen, geheimnisvollen Grunde verbunden. Hinzu kommt noch, daß der Begriff Heimat einen mystischen Klang hatte; durch diese hochgeliebte Heimat wurde etwas von der Allverbundenheit der gleich Beheimateten spürbar, der zu opfern ein jeder erbötig war, eine Ahnung mystischer Allverbundenheit der Menschen als Menschheit, eine ahnungsvolle Brüderlichkeit des Menschenstandes. War doch die Kultur und Gesinnung der Stierzeit die erste große Menschheitskultur, die sich durch Missionare, den Flugsamen des Geistes und der sozialen Einrichtungen, über den ganzen Erdkreis verbreitete. In der Stierzeit aber blieb – durch das Fische-Zeichen im 11. Feld angedeutet – manches noch im Schweigen und in der Stille verhüllt, was später erst in Erscheinung treten sollte. Die unterirdischen Fäden wurden erst für das gesponnen, was zukünftig zutage trat. Auch mag in der erdgebundenen Stierzeit, deren Denken kaum über das Vorgegebene hinauszudringen sich sehnte, die Verbundenheit unter den Menschen mehr eine mediale als eine geistige gewesen sein.

Das zwölfte Feld

Das 12. Feld der Verborgenheit, der Gefangenschaft, der Bedrükkung, des geheimen Wirkens und des Weges nach Innen steht unter dem frühlingshaften, feurigen, agressiven Zeichen Widder – dem Charakter des 12. Feldes widersprechend. In diesem Feld ist in jedem Weltjahr-Horoskop das Zeichen und die Mentalität des kommenden Weltjahres als noch verborgener Keim zu finden. Was in Zukunft allgemein, bestimmend und legitim sein wird, das ist zuvor verborgen und illegal, ohne Wirksamkeit. Die feurigen, nach Kampf als hoher Lust verlangenden Widder-Impulse mußten im beharrlichen, seßhaften, traditionsliebenden Stierjahr verpönt sein. Der Stier-Mentalität erschien die weltoffene Abenteuerlichkeit, das optimistische Zugreifen des Widders als unsittlich und ketzerisch, da es allem damaligen

Wesen und Wünschen zuwiderlief. So mögen es nur kleine, zur großen Gemeinschaft in Widerspruch stehende Gruppen gewesen sein, die, gegen die Tendenz der Epoche ankämpfend, persönlicher Leidenschaft und einem selbstverantwortlichen Pionierdrang gehorchten.

Da aber ein solch persönlich freies, initiatives Handeln und Denken im Widerspruch zu den Tendenzen jener Zeit stand, so waren gewiß für jene, die dazu drängten, Leiden und Martyrium die Folge. Erst im Widder-Zeitalter vermochte der Mensch, ohne daran grundsätzlich gehindert zu werden, aus dem schützenden, aber auch bindenden Kollektiv herauszutreten. Was darum im Stier-Zeitalter in der Verborgenheit als Same bereitlag, wurde zur Grundlage der Gesinnung und des Handelns des kommenden Äons.

DAS ZEITALTER DES WIDDERS
2250 — 150 v. Chr.

Überschau

Durch die kreiselnde Bewegung der Erdachse, die im Laufe von 25 200 Jahren an ihren Ausgangspunkt zurückkehrt, dem physikalischen Mechanismus der geistigen Weltenuhr, rückte der Frühlingspunkt etwa um die Zeit des Jahres 2250 v. Chr. aus dem Stier-Zeichen in das des Widders ein. Was sich geistig in der Erd- und Menschheitsgeschichte ereignete, erschien zeichenhaft am Horizont des Menschengeistes: Ein neues Urbild, eine neue Geist- und Lebensform ging damit am innern Himmel des Lebensganzen auf — aus einer andern Richtung des Kosmos wie des Geistes ward nun die Erdenschöpfung und ihr Inbegriff, der Mensch, zu Lebenstaten angetrieben.

Das Lebens-Urbild Widder, das den Weisen der Frühzeit im Sternbild des Widders oder in dem Himmelssektor, der es beinhaltet aufschien, löste nun dasjenige des Stiers ab und wurde zur prägenden Geistkraft der Erdenwirklichkeit. Eine entsprechende Wandlung aller Verhältnisse, alles Lebendigen, des Biologischen wie der Seelenhaltung war die Folge. Das Leben selber nahm widderhafte Züge an, aus der Vielfalt seiner archetypischen Möglichkeiten traten für geraume Zeit die widderhaften bestimmend hervor. Solch eine Ablösung einer Lebens- und Geistesgestimmtheit durch die organisch nachfolgende, geschieht jedoch keineswegs plötzlich, denn das „Neue“ ist im Alten bereits enthalten; wie das Kind im Mutterleib in langen Monden heranreift, drängt sein verborgenes Werden zur entscheidenden Geburtsstunde. „Im Ergebnis einer Periode steckt immer eine Komponente, die man hinterdrein als das Neue begreift, als das Unerwartete, zuvor noch nicht Denkbare“ (Huizinga). Dies Neue, Unerwartete und zuvor noch nicht Denkbare trat um 2250 v. Chr. als widderhafte Prägekraft der Wirklichkeit hervor.

Damit wurde das Stier-Zeitalter zur Mutter des Künftigen; die in seinem Bereich vorwaltenden Kräfte der Beharrung, seine Tendenz zur Fixierung an die Erde, sein sowohl inniges wie stures Heimatgefühl, seine Liebe zu allem organisch Wachsenden und zur erdhaft dinglichen Schönheit wurde durch die lusthaft drängenden, expansiven, zu Pioniertaten und Kampfhandlungen antreibenden Kräfte der Widder-Mentalität abgelöst. Doch auch dieser Übergang von einer Weltzeit und Großkulturperiode zur nächstfolgenden, war als eine der großen Weltkrisen von gewaltigen Völkerkämpfen und Wanderungen, sozialen Umwälzungen und religiösen Reformen begleitet. Entsprechend der Eingleisigkeit der menschlichen Natur, die, wenn sie sich einer Seite der Realität zuwendet, sich zugleich von der jeweils entgegengesetzten abkehrt, wurde bei der Heraufkunft des neuen Weltzeitalters das verklingende abgewertet, ja sogar satanisiert. In solchen Übergängen erscheint das „Alte“, das in den „Renaissancezeiten“ kunstvoll zurückgeholt wird, als Inbegriff nicht nur des Abgelebten, sondern des Bösen und Irreführenden.

In Wirklichkeit begibt sich hinter der Schrecklichkeit des Vater- oder Muttermordes, eines Themas, das in den Übergangszeiten in den verschiedensten Weisen aufklingt, die Aneignung des reichen Erbes der untergehenden Kulturbereiche. Die neue Zeit hat vorerst nur Impulse und noch wenig eigene Gestalt. Am Beginn des Widder-Weltjahres werden daher die Formen der Stierzeit, sowohl die geistigen wie die sinnhaften übernommen — ein Vorgang, der, stellvertretend für weniger sichtbare Formen, auf dem Gebiet der Kunst besonders deutlich in Erscheinung tritt, z. B. in dem jahrhundertelangen Fortdauern der architektonisch starren Haltung in der Plastik.

Was besagt nun das Lebens-Urbild Widder, dessen kosmische Entsprechung im Himmelsraume des Tierkreis-Sternbildes Widder geschaut wird? Im Bereich dieses Sinnbildes versammeln sich hochgemute und drängende Kräfte. War die systematische Kultivierung der Erde das große Unternehmen der Stier-Periode, so tritt nun der Wunsch nach Kampf als Lusterlebnis, mehr die Eroberung als die Verwaltung der Welt, mehr die Erfahrung der Blut- als der Erdkräfte in den Vordergrund. Der Mensch wird allmählich seiner Eigenmacht bewußt und genießt sie. Die Herrscher — in der Stierzeit von göttlicher Strahlungskraft, ja selber Götter — empfinden sich nun als mächtige Individuen, die auf Grund ihrer persönlichen Kraft die Herrschaft an sich reißen. Unter der Einwirkung der Widder-Kräfte stand der Mensch im Vollgefühl seines Ichs, auf das er alle Weltvorgänge in naiver Einseitigkeit bezog.

Das Frühlingszeichen Widder, kosmisch dem Monat April, am Menschenleibe dem primus inter pares, dem Kopfe zugeordnet, stellt im Grundhoroskop des Lebens, dem Widder-Horoskop, die Initialzündung eines Individuums oder einer Epoche dar. Es ist das 1. Feld des Horoskopes welches das Ich betrifft und den Aszendenten des Lebenskreuzes bildet. Die im Kraftfeld des Widder-Zeichens versammelten Impulse entsprechen allem Anfänglichen und mit größter Intensität nach Lebensfülle Begehrenden. Diese noch morgenfrischen und darum ungehemmten und ungebrochenen Lebensimpulse drängen durchaus sinnentsprechend zum Kampf, zum Messen der Kräfte, um dadurch Erfahrung und Gestalt zu gewinnen. Mit dieser Liebe zum Kampf, mit der Freude am Wettbewerb ist eine vorbehaltslose Bejahung jeder Möglichkeit der Lust, vor allem der Zeugungswonne, die in der Verehrung des Phallus Ausdruck gefunden hat, verbunden.

So drängt, im Gegensatz zum defensiven und beharrenden Charakter der Stier-Mentalität, die des Widders zu kämpferischer Weltergreifung. Nur im Widder-Weltjahr vermochte ein Wort wie das von Heraklit: „Der Krieg ist der Vater aller Dinge" unwidersprochene Gültigkeit zu erlangen. Denn Mars, nach alter Überlieferung die Potenz des Widder-Zeichens darstellend, verleiht ihm diese kriegerische Kraft, erregt dies ungeduldige Drängen und den Wunsch, immer an der Spitze und Sieger zu sein. Die Niederlage galt darum als Gottesgericht — der Besiegte verlor seine Rechte als Mensch und Bürger. Er wurde ohne Belastung des Gewissens zum Sklaven gemacht, zum Besiegten auf Lebenszeit; das Widder-Zeitalter war die klassische Epoche der Sklaverei. Anderseits trieb die Unruhe und Kampflust der Widder-Mentalität die Menschen zu ungewöhnlichen Taten, zu kühnen Pionierleistungen an — der Optimismus, die Unbedenklichkeit, der Wagemut ließen das Unmögliche als erreichbar erscheinen und größtenteils auch erreichen. Epochen oder Individuen, die von der Widder-Mentalität geprägt sind, wollen und können darum an der Richtigkeit ihres Ichseins nicht zweifeln. Alles was sie sind oder was ihnen zugehört, alles Bluthafte, das Geschlecht, der Besitz, das eigene Volk, wird als problemlos empfunden und gefeiert.

Dies Widder-Zeichen und die Kräfte, die in ihm versammelt sind, steigen zu Beginn des Widder-Weltjahres wie ein Schicksalsgestirn über der Menschheit auf, eine neue Epoche derselben eröffnend. Denn es steht im Horoskop des Widder-Weltjahres am Ort des Anfanges und Aufganges, der ihm als prägendem Zeichen zukommt, nämlich am Aszendenten und im 1. Feld; so ergibt sich dann als Grundstruktur des Widder-Horoskopes folgende Kreuzgestalt:

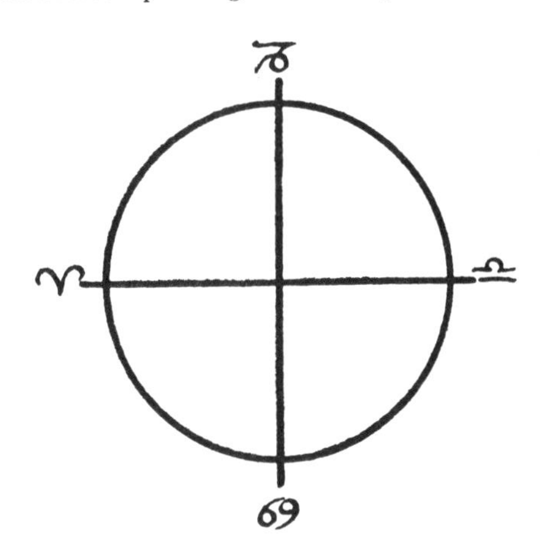

Die vertikale Achse des Lebenskreuzes wird in der Widderzeit durch die beiden einander polar entgegengestellten Lebens-Urbilder Krebs und Steinbock gebildet. In der Wurzeltiefe des Lebenskreuzes liegt das Krebszeichen, das die Fülle des Grundes anzeigt, den lebendigen Wurzelboden des Zeitalters. In der Höhe erscheint das Steinbock-Zeichen, das die klare, fest umrissene, auf Gesetzmäßigkeit beruhende Gestalt alles Sichtbaren, die unüberschreitbare Grenze der Lebensgestaltung der Widderzeit zur Darstellung bringt. Die horizontale Achse des Lebenskreuzes wird durch das frühlingshafte, das ganze Zeitalter prägende Widder-Zeichen und durch das zu ihm polare Zeichen Waage bestimmt. Dieses als Gegenzeichen des Widders, zugleich im Feld der Partnerschaft und des erstrebten Ideals, „erlöst" den Widder von seiner Ichsucht, seiner Triebhaftigkeit und führt aus dem Ich zum Wir. Gemeinschaft und Harmonie sind durch das Waage-Zeichen als die Grundsehnsucht der Widderzeit angezeigt. Das widderhaft extreme Nationalgefühl wird in einer Harmonie der Völker im Reich aufgelöst und überwunden. Das Widder-Weltjahr ist darum erfüllt mit immer neuen Versuchen zu Reichsbildungen, die allerdings erst an dessen Ende, in seiner „klassischen" Periode (Widder-Monat im Widderjahr, 325—150 v. Chr.) zur vollen Ausbildung kamen: Im Reich Alexanders des Großen, in der bis heute noch nachwirkenden Reichsbildung in China durch Schi-Huang-Ti und in der Heraufkunft des Römischen Reiches.

Aber nicht nur politisch, sondern in allen Kulturbereichen fand das Widderprinzip den Ausgleich durch das Waagehafte. Bei den Griechen zeigte es sich in ihrem Entwurf des Kosmos als der schönen vollendeten Ordnung und in ihren Versuchen, die Erscheinungswelt denkend in einem Harmoniesystem nachzubilden. Die Inder fanden den Ausgleich in einer Wiedergeburtslehre, welche die unerklärliche Ungerechtigkeit des Daseins aufzulösen suchte, und in ihrer Religionsphilosophie, die Juden im Gottesbund und im Gesetz, das einer zweiten Schöpfung gleichkommt, die Chinesen in der Verkündigung von Maß und Mitte, in einem geistigen System, das dem kosmischen Kreislauf nachgebildet war (I Ging) und im Streben nach Einklang mit dem Tao. Die Harmonie im Sozialen wurde von den Griechen in der Gestaltung der Polis, von den Juden in der Theokratie, von den Indern im Kastensystem und von den Chinesen im System der Großfamilie zu erreichen versucht.

Das Widder-Weltjahr beginnt, wie wohl jede große Umbruchs- und Übergangszeit, mit Völkerkatastrophen und mit Völkerwanderungen über ganze Kontinente hin: Indogermanen und Semiten brechen über die bestehenden Kulturen und Reiche herein, vor allem vor der Wende zum 2. Jahrtausend v. Chr. „Das dritte Jahrtausend v. Chr. ist die

Epoche der (für die ganze Menschheit) grundlegenden kulturellen Schöpfungen Sumers, des ägyptischen Alten Reiches, des Reiches von Akkad als des ersten großen Staatswesens eines Volkes semitischer Sprache. Eine neue Zeit hebt um 2000 v. Chr. an; denn jetzt zeichnen sich die ersten Einwirkungen der Indogermanen auf den Vorderen Orient (dem Kulturzentrum der Welt) ab."[8])

Aber nicht nur die Indogermanen, sondern auch die semitischen Amoriter dringen um 2000 nach Cölosyrien vor, gründen Babylon und werden die Hauptträger der altbabylonischen Kultur, die nun zusammen mit der altägyptischen Kultur nach allen Weltgegenden ausstrahlt und für zwei Weltjahre (zumindest bis zur französischen Revolution) zur Grundlage der Menschheitskultur wird. Schon dadurch, daß viele babylonische Elemente, wenn auch umgebildet, in die Bibel eingingen, hält die widderhafte Strahlkraft Babylons heute noch unvermindert an.

Gleichzeitig rückten die Phönizier als das Welthandelsvolk in ihre syrischen Wohnsitze ein; aus ihrem Kulturkreis ging die Erfindung der Buchstabenschrift hervor, als Frucht ihrer geistigen und leiblichen Beweglichkeit.

So wird (inmitten des Kulturraumes der „Paradieseslandschaft") die bisher stierhaft an eine nationale Kultur gebundene, schwerfällige magische Bilderschrift, von einer leicht auf alle Kulturen übertragbaren und im Vergleich zum Bisherigen abstrakten oder intellektuellen Buchstabenschrift abgelöst.

Ebenso wird im Widder-Zeitalter der seßhafte Priesteradel durch den kriegerischen Ritter-Adel verdrängt, auf dem wiederum das absolute Königtum (der König war nun weniger Priester und Gott denn Heerführer und Herren-Mensch) und dessen furchtgebietende und auf Eroberung gestimmte Militärmacht beruhte. Es ist durchaus symptomatisch, daß in der Widderzeit das „feurige" Pferd als Bewegungsmittel das beharrliche Rind verdrängte; erst durch die schnellen Reitertruppen mit ihren Kriegswagen wurden rasch vollziehbare und weitgezielte Eroberungen möglich. Nur auf diese Weise konnte die Fremdherrschaft der berittenen Hyksos in Ägypten zustande kommen (1670—1570 v. Chr.), durch deren Invasion das erdgebundene Weltbild die Stier-Mentalität verspätet abgebaut wurde.

Gewiß nicht zufällig wird darnach als Zeichen des Durchbruchs der Widder-Mentalität in Ägypten der mit dem Sonnengott Re identische Widdergott Amun (Ammon, zu dessen „Sohn" der „widdergehörnte" Alexander der Große am Ende der Widderzeit in einer ägyptischen Tempeloase erhoben wird) zum Herrn des Götterpantheons, d. h. der Welt in ägyptischer Sicht.

Die Menschheit wird im Widder-Zeitalter innerhalb der Hochkulturenperiode erstmals mobil, sie beginnt sich eroberungs- und expansionssüchtig über die Erde auszubreiten. So dringen z. B. die Asiaten über die Landbrücke der Aleuten nach Amerika, später die „Indianer" und ihre Kultur über die „Seebrücke" von Südamerika nach Polynesien. Die Gestaltungen, die in der ersten Periode der Hochkulturen (Stierzeit) entstanden, breiten sich nun missionierend aus. Die alten Kulturvölker werden von Erobervölkern überrannt und ihre Traditionen in Mischkulturen eingeschmolzen. Am Ende des Zeitalters vollzieht dies in „klassischer" Weise Alexander der Große, als Verbreiter des Hellenismus auf der Spitze des Schwertes, dessen Absichten bereits die Menschheitskultur des Fische-Zeitalters vorwegnehmen. Dieser große Versuch Alexanders blieb allerdings ein zwar riesiges Teilphänom, da die Zeit zu solcher Verwirklichung noch nicht gekommen war.

Die Menschheit besitzt ein Dokument, das, obwohl es durch göttliche Geisthauchung von überzeitlicher Bedeutung ist, doch zugleich die Ereignisse, Denk- und Lebensweisen der Stier- und Widderzeit wiederspiegelt. Es ist dies das heilige Buch, die Bibel, das freilich nur so viel von den Ereignissen und Denkweisen der Stier- und Widderzeit bewahrt, als zum Verständnis der Wege und Führungen Gottes notwendig ist. So wie Noah als „Schlüsselfigur" der Stierzeit, mit dem Weinbau als Symbol für den Beginn der Zucht edlerer Pflanzen, so erscheint Abraham als solche der Wende vom Stier zum Widder-Zeitalter und für den Exodus, der mit dieser verbunden war. Gott ruft ihn aus der überreifen Kultur Sumers, aus der Stadt Ur in Chaldäa am persischen Meerbusen heraus. Wahrscheinlich entspricht der geschichtlichen, heilsgeschichtlich verklärten Gestalt Abrahams in der Völkerwelt jene Einwanderungswelle von Amoräern um 2200 v. Chr., die sich auch Babylons bemächtigt hatten. Als Herrschergestalt entspricht ihm König Gudea von Ur (um 2000), der Erneuerer des altsumerischen, königlichen Priestertums, möglicherweise ein geschichtliches Vorbild des Priesterkönigs von Jerusalem, Melchisedek.

Auch Abraham war Priesterfürst, aber sein Amt und seine Vollmacht beruhten nicht auf der Verbundenheit mit dem Kosmos und der kosmischen Weisheit, sondern auf seiner Berufung durch den Herrn des Kosmos und der Geschichte. Er war darum in die Zukunft hinein berufen und nicht nur wie die „alten" Priesterkönige Erbe einer hohen, aber bereits zu Ende gehenden Tradition. So wie Jesus als Gottesknecht, zugleich im höchsten Sinn Gottessohn, der letzte Herausgerufene aus dem verklingenden Widder-Aion war als Erstling der Auferstehung aus dem Aion der Verwesung, so war Abraham, stellvertretend für Viele, der erste Herausgerufene der Widderzeit. Es war eine unerhörte Zumutung für einen Menschen der Gesinnung der Stierzeit, was Gott von Abraham forderte: im Glauben an das göttliche Wort seine Heimat zu verlassen und sich als Fremdling der Recht- und Schutzlosigkeit auszusetzen. Aber Abraham sprach zu Beginn der Widderzeit — so wie Maria zu Beginn der Fischezeit — sein Fiat, und es geschah ihm auch nach seinem Glauben.

Damit ging es grundsätzlich zu Ende mit der geistigen und räumlichen Selbstbewahrung der Völker und ihrer geschlossenen Siedlungsweise. Die Völker gerieten räumlich, wie in ihren Glaubensweisen in Bewegung. Mit den babylonischen Tempeltürmen, als Symbol himmelanstrebender Macht, werden die Völker zusammengefaßt. Es begann eine Epoche von Großreichen, in die die Völker rücksichtslos zusammengezwungen wurden, von bedenkenlosen Abschlachtungen Tausender im Dienste unermeßlicher Herrschaftsansprüche, die nicht mehr — wie in der Stierzeit — im organischen Sein und Wachsen der Völker gegründet waren. Da aber Gott die Tendenzen einer Zeit — auch die dunkelsten und grausamsten — für sein Weltziel in Dienst nimmt, so hat auch die Grausamkeit im Völkerleben der Widderzeit ihre Bedeutung für die Geschichte wie für die Heilgeschichte.

Aber dieser Willkür und Blutgier, diesem Willen zum Kampf, zur Darstellung und Ausdehnung der Ichsphäre steht ein notwendiger und heilsamer Ausgleich gegenüber: das eingrenzende und objektivere Gesetz. Das Widder-Zeitalter ist die hohe Zeit der Ausbildung des Gesetzes, durch das alleine damals eine menschenwürdige und sinnvolle Ordnung möglich war.

Wurde in der Stierzeit die Weltordnung dem Rhythmus und der Ordnung der Sternenwelt abgelauscht und in der Bildersprache des Mythos verzeichnet, so wurde das Gesetz der Widderzeit aus einer andern Schicht des Wirklichen hergeleitet: aus göttlicher Setzung und aus der Aktivierung des sittlichen Empfindens. Im widderhaft „männlich" gesetzten und verantworteten Gesetz und seiner Gerechtigkeit tritt eine „vernünftigere" und zugleich beweglichere Seite sowohl der Gottheit wie des menschlichen Geistes hervor als in der alles verbindenden und miteinander verkettenden „weiblichen" Einbildungskraft, die in der venusbestimmten Stierzeit vorherrschte. Durch das Gesetz steht der Mensch der Welt objektiver, distanzierter gegenüber als in einem vom Mythos konstellierten Weltbilde.

Die Wendung vom Mythos zum Gesetz spiegelt sich in dem Weltschöpfungsepos der Babylonier Enuma elisch wieder: der helle „teilende" männliche Gott Marduk wird dort als Überwinder der zwar allumfassenden, aber auch alles verschlingenden Urgöttin Tiamat geschildert. Marduk erscheint als der ordnende Gesetzgeber, Tiamat als das Prinzip des Sumpfes, in dessen fruchtbarer Dunkelheit alles mit allem verwandt ist. Zwei große „klassische" Gesetzgeber kennt die Widderzeit, deren Gesetzeswerke bis in unsere Kultur hinein und wohl auch noch über sie hinaus nachwirken: Den König Hamurabi, eine der größten Herrschergestalten des Altertums, der auf seiner berühmten Stele 280 Gesetze eingravieren ließ, Rechte und Pflichten des unter seiner Herrschaft vereinten Teils der Menschheit. Durch Moses aber, der das Gesetz vom Himmel her empfing, wurde in diesem unausweichlich der Wille Gottes offenbar.

So wurde durch Hamurabi und Moses die Menschheit erstmals wirklich aus der mythischen Welterfassung hinausgeführt und das zu maßlosem Selbstbewußtsein erwachte Individuum der Widderzeit wieder in göttlich gesetzte Grenzen zurückgeführt und gebunden.

Wie das Recht war auch die Religion in der Widderzeit noch an Volk und Land gebunden. Zwar begannen sich die Gestalten der Götter bereits zu wandeln, im Grunde aber waren sie unlösbar sowohl an das jeweilige Reich, das sie metaphysisch repräsentierten, wie an Blut und Boden gebunden. Darum hatten — wenigstens grundsätzlich — zu den Kultfeiern Fremde, die nicht zur Volks- und Kultgemeinschaft gehörten, keinen Zutritt. Die Gottheiten offenbarten sich innerhalb der Volksgeschichte oder nur an den von diesen erwählten Kultstätten.

Im Zusammenhang damit durften die heiligen Götterbilder, in denen sich die jeweilige Gottheit repräsentierte (nur Israel hatte kein Gottesbild, seine Gotteserfahrung weist darum am weitesten in die Zukunft) nicht verrückt werden. Der Mensch schweifte zwar im Widder-Zeitalter, aber der Gott wollte verweilen. Daß die Römer vor dem zweiten punischen Krieg, der seiner innern Bedeutung nach ein entscheidungsvoller Weltkrieg war, um ihrer Mutlosigkeit aufzuhelfen das uralte formlose heilige Holzbild der Magna Mater aus Kleinasien nach Rom holten, war ein Zeichen für das herangenahte Ende der erd-, orts- und blutsgebundenen Religion des Widder-Zeitalters.

Nach den Gesetzen der Geschichtsrhythmik bilden die letzten drei „Monate" eines kleinen Weltjahres von 2100 Jahren eine Einheit, in deren Lebens- und Geistraum sich ein Abbau der bisherigen Gestaltprinzipien und der im Laufe des Weltalters herausgebildeten religiösen, sozialen und politischen Formen vollzieht. Das bisherige Lebensgefüge wird allmählich durch Spiritualisierung oder Rationalisierung gelokkert; der Bezug der Gottheit zu Blut und Boden wird gelöst, die „nationalen Gottheiten" werden zu internationalen — das Gottesbild wird zwar von „sinnlichen" Vorstellungen gereinigt, aber damit zugleich auch entmächtigt.

So wird Raum geschaffen für das Heranreifen des Künftigen, für die Offenbarung einer neuen Dimension des Göttlichen und damit auch des Menschlichen. Die gewaltige geistige Umwälzung des Reformationszeitalters — wie die Trias der letzten Weltmonate im Widder-Weltjahr (etwa von 700—150 v. Chr.) auf Grund des sich in ihnen vollziehenden Wandlungsprozesses genannt werden kann — bereitete die größte und folgenschwerste Revolution der bisher bekannten Menschheitsgeschichte vor: Die Menschwerdung Gottes und als deren von Gott selber ins Werk gesetzte Folge, die Menschwerdung des Menschen.

Kennzeichnend für die Mentalität des Widder-Weltjahres ist die ausgesprochene Diesseitigkeit des Lebens- und Weltgefühles. Aus einer solch geschlossenen Welt kann zwar niemand herausfallen, aber auch niemand befreit werden.

Als Gegenwirkung traten im Laufe der zweiten Hälfte der Widderzeit die Anfänge der Erlösungsreligionen hervor: die Lehre des Zarathustra in Persien, das Tamuzmysterium Babylons, das ägyptische Osirismysterium und das Korn- und Weinmysterium von Eleusis. So entfaltete sich im Widder-Weltalter, als Gegenwirkung zur Hoffnungslosigkeit dem Tode gegenüber, der Kult der Sterbenden und auferstehenden Göttergestalten; durch Anteilnahme an ihrer Passion erhofften sich die Menschen ein seliges Jenseitsgeschick. So wurde durch Mythos und Kult der sterbenden und auferstehenden Götter die wirkliche Erscheinung des den Tod überwindenden Gottes am Beginn der Fischezeit und eines neuen großen Äions vorbereitet.

Im Widder-Zeitalter gehörten die Götter zur Welt; sie wirkten aus dem Geisthintergrund der Natur. Darum war die Scheidewand zwischen der Welt der Gottheiten und der irdischen Wirklichkeit nur dünn: Jederzeit konnte der Gott die Schwelle überschreiten; die Natur war der Schauplatz zahlloser Gottes- oder Götterepiphanien. Die Natur- und Menschenwelt war auf das Göttliche hin allenthalben offen. Erst als die Griechen und die Inder auf ihrem Abstieg vom Mythos zum Logos den Begriff der in sich abgeschlossenen Natur, der gesetzmäßig bedingten Welt fanden, schied sich das Leben in ein Innen und Außen, war die Gottheit außerhalb, der Mensch aber gefangen in die entgöttlichte Natur. Erst diese Zerschneidung in ein Hier und Dort, unter Auflösung der Gleichzeitigkeit des Göttlichen und Naturhaften, weckte die Erlösungssehnsucht und -erwartung der Menschheit, die vor allem in den drei letzten Weltmonaten des Widder-Weltjahres zu ungeheurer Flut anschwoll.

Von größter Bedeutung für die geistige Ernährung der Menschen und Völker des Widder-Zeitalters waren die Tieropfer, durch die der Mensch mit der Gottheit in Verbindung trat. Noch in dem erhabenen Opfermysterium Christi, dem „Lamm wie geschlachtet", findet sich als Nachklang der Widderzeit die unabdingbare Überzeugung, daß

Gott sich durch Opferblut mit dem Menschen verbindet. In der Anschauung der Widderzeit wohnt die Seele im Blut, naht sich die Gottheit im dargebrachten Blut. Die Gottheit – seien es nun die Götter oder der Ewige Israels – sind aufs innigste mit dem Sinnen- und Bluthaften, und nicht minder mit dem Zeugungsmysterium und seinem lösenden Rausch verbunden. Wo darum heute noch Tieropfer, oder wie bis vor wenigen Jahrhunderten, Menschenopfer andauern, da wirkt noch immer die Mentalität des Widder-Weltjahres in einer Phasenverspätung fort.

Stieg der Mensch im Stier-Zeitalter in die Mysterien der Erde und der Mütterlichkeit hinab, so nahm er in der Widderzeit im glühenden Rausch und in der Feier der Blutkräfte Besitz von der Ober-, nicht aber von der ihm noch verschlossenen Über- und Innenwelt. Erst im Fische-Zeitalter, wo als Gegenwirkung die ungehemmte Auswirkung der Kräfte von Blut und Boden mißtrauisch gebremst wurde, entfaltete sich durch die Wendung zur Innerlichkeit die große Menschheitsmystik.

Im Weltjahr des Stiers fiel die klassische Zeit, in der Monats- und Jahreszeichen identisch sind, in die Periode von etwa 2600–2425 v. Chr., der Endzeit des Neolithikums in der zentralen Menschheits-Kulturlandschaft. In jener Zeit wurde zum erstenmal in der Menschheit ein allgemeines und zureichendes Zeitsystem fixiert, während sich in der klassischen Widderperiode, in den Jahren 325–150 v. Chr., mit der Ausdehnung der Herrschaft des Abendlandes durch Alexander den Großen als erste Vereinigung von Abend- und Morgenland, eine grundlegende Festigung der Raumerfahrung vollzog (die Entdeckung der Erde als Kugel, ihre Bewegung um die Sonne etc.).

Ist die klassische Stierzeit durch die typischen Stierdenkmäler, die Pyramiden ausgezeichnet und durch den Höhepunkt des Stierkultes und der kultischen Stierspiele, so die klassische Widderzeit durch die Epiphanie eines Menschengottes, des großen Alexander, der in Jünglingsschönheit strahlend die „Welt" unter dem Vorzeichen des rationalen griechischen Geistes zusammenfaßt. Gleich den Pharaonen zum Sohn des sonnenhaften Widdergottes Amun-Re erhoben und darum „widdergehörnt" dargestellt, erscheint er als der Repräsentant der ganzen Widderzeit, als der Sonnen-Widder, als der von der Erde aufgestiegene Menschengott. Das königliche Individuum in seiner Selbstmächtigkeit, der „herrliche, schön-kluge Mensch" tritt in ihm als reinster Typus hervor. Doch, obwohl zum Gottessohn erhoben, bezieht der Widder Alexander seine Einsichten nicht aus der menschentranszendenten göttlichen Welt, sondern aus der menschlichen Ratio. Es ist kennzeichnend, daß gerade Aristoteles, der erste selbstherrlich rationale Denker, ein geistiger Widder, der Lehrer Alexanders war.

In diesem klassischen Widder-Monat ersteht auch bei den Antipoden, den Chinesen, das erste weltliche, nur von rationalem Denken geplante und geleitete Reich, der zentralistische Beamtenstaat des Shi-Huang-Ti. Es kann als Gesetz gelten, daß die Gestaltungen des jeweils klassischen Monats das eigentliche Überlieferungsgut eines „Weltalters" beinhalten, das an das nächstfolgende weitergegeben und von den schöpferischen Geistern desselben ausgewertet und umgewandelt wird.

Im Widder-Zeitalter ergibt sich die eigenartige Situation, daß die Summe seiner Erfahrungen und Formungen gerade an seinem Ende, im letzten Monat des Zyklus in Erscheinung trat, daß darum die Traditionsübergabe so unmittelbar wie noch nie erfolgte. Kein Zeitalter geht darum so fugenlos in das nächste über, wie das des Widders in das der Fische. Hierzu kommt noch, daß gerade das Widder-Zeitalter das letzte eines großen Weltzyklus ist, da es ein großes Weltjahr von 25 200 Jahren beschließt. Darum sammeln sich in ihm die Überlieferungen einer solchen Weltzeit und werden an die Träger des mit dem darauffolgenden Fische-Weltalter beginnenden großen Weltjahres von 25 200 Jahren vererbt. Weil aber das Widderjahr das letzte eines mit ihm abgeschlossenen großen Weltzyklus, und das Fischejahr das erste eines beginnenden darstellt, ist der Übergang von einem zum andern nicht nur von höchster geschichtlicher Bedeutung, sondern stellt auch darüber hinaus den wichtigsten geistigen Krisenpunkt der gesamten überschaubaren Menschheitsgeschichte dar. Als – etwa um 150 v. Chr. – die Widder- in die Fischezeit überging, begegneten und schieden sich zugleich zwei riesige Weltzeiten – aus dem Untergang der einen erhob sich phönixgleich die neue, die Summe aller bisherigen Menschheitserfahrungen empfangend und sie mit einer ewigen, vom Himmel verkündeten Botschaft krönend: Mit der Frohen Botschaft des genahten Heils, durch die das eigentliche und letzte Ziel des Menschseins entschleiert und durch die die Völker – die Gemeinschaftsform der Widderzeit – zur Menschheit eingeschmolzen werden sollten.

DAS HOROSKOP DES WIDDER-WELTJAHRES
2250 – 150 v. Chr.

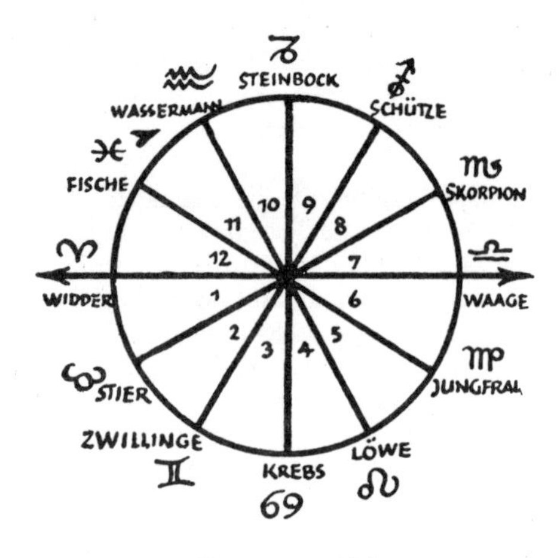

Das erste Feld

Der Aszendent, der Anfangspunkt, durch den der Typus des Zeitalters geprägt wird und dessen Artung gleichsam als Atmosphäre durch alle Lebensbereiche der Epoche flutet, wird vom Widder-Zeichen des 1. Feldes gebildet. Eine solche Besetzung des 1. Feldes des Ichs und seines Soseins weist auf die naive Ichhaftigkeit der Widder-Mentalität, auf deren unreflektierte Weltliebe, ihren Weltdurst, auf die kaum zu bremsende Motorik und diesseitige Gesinnung der Menschheit im Widder-Zeitalter, auf Wagemut und Kampflust in jeder Ebene. Über solchen Verhältnissen liegt der Glanz der Morgenfrühe; das Leben wird als einlösbares Versprechen erfahren. Es leuchtet in jünglingshafter Schönheit, zur Zeugungswonne antreibend, noch ohne Einsicht in die Notwendigkeit und Bedeutung des Selbstopfers (das auch die jüdischen Propheten erst am Beginn des Reformationszeitalters verkünden). Dies mag der Grund sein, daß die Menschheit auf das Widder-Zeitalter (trotz anfänglicher Satanisierungsversuche) wie auf ein goldenes Zeitalter zurückschaut und sich seine Unbekümmertheit und Sinnenfülle immer erneut, wenn auch vergebens, zurückwünscht.

Galten im Stier-Zeitalter der reife realistische Mann und die Frau als fruchtbare Mutter als Grundtypen des Zeitalters, so in der Widderzeit die Gestalt des göttergleichen Jünglings. Die Befreiung der Plastik aus den Bindungen der stierhaften Architektur, die sich nun vollzog und die schließlich zur Entfaltung eines klassischen Zeitalters der

Plastik führte, steht in Parallele zur allmählichen Freisetzung des Individuums aus den Bindungen der Herkunftsverbände. In den letzten Monaten des Widder-Jahres tritt das hochgemute, sich selbst vertrauende Individuum, das infolge seines Selbstbewußtseins erstmalig in Gegensatz zur Gemeinschaft gerät (wie z. B. Sokrates), in seiner strahlenden geistigen Kraft wie in seiner Hybris hervor — ein Prozeß, der sich nicht mit überall gleicher Schnelligkeit vollzog. Der Mensch beginnt — wenigstens in seinen wachsten und darum auch am meisten unter dem Zwiespalt leidenden Individuen — Gott und der Welt nicht mehr als Wir, sondern als Ich gegenüberzutreten (Hiob, griechische Tragödie). Im Prometheusmythos wird der Aufstand des großen Individuums gegen die Götter verherrlicht.

Das zweite Feld

Die Besetzung des 2. Feldes durch das erdhafte, traditionsgebundene Stier-Zeichen zeigt die Geordnetheit und Festigkeit der Besitzverhältnisse an; der kostbarste Besitz war für jene Zeit die Erde selber. Zwar war der Mann in der Widderzeit wesentlich Krieger — dennoch beruhte Macht und Reichtum auf dem Landbesitz. Die schnell veränderliche Verhältnisse voraussetzende oder hervorrufende Geldwirtschaft stand noch in den Anfängen und entwickelte sich erst am Ende der Widderzeit, um in der Fischezeit ihren bisherigen Höhepunkt in der Menschheitsgeschichte zu erreichen. Besitzerweiterung vollzog sich in der Widderzeit vor allem durch Landnahme — daher die vielfachen Völkerwanderungen, in denen sich Abenteuerlust mit Verlangen nach Besitzerweiterung verband. Hinsichtlich dieses stierhaften Besitzstandes herrschte konservative Gesinnung, für die es durchaus kennzeichnend ist, daß z. B. gegen den König Ahab von Israel ein blutiger Aufstand ausbrach, wegen eines Weinberges, den sich dieser unrechtmäßig angeeignet hatte. Land und Besitz waren miteinander identisch, waren heilig, dem Gott geweiht, von ihm beschützt und durchwirkt. Die für das Ganze der Menschheit im Widder-Zeitalter verblassende Stier-Mentalität blieb nur in bezug auf das Land und den Besitz erhalten.

Ein Ausdruck der stierhaften Festigkeit, Unwandelbarkeit und Erdigkeit des Besitzes im Widder-Zeitalter war auch die Sklaverei. Nur mit Sklavenheeren oder leibeigenen Bauern konnte man großen Landbesitz bestellen. Trotzdem waren die Sklaven nicht völlig rechtlos; sie waren auch rechtlich einbezogen in die gesamte Sozialordnung.

Das dritte Feld

Aus dem 3., vom Zwillings-Zeichen besetzten Feld wird die Art der Mentalität im engern Sinn ersichtlich. Das Denken steigt nicht mehr wie in der Stierzeit in die mütterlichen Gründe des Daseins, es bewegt sich nicht mehr wie damals in den vorgebahnten „Flußläufen" des organischen Lebens, sondern wird beweglich, löst sich vom haltenden Grunde, eilt von Ding zu Ding, systematisiert das Erkannte und macht es praktisch handhabbar. Statt mythisch-organisch wird das Denken logisch-begrifflich und das Leben rational deutbar. Erst in der Widderzeit entstehen im modernen Sinn Philosophie und Wissenschaft – letztere nicht mehr als dem Heiligen dienende Tempelwissenschaft, sondern als Wissenschaft im Dienst des Menschen. So endet das Widder-Zeitalter mit Aristoteles, dem ersten Professor der Weltgeschichte. Die Widderzeit betrieb konsequent eine Entmythisierung und Säkularisierung des Denkens. Da aus dem 3. Feld auch die Art der Literatur, des Schreibens in jedem Sinne ersichtlich ist, so weist die Zwillings-Signiertheit desselben auf die Leichtigkeit und Beweglichkeit des Ausdrucks hin. Die nur noch im Mindestmaße an ein Weltbild, an eine Kultur oder ein Volk gebundene Buchstabenschrift entstand und damit – wenigstens grundsätzlich – die Voraussetzung der heutigen Massenkultur der „Lesenden und Schreibenden". Aber auch was geschrieben wurde, ward durch das bewegliche Zwillingszeichen geprägt: Die beiden größten Epen der Widderzeit im Mittelmeergebiet, das homerische Epos und das Davidepos des Alten Testamentes, haben nur noch am Rande mythischen Charakter. Sie sind glanzvolle, mit mythischen Formeln geschmückte Kriegs- und Reiseberichte, entsprechend der merkurischen Rationalität des Zwillings-Zeichens. Das „geschwisterliche" Verhältnis der Menschen jener Periode gewann Gestalt in der typischen Ausbildung der Polis, des Stadtstaates mit seinen „geschwisterlich" versippten Geschlechtern.

Das vierte Feld

Im 4. Feld, dem Immum Coeli, der Himmels- und Erdentiefe, wird der tiefste, gewissermaßen mitternächtige Grund des Daseins erreicht, der verborgene Grund, auf dem das ganze Gefüge einer Individualität – oder übertragen – die Einheit eines Weltalters beruht. Hier ist die Wurzel einer persönlichen oder zeitlichen Einheit zu finden, aus der sie gespeist wird, der Quellgrund, die Herkunft, die Erbmasse, aber ebenso die Hinkunft, die Zeit der Reife und der Sammlung, das Alter. Auch die Art der Behaustheit, sei es des Einzelnen wie der Schicksalsgemeinschaft eines Zeitraumes, ergibt sich aus der Signatur des 4. Feldes. Daß dieses Feld nun durch das Krebszeichen bestimmt ist, zeigt an, daß trotz des generell drängenden Charakters der Widderzeit sich ihre Wurzel doch ins organisch Lebendige, ins Sumpfbereich der Mütter erstreckt, in dem alles mit allem verwoben und an der Wurzel verwandt ist. Mochte auch der Mensch des Widder-Zeitalters die Welt mit Lust durchschweifen und sie geistig zu ordnen suchen, sein Zuhause war das Mutterreich, die Erde selber als Urkraft. Die Natur war sein Heim, seine Heimat — er erfuhr sie als lebendig durchseelt. Lebendige Wesen traten ihm durch seine Natursichtigkeit aus Baum, Stein und Quelle vertraut entgegen.

Sein Wohnhaus war in gleicher Weise mit Lebendigkeit geladen: das Feuer auf dem Altarherd, bewahrt von der fruchtbaren, lebenspendenden Frau. In einer tief gefühlten Weise war der Mensch der Widderzeit mit Stadt und Heimat, mit seiner Polis verbunden. Die Heimaterde war heilig; sie verlassen zu müssen — ausgenommen in den widderhaften Kriegszügen, durch die Ehre und Glanz gemehrt wurden — war das größte Unglück, das einen Menschen der Widderzeit treffen konnte. Aus dieser Voraussetzung preist darum die Heilige Schrift Abraham, der seine Heimat auf Gottes Geheiß freiwillig verließ, als einen wahrhaft Gott gehorsamen und gläubigen Menschen.

Das fünfte Feld

Dieses Feld des Lustgewinns, des hohen und niedrigen Spiels — sei es des Liebes-, des Schau- oder Kriegsspieles — auf dem der Mensch aus seinem „Hause" ins Wagnis und Ungewisse heraustritt, im spielerischen Versuch in der Welt sich selber zu erfahren und zu genießen, ist im Widder-Horoskop vom Löwe-Zeichen geprägt. Hieraus ist zu entnehmen, welch hohe erregende und zentrale Bedeutung im Widder-Zeitalter dem Spiele zukam — dem Kriegsspiel, in der Eroberung fremder Länder auch ohne äußere Notwendigkeit, in den Zirkusspielen, die ganze Städte und Völker in heißer Leidenschaft entflammten, den Wettspielen, dem erotischen Spiel, das seitdem nie mehr so unbekümmert und herrlich, so ganz aus der Wallung des Blutes und frei von Zwecksetzung „gespielt" worden ist.

Da das Lebensspiel jener Epoche, das ganz an das Bereich des Naturhaften gebunden war, keine moralische Begrenzung erfuhr, galt jede Weise der erotischen Lustsuche als möglich und legitim. Das Gesetz, das sich die Völker und Gemeinschaften der Widderzeit auferlegten, war noch nicht — wie später im Fische-Zeitalter — moralisch determiniert. Durch das Gleichgewicht von Natur und Kultur in den Lebensformen der Widderzeit — das diese als ein goldenes Zeitalter erscheinen läßt — war das natürlich Schöne und Lusthafte noch nicht durch ein Übermaß von Ethik bis zur Verkümmerung eingegrenzt oder verdächtig geworden. Darum galten zumeist auch das Hetärentum und die Jünglingsliebe nicht als unmoralisch oder widernatürlich; sie waren tatsächlich ein schöpferischer Beitrag zur Kultur. Die Feier des

Eros und das Spiel — das Kriegsspiel eingeschlossen — waren Mittel zur festlichen Erhöhung des Lebens. Gerade das Löwe-Zeichen im 5. Feld weist darauf hin, daß die Kultur der Widderzeit, das profane wie das religiöse Leben, durch das Fest ihren Sinn wie ihren Glanz erhielten; erst im Fest war der Mensch ganz Mensch, bezeugte sich ihm der Gott.

Das sechste Feld

Dies Feld wurde während des Widder-Weltjahres durch das Jungfrau-Zeichen, seine Geisteshaltung und Lebensform geprägt. Der Alltag, die Art des Dienstes, dem der Mensch unterworfen ist, die Weise, wie er die Last des Lebens trägt, aber auch sein Verhältnis zur Krankheit, seine Möglichkeiten des Heilens werden hier deutlich. Unter dem Jungfrau-Zeichen wird der Alltag des Menschen übersichtlich geplant und dadurch dem Zufall entzogen. Die Städte, die nicht mehr wie in der Stierzeit durch Wüsten, noch durch morastige, erst in der Widderzeit trockengelegte Gebiete geschützt sind, werden mit ungeheuren Mauern umgeben. Die Stadt wird zur Burg; sie ist nicht mehr wesentlich Tempel- oder Königsstadt, sondern wird zur Polis, zur Bürgerstadt. Jungfrauhaft ordnend und zweckhaft vertraut man sich nun weniger dem Schutz einer noch wilden und wuchernden Natur, als dem sorgsamen Planen des menschlichen Geistes an. Der Alltag ist zudem erstmals in genauer Weise durch festgelegte Gesetze geregelt und geschützt; diese entspringen weder den Stammes- noch den Kultgesetzen, sondern sind durch vernünftige Überlegung gewonnen worden.

Auch die Heilkunst nimmt nun eine neue Weise an; die Heilweise des Jungfrau-Zeichens beruht auf der Wiederherstellung des lebendigen Kreislaufes. Aber das Heilen hat nun weniger mit Dämonenbeschwörung zu tun, wie einst in Babylon, als mit der Einsicht in divin-humane und psychosomatische Zusammenhänge. So wird die Heilkunst durch Auswertung der sich häufenden Erfahrungen verstandesmäßig geregelt. Die Asklepien, wie z. B. das zu Epidauros mit seinen 120 Zellen für den Heilschlaf, gleichen bereits Sanatorien. Durch die Lehrtätigkeit des Hippokrates und das von ihm ausgebaute medizinische und therapeutische System wurde die Heilkunst profan und erlernbar und entglitt den Priestern. Gewiß beachtete man noch die kosmischen Umschwünge und Wirkungen. Doch wenn auch die Menschen der Widderzeit sich noch mythischer Denkformen bedienten, so war der Denkinhalt doch bereits von rationalen Kräften geprägt. Im Laufe der Widderzeit wurde der mythische Schleier, der noch für den Menschen der Stierzeit zauberhaft geheimnisvoll über das Leben gebreitet war, allmählich durchsichtig und durchschaubar.

Das siebente Feld

Das Horoskop des Widder-Zeitalters stellt eigentlich eine Art von Normalhoroskop der Menschheit seit der Sintflut dar. Jedenfalls sind seine innern Bezüge und die Prägung seiner Lebensfelder irgendwie grundlegend für die typische Artung des Menschen der Hochkulturen. Selbstverständlich gibt es in der Entwicklung der Menschheit keinen Stillstand. Denn da sie auf Entwicklung zu einem Ziele hin, auf Ausfaltung angelegt, nicht vollkommen geschaffen, aber zur Vollkommenheit bestimmt ist, muß sie sich unaufhörlich wandeln, um sich gemäß ihrer Schöpfungsidee zu verwirklichen. Dennoch befand sich jetzt die Menschheit einen Augenblick ihrer Gesamtgeschichte lang, zwar nicht in einem göttlichen Idealzustand, aber doch in einem Gleichgewicht zwischen Natur und Kultur.

Der Mensch entfernte sich von der Natur nur soweit, daß er „deren Ordnungen noch überall fühlte, sein Tun noch beständig durch Empfindungen für das Gefährliche und zu Scheuende begrenzt wurde" (Guardini). In dieser „humanen Epoche" — die wir im geschichtlichen Rückblick einzig in der Widderzeit wiedererkennen können — waren die Kulturtätigkeiten „wesentlicherweise durch die unmittelbare Leistung der Sinne, sowie durch Hand und Werkzeug getragen" (Guardini).

Diese relative Ausgewogenheit des Widder-Zeitalters wird in der horizontalen Achse der Horoskopfigur deutlich. Wird der Ostpunkt, der Aufgang, der Aszendent vom ichhaften, impulsgebenden Widder-Zeichen im 1. Feld geprägt, so wird der nicht minder bedeutungsvolle Westpunkt, der Deszendent, vom Zeichen Waage im 7. Feld gebildet. Erscheint das Widder-Zeichen als die Geburtssignatur des Zeitalters, die Art, wie es aus der Verborgenheit und dem Geburtsschoß des vorangegangenen herausgetreten ist, so bezeichnet das Waage-Zeichen des Deszendenten im Horoskop des Weltjahres das Ziel, dem ein Zeitalter zustrebt, die Idealgestalten, die ersehnt werden, die Gesinnung, die es zu verwirklichen wünscht. Dem ichsüchtigen, kampffreudigen, unbändig vorwärtsdrängenden Widderzeichen steht als Ideal die Harmonie im Gemeinschaftszeichen Waage gegenüber. Alle Strebung, so ungebärdig sie auch vorgetragen wird, mündet hier letzten Endes immer wieder in die Gemeinschaft, in den Ausgleich, in die Erkenntnis von der Sphärenharmonie des Kosmos, in die Gerechtigkeit alles „Kreislaufs", in die Seelenlehre Platons, in die Wiedergeburtslehre Indiens, in das Totengericht Ägyptens, die Fügung der Menschengemeinschaft im Kunstwerk der Polis, in das Prinzip der gesunden Seele im gesunden Leibe, in die Vernünftigkeit und Geistdurchdrungenheit der sinnlichen Erscheinung.

Erst Buddha, einer der Weisen der „Reformationszeit" am Ende der Widderzeit, zerriß die Harmoniefügungen des Zeitalters und fixierte in seiner atheistischen und rationalen Erlösungslehre einen unaufhebbaren Gegensatz zwischen den Sinnen und dem Geist. Mit der spiritualistischen, ichvernichtenden Erlösungslehre Buddhas endet darum die Lebensharmonie des „goldenen Zeitalters" der Menschheit. Die höchste Verklärung fand das Harmoniestreben der Widderzeit in der Kunst, die geradezu als Offenbarung des Göttlichen, als eine Epiphanie der reinen Schönheit erfahren wurde, wie sie seitdem von der Menschheit in dieser Sinnenfülle nie mehr erlangt worden ist. Nie mehr ist seither das Göttliche so überwältigend und bewegend im Gewande der Schönheit, dem Leib der Gottheit, so beglückend als Fest und Fülle des Daseins aufgeschienen.

Wenn Thomas von Aquin ein Weltjahr später, als das Fische-Zeitalter bereits seinen Zenit überschritten hatte, die Schönheit als Glanz der Wahrheit umschrieb, so vermochte er dies zwar noch im Geiste zu erkennen, aber die Verwirklichung dieser Erkenntnis in ganzer Fülle war nur im Widder-Zeitalter unter dem Vorwalten des Waage-Zeichens möglich gewesen. Der Harmonieausgleich lag im Fische-Zeitalter nicht mehr in der sichtbaren, sondern in der innern Welt, nicht mehr an der Haut der Dinge, sondern in der Tiefe, der Innerlichkeit.

Das achte Feld

In diesem geheimnisvollen, aber auch fruchtbaren Bereich eröffnet sich die abgründige Dimension des Lebens, die Todessphäre. Die Begegnung mit dem Tode und die Art, wie diese vollzogen wird, aber auch alles Tiefgründige, das Wie des Schöpferischen, das in einem Zeitalter waltet, wird hier ablesbar. Im Widder-Weltjahr ist das 8. Feld durch das spannungsreiche, von Marskräften angetriebene Skorpion-Zeichen geprägt. Das Vorwalten dieses bohrenden, zum Letzten drängenden, das Dasein von allem schönen Schein entblößenden Zeichens zeigt an, daß die Menschen sich damals erbarmungslos dem Tod ausgeliefert wußten, daß sie sich allerdings auch nicht scheuten, den Tod mit aller Schärfe und Erbarmungslosigkeit zu verhängen, und ganze Städte und Völkerschaften ohne Mitleid und Empfindung auszurotten. Sie stiegen mitten im Leben freiwillig in die Todessphäre hinab, nämlich in den Mysterien, die um den Tod kreisten und durch deren Weihe sie ein günstiges Todeslos erhofften. Dennoch: kaum je haben die Menschen eines Zeitalters den Tod so sehr als Wunde empfunden wie diejenigen des Widder-Zeitalters. Denn auch im Tod vermochten sie den Kreis der Schöpfung nicht zu übersteigen. Der Totenkult der Ägypter (Einbalsamierung, dauernde Verirdischung des Leibes), die

Ahnenverehrung der Chinesen, die Hadesvorstellung der Griechen, die Scheol der Hebräer, die Wiedergeburtslehre der Inder, stammen trotz ihrer Verschiedenartigkeit aus dieser Einstellung zum Tode. Durch diese wird die Unerlöstheit und Erlösungsbedürftigkeit des Zeitalters deutlich.

Aber das Skorpion-Zeichen ist auch dasjenige der hohen schöpferischen Spannung, eines rastlosen Verlangens, das Letzte und Gültige zu erreichen, die Tiefe des Abgrundes ebenso wie die Höhe des Himmlischen zu durchdringen. Das Widder-Zeitalter war von hohen schöpferischen Spannungen erfüllt. Fast alle großen geistigen Formungen, von denen die Menschheit seitdem lebt, wurden in der Widderzeit geschaffen — so das Alte Testament, das Tao-te-king, die buddhistischen Schriften, die Weltphilosophie in China, Indien und Griechenland, die großen Epen, voran die homerischen, die hohe Mathematik und Geometrie, die Astrologie. Der Schöpferdrang ging überall pionierhaft ins Fundamentale, die Höhe mit der Tiefe verbindend, wenn auch kaum je die Welt übersteigend.

Das neunte Feld

Durch das feurige, zur Welt dringende Schütze-Zeichen und durch die diesem innewohnenden weitherzigen, vertrauensseligen Jupiterkräfte, erhält die Religiosität der Widderzeit einen ungemein weltoffenen, optimistischen, undogmatischen Charakter. Sie ist nicht intellektuell und reflektiv gestimmt, sondern erneut sich durch lange Zeit aus dem Schöpfungsgeheimnis und den Blutskräften des Menschen; die schriftlich fixierten Buchreligionen kommen erst in der Endzeit der Widderperiode auf. So sind die Religionen der Widderzeit in ständiger Bewegung, sie entwickeln sich und verschmelzen miteinander, eine Götterschicht löst die andere ab; der Dogmatismus ist bis zum Aufkommen des Buddhismus und der jüdischen Schriftgelehrten so gut wie unbekannt. Nicht durch den Glauben im Sinne eines innerlichen Fürwahrhaltens, sondern in der Darbringung des Opfers an die Götter realisierte sich die Verbindung mit dem Göttlichen. Die Religiosität der Widderperiode gründet zudem auf einem weitverbreiteten Sinn für das Erhabene, Großartige, für das Herrliche und Majestätische, das allerdings nicht jenseitig, sondern in der Welterscheinung wahrgenommen wird. Die Götter erscheinen, werden sichtbar; weniger das, was über sie gelehrt wird, sondern ihre Epiphanie macht sie glaubwürdig. Dies gilt auch für die Religiosität der alten Hebräer, deren Weltengott unter durchaus sinnlich wahrnehmbaren Zeichen erfahren wurde, obwohl es verboten war, ihn unter den Gestalten der sichtbaren Welt zu verehren. Nicht was der Gott an sich ist, sondern wie er in die

Welt hineinwirkt, seine Mächtigkeit in der Schöpfung, erweckte das religiöse Interesse sowohl der Heiden wie des Gottesvolkes Israel. Da das Göttliche innerhalb des Bereichs der Sinne als Nähe erfahren wurde, konnte die ganze Sinnenwelt in diese Gottesnähe einbezogen werden. Die Vielfalt der Göttergestalten in der Widderzeit entspricht dem die Fülle erschließenden und weite Räume überblickenden Schütze-Zeichen, wodurch im Grunde alle Aspekte des Lebens vergöttlicht werden konnten, ohne daß eine Zerschneidung in Geist und Leben, in ein Hier und Dort herausgefordert wurde.

Das zehnte Feld

Das 10. Feld des öffentlichen und sozialen Lebens, das auch Auskunft vermittelt über die Art der Leistung und ihre Bewertung in einem Zeitalter, wird nun durch das Zeichen Steinbock beherrscht. Dieses, das objektive Denken, das allgemein gültige Gesetz, die Kraft führender und herrschender Väterlichkeit repräsentierend, zeigt an, daß das öffentliche Leben des Widder-Zeitalters patriarchalisch und durch objektive Gesetzesnormen bestimmt wurde. Ein tätiger Realitätssinn prägte die Außenseite des Lebens, aber die Genormtheit und Unveränderlichkeit der sozialen Verhältnisse (es gab nur wenige Revolutionen im Widder-Zeitalter — sie häuften sich erst gegen sein Ende) ergab oft einen schwer erträglichen Druck auf das Leben des Einzelnen. Allerdings führte die Vorherrschaft des Steinbockprinzips zu einer Ausbildung hoher Vatertypen. Bedeutungsvoll steht am Anfang des Zeitalters Abraham, dessen Name „Vater" (der Völker) bedeutet. Die aus der Stierzeit überkommenen Mutterkulte wurden nun oft genug mit Unbehagen zur Kennntnis genommen und zuweilen auch in Ost und West als nicht mehr zeitgemäß unterdrückt. Dem mütterlichen Grunde wußte man sich zwar verpflichtet, aber das Streben der vorherrschenden Typen des Zeitalters ging zum Lichten, zum Klaren und Begrenzten, weniger zu den Erd- als zu den olympischen Göttern.

Die Öffentlichkeit wurde nicht durch Willkür, sondern durch das für die Beherrschten wie für den Gesetzgeber gleich bindende Gesetz bestimmt. Die großen Gesetzeswerke stammen aus der Widderzeit oder sind Nachwirkungen derselben. Da an der Prägung des 10. Feldes der in einem Zeitalter vorherrschende und es bestimmende Typus ersichtlich wird, so ergibt die Steinbockbesetzung als höchsten Typus, dem Autorität zugebilligt wurde, den Mann in seiner väterlichen Erscheinung. Dem Mann war in der Familie wie im Staat die Führung und Herrschaft als Amt und als Dienst anvertraut. Denn trotz der ungeheuren Eroberungslust und dem Wunsch nach Besitzergreifung der Fremde, herrschte in den Gemeinschaften eine als göttlich gescheute, durch das Gesetz verbürgte Ordnung. Wer sich durch Nötigung seines individuellen Schicksals gegen diese Ordnung auflehnte, verfiel der wandellosen Härte des Gesetzes.

Das Steinbock-Zeichen weist aber auch darauf hin, daß nicht nur die Machthaber, sondern auch die Weisen Gesetzgeber waren oder zu sein trachteten: Solon, Platon, Konfuzius und andere. Die Saturnität dieses Zeichens führte jedoch die Lenker des Gemeinschaftsschicksals, die Gesetzgeber und Weisen von der unbekümmerten Sinnenhaftigkeit der Zeitgenossen weg in große Einsamkeit. Von deren Härte und Ferne kann man sich heute wohl kaum noch eine Vorstellung machen.

Das elfte Feld

Hier wirkt sich nach der Bindung durch Gesetz und Ordnung die Möglichkeit der Freiheit aus. Die sozialen Begrenzungen fallen dahin, die Kraft der Sympathie führt die Gleichgesinnten und Gleichgearteten als Freunde zusammen. Das 11. Feld ist dasjenige der Freundschaft und Freiheit. Durchaus sinngemäß wird im Horoskop des Widder-Zeitalters hier das Zeichen des Wassermann wirksam — es ist das Urzeichen der sich in Freiheit entfaltenden Freundschaft. Das Gesetz, die strenge Bindung wird hier zugunsten der freien Gesellung überwunden. In der Widderepoche blühte die Freundschaft, vor allem der Krieger und der Weisheitsliebenden. In der Spätzeit haben Konfuzius und Platon diese hohe Möglichkeit der Freundschaft verherrlicht. Aber man erkannte das Wirken der Sympathiekräfte nicht nur als auf das Menschenbereich beschränkt, sondern das ganze Weltall war von ihnen durchwirkt, alle Sphären durch sie verbunden. In diesem Zusammenklang aller Dinge fühlte sich der Mensch in einen sympathischen Bezug mit Stein und Pflanze, Tier und Wolke, Wasser und Berg eingeschlossen. Die hierauf gegründete Naturfrömmigkeit, die erst durch die Reformatoren des „Reformationszeitalters" ins Geistige und Abstrakte transponiert und damit zerstört wurde, bezog ihre Kraft aus der durch die Konstellation des 11. Feldes frei waltenden Sympathie. Diese erfuhr ihre höchste Verklärung in den Freundschaftsbündnissen jener Zeit; in den kriegerischen Abenteuern, in den geistigen und leiblichen Wettkämpfen fand sie ihre Spielfelder. Das in der Dienstbarkeit des Gesetzes und unter dem Druck dunklen Schicksals im Letzten unbeugsame und darum königlich freie Individuum, das im Laufe der Widderzeit heranwuchs, ist mitbedingt durch die Kräfte des 11. Feldes. In diesem zeigen sich nochmals die Ursachen für die große Bedeutung des Spieles und des Tanzes in der Antike. Denn im Tanze, der durch das so bewegliche „springende" Wassermann-Zeichen repräsentiert wird, schwingt sich der Mensch über seine ihn beengenden irdischen Bezüge in die kosmische Weite auf – er überschreitet damit buchstäblich die sozialen, gesetzhaften und leiblichen Bindungen in die jubelnde Erfahrung seiner Freiheit hinein.

Das zwölfte Feld

Aus dieser Freiheit jenseits der sozialen Verhältnisse im Spiel der Sympathie rückt das 12. Feld in die Verborgenheit. Das mystische, hingebungsvolle und auflösende Fische-Zeichen im 12. Feld des Widder-Horoskopes zeigt in einem Zeitalter der Diesseitigkeit nicht nur die Verdrängung des mystischen Elementes an den Rand der Kultur oder in die Verborgenheit an, sondern auch die geheimen Leiden der Zeit, für die es keinen Ausdruck gab. Es ist erstaunlich, wie widerspruchslos die ganze damalige Menschheit – von ganz wenigen „unzeitgemäßen" Protesten abgesehen – das schwere Los der Sklaverei hingenommen hat, das über Millionen von Menschen, ja über ganze Völkerstämme verhängt wurde. Wahrscheinlich waren die Menschen jener Zeit tief davon überzeugt, daß der Besiegte einfach unrecht hat und daß mit ihm darum nach Belieben verfahren werden dürfe, auf Grund einer nationalen Ethik, für die alles Fremde von niederer Art war. Ein unermeßliches stummes Leiden, für das es keine Stimme gab, muß die Folge davon gewesen sein, ein jahrtausendelanger grausamer Schmerz, der sich im Unterirdischen langsam sammelte.

Das Leiden der in die Großreiche gezwungenen Völker mag von ähnlicher Natur gewesen sein. Die Reichsannalen von China bis Rom vermelden wohl den Glanz, nicht die Qual mit der er erkauft ward. So gründet der Humanismus der Widderzeit trotz des Hervortretens des Individuums in seiner Größe und Hybris in der Entwürdigung weiter Volksteile; der Kulturhöhe des Zeitalters entspricht eine Wurzeltiefe des Leidens.

Als aber die Zeit erfüllt war – von der Welt wie von Gott her gesehen – als das Maß des Leidens voll war, als das Erbarmen Gottes nicht nur mit dem Elend der Unterdrückten, sondern mit dem allgemeinen Irrgang des Menschen zur Welt hin überfloß, da ward den im Verborgenen Leidenden, den Getretenen und Entrechteten Stimme gegeben: in den vergeblichen Versuchen der weltweiten Sklavenrevolten am Ende der Widderzeit, im Aufstand der Skeptiker und Rationalisten zum Sturz der Götter, dann in dem der waffen- und systemlosen Jünger Dessen, der verkündete, daß die Armen und Leidenden um Gottes willen Frieden und Gerechtigkeit erlangen und die Letzten die Ersten, wie die Ersten die Letzten sein werden.

Ein großes Weltalter ging mit der Widderzeit zu Ende – ihre Kultur war müde, ihre Menschen waren aus Übersättigung ausschweifend geworden. Damit der Mensch überhaupt noch weiterleben konnte, war eine Drehung um 180 Grad notwendig geworden – sowohl der sozialen, politischen und kulturellen Verhältnisse, vom Irdischen wie von Oben her. Gott rief den Menschen, auf daß er nicht geistig und leiblich dem Untergang verfalle, zu sich in einen neuen Bund. Das im 12. Feld des Fische-Zeichens Gefangene trat als neuer Impuls, als Sinn und Kraft einer neuen Zeit, im Zeitalter der Fische unabweisbar hervor.

DIE ÜBERGANGSZEIT VOM ZEITALTER DES WIDDERS ZUM ZEITALTER DER FISCHE 675 – 150 v. Chr.

Im Verlauf eines Weltjahres von 2100 Jahren erweisen sich die drei ersten wie die drei letzten „Monate" von je 175 Jahren als kritische Phasen der schöpferischen Umgestaltung. In der Anfangstriade von 525 Jahren wird jeweils die Gestaltfülle des verklingenden Weltjahres unter leidenschaftlichen, oft grauenhaften Kämpfen in eine neue Sicht von Gott und Welt eingeschmolzen. In der Endtriade werden die Erfahrungen des Weltalters, das durch diese beschlossen wird, gesammelt, von den geschichtlichen Herkünften abgelöst, ins Allgemeingültige überführt und zu abstrakten Prinzipien verdichtet. Aus dem so fermentierten Stoff einer Weltalter-Kultur wachsen dann, zuerst in den Wurzeln verborgen, die Erkenntnisse, Strebungen und Formen des kommenden Zeitalters.

Die drei letzten Weltmonate des Widder-Weltjahres (675–150 v. Chr.) sind nun, über ihre allgemeine Bedeutung hinaus, noch von besonderer Gewichtigkeit. Denn in den geistigen und politischen Prozessen jener Zeit gründet das meiste, was seitdem zur prägenden Gestalt und zum Geschick der Menschheit herangereift ist. Jaspers nennt jene Endtriade „die Achsenzeit". Obwohl jedes Weltalter mit einer solchen beschlossen wird, muß doch derjenigen des Widder-Zeitalters eine besondere Bedeutung zugesprochen werden. Denn mit dieser wurde nicht nur ein „kleines Weltjahr" von 2100 Sonnenjahren, sondern auch noch ein Großjahr von 25 200 Jahren – ein gewaltiger Großzyklus sowohl für die Erde wie für die Menschheit – beschlossen. Darum weist die Weltgeschichte am Ende dieser drei Weltmonate und zugleich eines großen Zyklus eine bedeutungsvolle Zäsur auf. Mit dem Widder-Weltjahr geht ein Äon zu Ende, der etwa mit der vierten Eiszeit begonnen hatte[9]).

In dem damals anhebenden Großjahr von 25 200 Jahren wurden alle grundlegenden Erfahrungen und Techniken, auf denen sich die Hochkulturen der Menschheit aufbauen, gewonnen: die Feuerbereitung, die Töpferei, das Rad, die Zähmung der Tiere, der Ackerbau, die Notwendigkeit des persönlichen Eigentums, der Mythos, die Schrift, das geschriebene Gesetz, die Unterscheidung des Dämonischen vom Göttlichen, das Hervortreten des Individuums und anderes mehr. Die geistige und technische Einordnung alles Sichtbaren und seine Sinndeutung war die umfassende Aufgabe dieses Großjahres gewesen – darnach wandte sich der Mensch immer konsequenter der Erforschung des Unsichtbaren zu. Aber am Ende jener Großperiode war einen Weltaugenblick lang ein waagehaftes Gleichgewicht von Natur und Kultur erreicht worden. Die großen Reformatoren der „Achsenzeit" und ihre religiöse und kulturelle Auswirkung haben, wenn auch nur für kurz, einen Zustand der Menschheitsklassik herbeigeführt. Aus dieser aber ging am Ende der Widderzeit die Übermacht des begrifflichen Denkens hervor, mit dessen Hilfe der Mensch allmählich befähigt wurde, die unsichtbaren Strukturen der Welt zum Zwecke der Erweiterung seiner Macht aufzudecken.

Seinen Tendenzen nach kann man die Endtriade des Widder-Weltalters — seine „Neuzeit" — sowohl als ein Reformations- wie als ein Aufklärungszeitalter bezeichnen; gesetzmäßig wird jedes Weltalter mit einer solchen „Neuzeit" abgeschlossen. Die kultisch-magische Weltsicht des Anfangs und die mystisch-innerliche der Mittelzeit werden am Ende von einer rationalistischen und skeptischen abgelöst. Der Mensch wird zwar innerlich und äußerlich beweglicher, aber die Kräfte der Gemeinschaft und der bisher bestimmenden Werte treten zurück. So erschlafft und verblaßt am Ende der Widderzeit die hohe Sinnenhaftigkeit, die Liebe zum Diesseitigen, die Feier der Blutskräfte. Weltmüdigkeit breitet sich aus (die plötzlich in senile, hemmungslose Lebensgier umschlägt), gedankliche Abstraktion und als Folge ein Rückgang auf die Innerlichkeit, wodurch die Entdeckung der innern Welt im Fische-Zeitalter vorbereitet wird[10]).

In China bildete Laotse das magische Erbe in die Weltmystik vom großen Einklang um, Konfuzius schöpfte aus der gleichen Quelle seine kosmische Ethik; Buddha stellte das Kausalitätsdenken der späten Widderzeit in den Dienst seiner atheistischen Erlösungslehre. Die griechischen Naturphilosophen bauten den bildhaften Mythos zugunsten des begrifflichen Denkens ab. Der Perser Zarathustra ließ die gestalthaften Gottheiten seines Volkes zu abstrakten Tugendsymbolen verblassen. Die großen jüdischen Propheten verkündeten einen geheimnisvollen, menschlichen Erlöser, der durch sein verborgenes Opfer die Welt vollenden werde und einen Gott, der mehr der „beschnittenen Herzen" als der Tieropfer bedarf. Überall näherten sich die bisher an Blut und Boden gebundenen Volksgottheiten dem einen Weltgott an. Sie gewannen dadurch an Größe und übernationaler Bedeutung, verloren aber an erfahrbarer Nähe. Andererseits wurden nun die alten grausamen Mythen vom Heilbringer, sei es Adonis, Tamuz, Dionysos, Mithras u. a. auf eine hellere und dem verfeinerten religiösen Empfinden angepaßte Weise in den Mysterien erneuert. Eine weltweite, zuerst stille, dann immer mehr das gesamte Leben erfassende und durchdringende geistige Revolution gestaltete schließlich Gesinnung und Verhältnisse des eurasischen Doppelkontinentes gründlich um.

Durch diese „Generalreformation" der Übergangsperiode, in der „Neuzeit" am Ende des Widder-Weltalters wurden die geistigen und sozialen Grundlagen des Fische-Weltalters – und vor allem der schließlich zur Erdmacht aufsteigenden weißen Rasse – gelegt: die Vergeistigung des Göttlichen und seines Kultes, die Ausbildung des begrifflichen Denkens, das weltlich zur Naturwissenschaft, kirchlich zum Dogma führen sollte, die Hochschätzung des Individuums und das Zurückdrängen des Selbstandes der Völker zugunsten des „Reichs". Alle Umwälzungen der Übergangszeit aber dienten der seelischen und mentalen Vorbereitung des Menschen auf das bevorstehende leibhafte Erscheinen der Gottheit auf Erden, dessen Wirkung das Hervortreten des Menschen in seiner Vollgestalt war. Die Epiphanie Gottes im Menschenleibe hatte eine Epiphanie, eine Enthüllung des Menschen zur Folge.

DAS ZEITALTER DER FISCHE
150 v. Chr. – 1950 n. Chr.

Überschau

Der Zeitraum der drei letzten Weltmonate des Widder-Weltjahres muß auf Grund der geistigen Bewegungen, von denen er durchflutet war, nicht nur als ein Zeitalter der Reformation, sondern als geradezu messianisches Zeitalter bezeichnet werden. In jener Zeit wuchs bei allen Völkern des Erdenrundes die Sehnsucht nach Erlösung und nach dem Erscheinen eines Heilbringers. „O, zerrisse doch der Himmel, und Du führest herab.“ In einer Fülle von Mythen und Mysterien träumte die Menschheit der späten Widderzeit von dem Einen und seinem Kommen. Ihre letzten Weltmonate waren eine Adventszeit. In seiner Ungeduld übertrug der Osten das Bild des geahnten Erlösers auf Buddha, der aber sich selbst nur als einen Erlösten bezeichnete. Die Nachfolger Alexanders des Großen, die Diadochen und die römischen Kaiser, usurpierten als Heilande (Soter) das Messiasamt, um dadurch ihre tyrannisch beherrschten Völker, deren Erlösersehnsucht sie kannten, fester an sich zu binden. Aber solcher Trug währte immer nur kurz und vermochte die Unruhe und die Erwartung der Völker nicht dauernd zu stillen[11]).

Die Völker und ihre Weisen waren allerdings nicht darauf gefaßt, daß der erwartete Erlöser zwar aus der „Mitte der Welt“, aber aus einer Landschaft ohne Glanz und Größe und aus einem besiegten und verachteten Volk am Beginn des Fische-Weltjahres als der „große Fisch“ hervorgehen sollte – aus Galiläa und dem Volk der Juden. Tatsächlich lag die Geburtsstätte Jesu Christi inmitten der „Paradieslandschaft“, in welcher er offenbar wurde als „die Zeit erfüllet war“. Nur rückschauend kann ermessen werden, was dieses Wort bedeutet: die Äonenkreise, die großen Weltjahre bildeten einen einzigen Advent, von dem sich die Zeit der Erfüllung abhebt. Nicht nur von geschichtsrhythmischer Gesetzlichkeit her zeichnet sich die größte Zäsur der Menschheitsgeschichte zwischen dem Ende der Widderzeit und dem Beginn der Fischezeit für den erkennenden Geist und das geistig schauende Auge ab. Vielmehr ist diese Zeitschwelle durch Gott selber, den Herrn der Zeiten als Zäsur gesetzt worden.

In dieser Weltstunde, am Beginn der Fischezeit, brach die Gottheit und mit ihr die Ewigkeit in die Zeit und in die Geschichte ein. Gott ward Mensch, indem er nicht nur sich selber in einer neuen Dimension, nicht mehr aus der Natur, sondern „aus dem Menschen“ offenbarte und so auch den Menschen in eine neue, menschlichere Dimension, nämlich zu sich selber hin verschob. Seitdem der von den Völkern der Erde erwartete Erlöser der Welt ankam, ist der Weg und die Geschichte der Menschheit, ja der Erde, in ein Vorher und Nachher geteilt. Denn, indem Gott Mensch ward, indem Gott in die Menschheit leibhaftig einbrach, ist der Mensch „gewendet" worden. Sein Blick wurde von der Natur, mit der er bisher in einem glücklichen Einklang stand, weggewendet zu sich selber hin: auf das Mysterium hin, das er selber darstellt.

Damit aber beginnt etwas völlig Neues im Verlaufe der Menschwerdung des Menschen: Dadurch daß Gott Mensch wurde und der Geist sich in seiner Fülle im Menschen ausbreitete, wurde der Mensch von der Naturwurzel, auf der er bisher herangewachsen, auf die Geistwurzel des Seins umgepfropft — ein Vorgang, der nicht ohne große Zerrungen und Geburtsschmerzen verlaufen konnte. In der durch Christus, dem „großen Menschen", angebahnten Vermenschlichung des Menschen wurde allerdings das Leiden, das mit dem Zwiespalt des Lebens untrennbar verbunden ist, nicht ausgeschlossen. Wenn der Mensch gemäß der Frohen Botschaft das Leiden in sein Herz aufnimmt, vermag er es durch seine Herzkräfte zu integrieren[11]).

So wurde an der Wasserscheide zweier riesiger Zeitkreise, an der sich die Äonen sowohl berührten wie schieden, der Mensch zu sich selber berufen. Eine äonenlange Entwicklung des Menschen war an ihr Ende gelangt; auf einem neuen Plan hatte eine unabsehbare andere begonnen. Aber die „neue Geburt" des Menschen aus dem Geiste beginnt wie eine jede leibliche mit der „Nacktheit". Der Mensch erfuhr sich nicht mehr wie in der Widderzeit als das schönste und herrlichste Wesen, gewissermaßen als Menschgott, als sonnenhafter Heros, sondern als bedingtes und abhängiges Geschöpf, als der vor Gott Nackte, vor dessen Herrlichkeit er als Schatten dahinschwindet, aus dessen Vaterschaft er freilich durch seine Ver-Nichtung hindurch die Sohnschaft empfängt. Dieses Empfinden der Nacktheit und der Nichtigkeit vor Gott ist typisch für den Menschen des Fische-Weltalters.

Gewiß ist mit dieser gewandelten Selbsterfahrung des Menschen unter dem Vorzeichen des Lebens-Urbildes der Fische ein gewaltiger Verlust verbunden gewesen. Der siegesgewisse Optimismus der Menschen der Widderzeit, die ihren Kräften vertrauend, überzeugt waren, daß es ihnen aus Eigenem gelingen könne, die Lebensprobleme hier und jetzt zu lösen, war nun dahingeschwunden. Der Schleier sinnenhafter Schönheit, mit dem im Widder-Zeitalter der Zwiespalt des Lebens beglückend verdeckt war, zerriß. Die „große Erfahrung" seit dem Neolithikum vollendete sich nun, einerseits durch das über die sinnliche Wahrnehmung hinausführende Denken, andererseits durch die Erfahrung eines Jenseits dieser Welt, eines Ewigen jenseits aller Erscheinungen, durch das Bewußtsein des Gegensatzes von Körper und

Seele, von der Einheit aller Menschen als Menschheit, deren Insgesamt der eine lebendige Gott gegenübersteht. Dadurch verlor der Mensch zwar die Unbefangenheit seines Bezuges zur äußern Welt. Er ward dadurch auf sich selbst zurückgeworfen; aber er gewann und entdeckte sich selber, die Universalität seines Menschseins.

Jeder Übergang von einem Weltalter zum anderen verursacht naturgemäß Brüche des Kulturgefüges und Zerrungen der bestehenden Verhältnisse. Doch die Schroffheit des Wechsels vom Widder- zum Fische-Zeitalter hängt nicht nur damit zusammen, daß etwa um das Jahr 150 v. Chr. ein großer Zyklus von einem ebensolchen abgelöst wurde, sondern daß zudem das vergehende Weltjahr des Widders gesetzmäßig auch mit dem Widder-Monat abschloß. Ebenso begann das Fische-Weltjahr als Auftakt des neuen Äons gesetzmäßig mit dem Fische-Monat. Durch solchen bis zum äußersten gespannten Gegensatz schlug die widderhafte Weltliebe und Sinnenhaftigkeit in Weltflucht und Neigung zur Innerlichkeit, in die Empfindung der Preisgegebenheit und in die der Bereitschaft zum Leiden (Martyrium) um.

Das Fische-Zeichen

Das Lebens-Urbild der Fische, das letzte der 12 Tierkreis-Zeichen im ursprünglichen Lebensrade, dem 12. Feld, dem Bereich der Gefangenschaft, der Auflösung, der Einsamkeit zugeordnet, gilt als ein Wasser-Zeichen. Es repräsentiert darum das ohne Grenzen Fließende, Weiche und Anschmiegende, Allumarmung und zugleich wehrlose Offenheit. Unter der Wirkung des Fische-Zeichens löst sich jede Form auf, wird der Stoff zu jeder nur möglichen Wandlung fähig. Das Ende aller Dinge tritt nun in den Gesichtskreis; aber im Vergehen der bisherigen Gestalt wird bereits die künftige erahnt. Im Jahreslauf ist das Fische-Zeichen dem Monat des Überganges vom Winter zum Frühling, dem März zugeordnet; am menschlichen Leibe den Füßen, die unausweichlich mit dem Staub, der vergänglichen Stofflichkeit der Erde in Berührung kommen. Durch die „fischehaften" Füße wird der Mensch äußerlich oder innerlich zum unruhig Suchenden und zum Pilger auf Erden — zum Unbehausten[12]).

Das Fische-Zeichen gilt als Symbol der Allverbundenheit, der sehnsüchtigen All-Liebe. Doch gerade seine hohe Sensibilität, die Offenheit, Weichheit, Wandlungsfähigkeit und Beeinflußbarkeit kann auch zu Illusionen verführen. Die Flucht in eine trughaft vollkommene Welt kann zum Verhängnis werden. Mystische Erfahrung und religiöse Selbsttäuschung, echte und selbstlose Liebeshingabe und weiches Zerfließen in der Sehnsucht nach Liebe sind in der Region der Fische nur hautdünn voneinander getrennt. Die Sehnsucht, das Höchste zu finden, kann in Gott, aber auch in das bloße Nichts münden.

Jede Macht vermag sich in den weichen Grund der Fische-Mentalität einzuprägen und sich dort einzubilden – seien es nun göttliche oder teuflische Mächte oder Formen aus dem Erbgut der Menschheit. Es ist nicht zufällig, daß in der Fischezeit erstmalig auch der Teufel in seiner Vollgestalt erkennbar wurde. Weil sich Gott selber am Beginn dieser Zeit durch seine Inkarnation in das Innerste des Menschen eingeprägt hat, so versuchte auch sein Schatten, der Teufel, bisher eine unfaßbare kosmische Macht, sich, wenn auch vergebens, zu inkarnieren. Der Mensch, der infolge seiner fischehaften Offenheit und Wehrlosigkeit von den Mächten geradezu besessen wurde, mußte sich wie nie zuvor entscheiden, welcher dieser Mächte er in sich Wohnung gewähren sollte: dem göttlichen Licht oder dem widergöttlichen Schatten. Eine solche Entscheidung war bisher nicht in gleicher Weise notwendig gewesen, da der Mensch mehr mit dem Geisthintergrund der Natur und weniger mit dem Übernatürlichen in Verbindung stand. Denn in der Natur, in der sich alles kreisläufig ineinander wandelt, gibt es keine absoluten metaphysischen Mächte, weder ein absolut Gutes noch ein absolut Böses. So wird die Besessenheit – durch Gott oder den Dämon, das Durchdrungensein vom göttlichen Geist oder vom Satan zu einer Eigentümlichkeit des Fische-Zeitalters[13]).

Als Kraftquelle des Fische-Zeichens gelten die beiden Planeten Jupiter und Neptun, durch deren Einstrahlung ein weiter, offener und fließender Lebenszustand gewirkt wird. In diesem vermag sich jene höhere selbstlose Liebe zu entfalten, die ihre eigentliche Erfüllung in der Selbstaufgabe und in der Vereinigung mit Gott findet. Zugleich wird hier ein seelenhaftes Schönheitsempfinden wach, das seinen gemäßesten Ausdruck in den unkörperlichsten Künsten, der Malerei und der Musik findet. Die Schattenseite solcher Weichheit und Offenheit ist jedoch Verschwommenheit, bloße Anempfindung, Beeinflußbarkeit und die Gefahr der Selbsttäuschung.

Die Beeindruckbarkeit und Einfühlungskraft des Lebens-Urbildes Fische hatte zur Folge, daß das durch dieses bestimmte Zeitalter für seine Lebensgestaltungen weitgehend auf das große Menschheitserbe angewiesen war. So blieben die widderhaften Denksysteme im Fische-Weltalter sowohl in China und Indien wie im Abendland vorherrschend. Die Kulturgeschichte, nicht nur des Abendlandes, ist darum großenteils eine Geschichte der Renaissancen, das will sagen der periodisch sich wiederholenden Rückgriffe auf das Kulturgut des Widder-Zeitalters. So beruhte z. B. das Rechtswesen im Abendland – trotz germanischer Einflüsse – auf dem kodifizierten römischen Recht. Das imperiale politische System Europas leitete sich, wenn auch in christlicher Verklärung, aus dem römischen Kaisertum und aus dem davidischen Königtum her.

Im Bereich des Seelischen allerdings war das neue Zeitalter keineswegs von den widderhaften Traditionen abhängig, sondern war im Höchstmaß schöpferisch, kühn und eigenartig. Im Fische-Zeitalter wurde die Tiefe der Seelenwelt, die Innerlichkeit überhaupt erst als eine Realität entdeckt. Das immer hüllenlosere Hervortreten der seelischen Mächte im Laufe der letzten 2000 Jahre ermöglichte eine umfassende Psychologie, als Wissenschaft von der Gesetzmäßigkeit der Seelenwelt. In der eigenen Herzenstiefe fand der Mensch von nun an seinen Richter. Erst jetzt gewann das Gefühl seine volle Kraft und Ausprägung: in die Höhe aufsteigend als innigster Gottesjubel, sich ergießend in einer gefühlstiefen Liebeslyrik, im Absinken zur religiösen und sinnlichen Sentimentalität entartend.

Die Tendenzen des Fische-Zeichens drängen zum Rückzug ins Verborgene und Geborgene – zur Stille und Entsagung, um so an der im Geheimen waltenden Fülle des Ewigen und Ganzen des Seins Anteil zu gewinnen. Dies führte zur Ausbildung des Mönchstums als Lebensstand (christlich und buddhistisch). Hiebei geschah das Seltsame: Der Mönch, ursprünglich Einsiedler in der Wüste, dann zur Gemeinschaft zusammengefaßt, wurde zum Träger der Kultur. Nur unter der Wirkung des Fische-Zeichens konnte sich ein so paradoxer Vorgang ereignen, daß der Mönchsvater Benedikt zugleich zum geistigen Vater des Abendlandes und seiner Lebensformen geworden ist. Die Klöster, Hochburgen der Gottesverehrung und der Kultur, Träger sowohl geistiger wie politischer Macht sind ein Zeugnis dafür, daß zum erstenmal in der Menschheitsgeschichte die Kultur nicht mehr durch ein Verständnis der kosmischen Rhythmen bedingt war, sondern daß sie in den Tiefen sowohl der Gottheit wie der Seele gründete.

So wird im Fische-Weltalter das Leben der Völkerwelt auf der ganzen Erde von der Übermacht des Seelischen bestimmt und nicht mehr so drängend von Blut und Boden wie im Widder-Zeitalter. Zudem werden in der Fischezeit ältere religiöse Formen fischehaft überbildet. Das beste Beispiel hiefür ist die Wandlung des alten, noch auf Buddha selber zurückzuführenden Nyhajana-Buddhismus in die Mahajana-Form – die im Gegensatz zum Ur-Buddhismus der Widder-Spätzeit nicht nur einen Weg der Erlösung, sondern auch Erlösergottheiten kannte. Das Bild einer sich des Menschen erbarmenden und zu ihm herabsteigenden Erlösergottheit verbreitete sich im Fische-Weltalter in den verschiedensten Formen über die ganze Erde. Auf diese Weise bildete die Menschheit ein Christentum ohne Christus aus.

Das Hervortreten der Innerlichkeit durch die Wirkung des Fischeprinzips ermöglichte zwar tiefer in die Fundamente der menschlichen Existenz hinabzusteigen. Dennoch wurde dadurch kein neuer Harmoniezustand erreicht, weil die einstige Harmonie zwischen Natur und Kultur im Widder-Zeitalter ihr Ende gefunden hatte. Durch den so furchtbaren Einbruch des Göttlichen in das Innerste des Menschen, war dieser in tragischer Weise mit seiner sinnenhaften Umwelt in Zwiespalt geraten. Seiner Gestalt und seiner Symbolik nach ist das Fische-Zeichen ein solches des Zwiespaltes (die zwei entgegengesetzten Fische) und in dessen schmerzlichem Bewußtsein ein solches der Sehnsucht nach Einheit.

Durch diesen Zwiespalt geriet der Mensch in eine Haltung der Unsicherheit der Natur gegenüber — teils sie abwehrend, teils sie sentimental verklärend (beides war im Widder-Zeitalter unbekannt). Dem gefühllosen Drang, sie rücksichtslos auszubeuten, stand eine Naturmystik gegenüber; beide zeigen an, daß der Mensch mit der Schöpfung nicht mehr im Einklang stand. Aus diesem Grunde fürchtete er sich vor den unberechenbaren Kräften seines Leibes. Er projizierte darum seine Angst vor der Natur, von der er sich nun geschieden fühlte, in das Leben seines Leibes, dessen unberechenbares Fluten und dessen Spiel er durch strenge Askese einzudämmen suchte. Die himmelanstrebende Sehnsucht jenes Zeitalters fand ihren sichtbaren Ausdruck in den gotischen Kathedraltürmen.

Doch wie ein jeder Mensch seinen geschlechtlichen Gegensatz rudimentär in sich selber trägt, so birgt auch jedes Weltalter seinen Gegensatz in sich — den Gegenpol seines Grundcharakters, der gesetzmäßig in der zweiten Hälfte des Weltalters allmählich in Wirksamkeit tritt. Der Grundstimmung des hingebungsvollen, zur Auflösung geneigt machenden Fische-Zeichens im 1. Feld tritt im gegenüberliegenden 7. Feld das ordnende Jungfrau-Zeichen entgegen. Die Selbstvergessenheit wandelt sich in Selbstbewußtsein. Aus der mystischen Stimmung und der jenseitigen Gesinnung des Fische-Weltalters wächst allmählich der forschende Rationalismus Europas: die abendländische Wissenschaft.

Ein neues, oft übersteigertes Selbstbewußtsein und Selbstgefühl, das schließlich einen Ausdruck in einem lebenswidrigen und seelenverstörenden Atheismus gefunden hat, löst die mystische Frömmigkeit der ersten Hälfte des Fische-Zeitalters ab. Erst durch die Katastrophen der letzten hundert Jahre, als Folge einer Verkehrung der Seinsordnung, ist der Mensch aus dem Aufklärungswahn erwacht. Er stieß bis zur Grenze des Lebens ins Unendliche vor; dort zur Umkehr gezwungen, entdeckte er sich auf einer neuen Bewußtseinsstufe als den „menschlichen Menschen".

Um diesen Begriff nicht mißzuverstehen, wie es nahe liegt, muß man freilich erst denjenigen des Humanen von jenen Projektionen befreien, durch die er in der Renaissance mit einem humanitären Idealismus überkleidet wurde. Der „menschliche Mensch" ist nicht der edle, schöne, gute, einzig nach Wahrheit strebende, sondern der Mensch in seiner Totalität, in der ganzen Spannweite seines Wesens, das in dieser dinglichen Welt höchst unerwünschte, aber deutliche Schatten wirft.

Seit dem Anfang seiner Geschichte und insbesondere seit der Menschwerdung Gottes reift der Mensch im Spiralgang vieler Weltjahre zum Herrn seiner Ganzheit, seiner Leiblichkeit und seiner Seele, seines Geistes und seiner Gefühle, seines Schöpfertums wie seiner Liebeskraft, zum Dienste an Gott und am Nächsten heran. In jedem Weltjahr gewinnt er für dieses Herrentum, zu dem er berufen, eine gewichtige neue Erfahrung und einen weiteren bedeutsamen Teilaspekt. In jedem Weltjahr ist sein Weltbezug von einer andern Erkenntnisweise bestimmt. Er empfängt das Licht jeweils aus einer andern Richtung — so muß dann auch sein „Schatten", sein Versagen, sein Ungestaltetes, jeweils nach einer andern Richtung weisen. Aber die neue Erfahrung eines Weltzeitalters, welche die bisherigen auszuschließen scheint, wird jedoch, besonders in der zweiten Halbzeit eines Weltenjahres, in den gesamten Erfahrungsschatz des Menschen aufgenommen und integriert. Was am Beginn als Widerspruch erschien, wird zur Bereicherung und Ergänzung des Bisherigen.

Allerdings ist die jeweils neue Erkenntnis- und Erfahrungsweise nur insofern neu, als sie die Realisation einer Vorgegebenheit darstellt. Der Mensch vermag als ein Erschaffener nichts von sich aus zu erschaffen — sein Schöpfertum ist gleichsam Ausbildung des Inbildes, Nachbildung des vorgegebenen Urbildes. Das Urbild seines Menschseins aber, dessen allmähliche Ausbildung den wesentlichen Inhalt der Menschheitsgeschichte ausmacht — das ist Christus, der Gottmensch. „Menschwerdung" des Einzelnen wie des Ganzen ereignet sich darum als die immer umfänglichere Verwirklichung dieses Urbildes im Laufe der Äonen und zwar in der Weise, daß in jedem Weltalter ein Element, ein Glied und Organ des Vollmenschen heranwächst und ausgebildet wird. Allerdings wird dieser Prozeß erst am Ende der Zeiten, wann immer dies sein mag, seinen Abschluß finden.

Um aber alle Einzelheiten der Akzentverschiebung im Menschen und das Eigentümliche des im Fische-Weltalter an Erkenntnissen,

„Gliedern und Organen" Heranwachsenden zu verstehen, wird es hilfreich sein, das Fische-Zeitalter in seinem mit dem Fische-Zeichen beginnenden Horoskop näher zu untersuchen.

DAS HOROSKOP DES FISCHE-ZEITALTERS

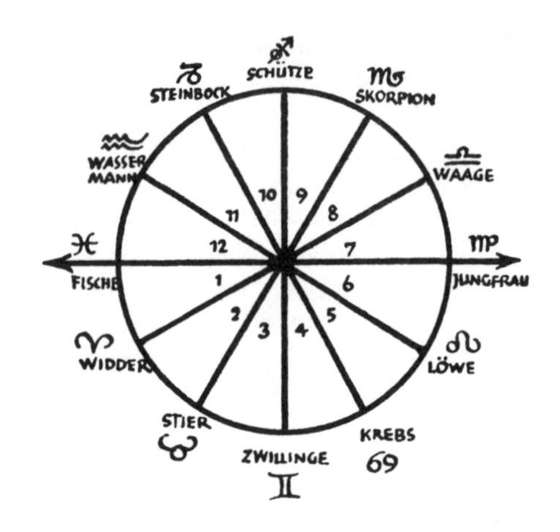

Das erste Feld

Im 1. Feld, dem Anfang, erscheint hier prägend das Fische-Zeichen, das den Grundcharakter des Zeitalters bestimmt. Eine Mentalität wird dadurch angezeigt, die auf die Empfindung universaler Liebe gerichtet ist, weltabgewandt, zum Rückzug auf das Innerliche und zum Verzicht auf die Ichsphäre geneigt. Empfand der Mensch unter der Wirkung des Widder-Zeichens sich selber als die Mitte der Welt, so entsagt er seinem Ichanspruch unter der Einwirkung des Fische-Zeichens. Aber die so möglich gewordene Selbstlosigkeit kann auch negativ in eine Art Masochismus umschlagen.

Die Fische-Mentalität ist im Gegensatz zur Geisteshaltung des Widders durch Anlehnungsbedürfnis, Einfühlungsgabe und hohe Sensibilität gekennzeichnet. Das Blut- und Triebhafte wird nun mit Mißtrauen betrachtet — das Innerliche und Seelische, das Traumhafte und Jenseitige gelten als die höchsten Werte. Eine Formulierung wie diejenige Calderons „Das Leben ein Traum" drückt dies in gemäßer Weise aus. Denn als ein qualvoller Traum wird das Dasein unter dem

Vorwalten des Fische-Zeichens empfunden. Die Folgen hiervon sind aber nicht nur negativ – der Mensch gewinnt dadurch ein neues, vertieftes, weil erlittenes Wissen von der Welt und der Überwelt. Das Leiden selber wird als etwas Wesentliches in das Ganze des Menschen einbezogen und damit „vermenschlicht". Realisiert wird diese Gestimmtheit am entschiedensten im Bereich des christlichen Glaubens, im Hinblick auf das stellvertretende Leiden des Gottessohnes. Das Leiden wird ein Weg zur Erlösung. Freilich hat sich innerhalb dieser Grundanschauung zwar nicht die Bewertung, aber die Haltung dem Leiden gegenüber im Laufe des Fische-Zeitalters gewandelt. Christus und die ihm nachfolgenden Märtyrer lebten die stille, gefaßte Hoheit des Leidens vor. Aber im Mittelalter wurde die Christenheit von einer Sucht nach Leiden um Gottes willen erfaßt, die als ein qualvoll drängender Affekt nicht mehr viel mit der ursprünglichen gehorsamen Annahme des Leidens zu tun hatte.

Betrachtet man aber die horizontale Grundachse der Fischezeit (1./7. Feld), so steht dem zu Leiden und Selbstauflösung geneigt machenden mystischen Fische-Zeichen das ordnende, bewahrende, klug überschauende „rationale" Jungfrau-Zeichen gegenüber; ein Hinweis darauf, daß das Ideal der Fischezeit, die gläubige, opferbereite Hingabe sich in der zweiten Hälfte des Zeitalters immer mehr in die Haltung einer kritischen vernunftgläubigen Aufklärung wandelt. Die wissenschaftliche Lebensbetrachtung löst mehr und mehr die Glaubensinbrunst der ursprünglichen Fische-Mentalität ab. Das Übermaß des Sich-Opferns und des Leidens an der Welt begünstigt als Gegenwirkung den Trieb zur Selbsterhaltung und Selbstbewahrung. Nach dem Gesetz des Pendelausschlags suchte die Menschheit einen Ausgleich durch die Aktivierung des Gegensatzes in der rationalen Weltdurchdringung, in der Überbetonung des materiellen Teils ihrer Existenz, in der Selbstmächtigkeit des erkennenden Menschen, durch welche die Abhängigkeit von der Schöpfungsordnung und von deren Urheber aufgehoben schien.

In der symbolischen Weltschau Hildegards von Bingen oder Joachims von Fiore wurde im Hochmittelalter das Gleichgewicht der beiden Seelen- und Geisteshaltungen noch einmal gewahrt. Aber unaufhaltsam sank die Waagschale der Jungfrau-Mentalität mit ihrer Neigung zur objektivierenden Wissenschaft gewichtiger herab. Zwar wurden auch in der Neuzeit noch einmal großangelegte Versuche zu einer Harmonisierung von Glauben und Wissen unternommen, so z. B. von den Jesuiten der Barockzeit auf katholischer, von der Rosenkreuzerbewegung auf protestantischer Seite. Auf die Dauer waren diese Versuche jedoch vergebens. Die Waagschale der Jungfrau-Mentalität mußte erst ganz herabsinken, der Weg der Aufklärung ganz zu Ende gegangen werden, bevor am Beginn des Wassermann-Zeitalters in einer neuen, nicht nur summierenden Ganzheitsbetrachtung eine Synthese, das will sagen, ein Standort gefunden wurde, von dem aus die scheinbar unvereinbaren Gegensätze des Rationalen und des Irrationalen zur Deckung gelangen.

Das zweite Feld

Im Fische-Zeitalter rückt das Widder-Zeichen aus dem 1. Feld in das 2. Die diesseitig gerichtete, vorwärtsdrängende, rücksichtslos ergreifende Widder-Mentalität bestimmt nun die Art des Besitzes und die Verwaltung der Wirtschaftsmittel. In der so beweglichen, pionierhaften Widderzeit stand der Besitz unter dem Vorwalten des erdhaften, unbeweglichen Stierprinzips. Nun aber wird er beweglich; der Einzelne wird allmählich – trotz strenger Rückbindungen durch das Lehenswesen und die Zünfte – immer freier im Sammeln des Besitzes. Die Klöster werden zu mächtigen Grundherren, die Lehensleute übernehmen den ihnen anvertrauten Besitz als Eigentum; in der zweiten Halbzeit, in der Jungfrauphase des Fische-Zeitalters (etwa seit der Jahrtausendwende) wird der Besitz durch die Ausbildung der Geldwirtschaft allmählich „flüssig", d. h. unbegrenzt aneigenbar.

Es ist eigentlich unbegreiflich, daß sich in dem nach dem Jenseits ausgerichteten Fische-Zeitalter, dessen Grundgestimmtheit keine Erfüllung im Diesseits erwartete, die extremste Geldwirtschaft und ein schrankenloser wirtschaftlicher Individualismus entwickeln konnte. Die uneingeschränkte Besitzanhäufung wurde sogar zum Kennzeichen des Fische-Zeitalters. Sein Wirtschaftssystem war weitgehend durch immer neue gewalttätige Expansionen und Eroberungen bedingt, durch die germanische Völkerwanderung nach Westen und Süden, durch die Völkerzüge und Eroberungen der Islamiten und Mongolen, durch die Kreuzzüge, die Eroberung und Ausbeutung Nord- und Südamerikas und den bis zum Ende des 19. Jahrhunderts währenden europäischen Kolonialismus. Durch diesen wurden einerseits die farbigen Völker ausgebeutet und so die Hochblüte des Kapitalismus ermöglicht, anderseits die Grundlagen für eine allgemeine Weltkultur geschaffen. Das agressive Widderprinzip im 2. Feld hat zusammen mit der so willfährigen Grundgestimmtheit des Fische-Zeichens überhaupt erst zur Entwicklung der Weltwirtschaft geführt, zur Erschließung aller wirtschaftlichen Möglichkeiten, zum schnellen Güteraustausch, zur weltumspannenden Geldwirtschaft – aber auch zur Anhäufung von Besitz und Macht in den Händen weniger Einzelner oder anonymer Weltwirtschaftskonzerne.

Es handelt sich bei dieser Feststellung keineswegs um eine Kritik dieser Verhältnisse und der ihnen zugrundeliegenden Haltungen der Welt und der Gemeinschaft gegenüber, denn das Seinsollende und das Sosein werden ohnedies – unter welchen Vorzeichen auch immer – stets nur auf einer schmalen Grenzlinie zusammenstimmen. Darum kann sich innerweltliche oder transzendentale Wirklichkeitsforschung, nur mit den oft nicht kausal begründbaren Feststellungen der Gesetze und der Verhältnisse im Gestaltgebilde eines Kulturgefüges befassen – hier unter der Einheit der Weltjahre und ihrer Unterteilungen begriffen. Was davon als gut oder böse zu werten ist, kann durch die Gesetze der Geschichtsrhythmik nicht bestimmt werden.

Das dritte Feld

Das 3. Feld des Fische-Horoskopes wird durch das Stier-Zeichen bestimmt. Hier, wo die Art der Intellektualität, die allgemeine Denkart, die Gestaltungsprinzipien der Literatur und die Art des Verhältnisses zur nächsten Umgebung abzulesen sind, erscheint das Zeichen einer traditionsgebundenen Denkweise, entsprechend der Langsamkeit und Formkraft des Stierprinzips. Der Mensch des Fische-Zeitalters lebt und strebt in Verbindung mit den natürlichen Ordnungen und deren kosmischer Bedingtheit. Seine Denkweise ist nicht abstrakt, sondern geht stets von den Gegebenheiten aus und baut architektonisch auf. Aus dieser Mentalität sind die großen Summen der Dichtung, wie z. B. die Göttliche Komödie, die Faust-Tragödie und ebenso die theologischen und philosophischen Summen des Thomas, Paracelsus oder Leibnitz hervorgegangen. Alle knüpfen – entsprechend dem traditionsbestimmten Stierprinzip – auch wenn sie Neues anstreben, an Gegebenes und Überliefertes an.

Im Bereich der nächsten Verwandten (auch das Verhältnis zu diesen ist im 3. Feld ablesbar) zeigt sich das Stierprinzip in der besonderen Hochschätzung der Sippe, aus deren Verband herauszutreten bis zum Ende des Fische-Zeitalters einerseits unmöglich war, andererseits auch gar nicht angestrebt wurde. Das hochgeschätzte „geschwisterliche Prinzip", das Leben im Verband der Sippe, wird sogar auf die „geistige Brüderlichkeit" der Mönche und Ritter übertragen, obwohl diese Stände durch persönliche Entscheidung mitbestimmt sind. Die fehlende „Naturbasis" der „geistigen Sippe", wie man diese für die Fischezeit charakteristischen Bruderschaften nennen könnte, wird ersetzt durch den lebenslang bindenden Eid und die „heilige" Regel. Solche Bruderschaften entsprechen dem Stierprinzip dadurch, daß sie auf Dauer gegründet sind, in strengen Formen ausgestaltet werden und Traditionen bewahren wollen.

Im Gegensatz und zur Ergänzung des aus der Ordnung des 10. Feldes ersichtlichen, in der Fischezeit ausgebildeten vertikalen, hierarchischen Prinzips, stellt die stierhafte Bruderordnung jenes Zeitalters eine horizontale Schichtung dar, ein geistiges, die Völker verbindendes Netz — ein weltweites Adernsystem der Liebeskraft und des Geistes. Aber diese Bruder- oder Geschwisterschaften lösten sich nie zu sehr von der Erde und von ihren Aufgaben, gleichgültig ob es nun Ritterbünde (Malteser, Ritter vom hl. Grab, Deutschritter, Templer) oder Mönchsorden waren, wie der vom hl. Benedikt als Brüderverein oder der vom hl. Franz als Reformbewegung gestiftete. Die Devise des hl. Benedikt: „Bete und arbeite" (wobei Arbeit Ackerbau bedeutete), zeigt deutlich die Erdkomponente dieser Brüderlichkeit an. Ähnliche Impulse wirkten auch in einem andern weltweiten und weltumgestaltenden gemeinschaftlichen Unternehmen mit: In den großen Entdeckerfahrten, der Besitznahme der Erde durch die Kolonisatoren. Auch dies führte zur Umgestaltung und zur intensiveren Kultivierung der Erde.

Da das 3. Feld noch den Bereich alles schriftlich Festgelegten betrifft — nicht nur der Literatur, sondern auch der Verträge — so ergibt sich ein stierhafter Charakter der Vertragswerke, die „für immer", für „ewig", das will sagen für eine unübersehbare Zeit abgeschlossen werden, eine Formel, die erst in der Fischezeit den Wünschen und der Gesinnung einer Mehrheit entspricht.

Das vierte Feld

Im Horoskop des Fische-Zeitalters ist das 4. Feld, das die Lebenswurzel, die Art des mütterlichen Grundes, die Herkunft des Lebendigen wie die Zukunft, das Alter des Menschen zur Anschauung bringt, durch das bewegliche, intellektuelle und relativierende Zwillings-Zeichen besetzt.

An sich ist dieses Feld des festen Grundes der Lebenstiefe nicht günstig für die Auswirkung der großen Beweglichkeit des Zwillings-Zeichens. Diese Konstellation zeigt, daß der Mensch jener Zeit der allzugroßen Offenheit und Beeinflußbarkeit sich nicht in der Natur und nicht in der Sinnenwelt, sondern im Rückzug auf den Intellekt zu regenerieren suchte. Die „Flucht zum Grunde" gelang nur in der Weise geistiger Überschau. So ward in der Fischezeit der Bereich des Intellekts zum „Haus des Menschen".

Durch die Art dieses Feldes der Herkunft und der Tradition zeigt es sich auch, warum in China wie in Europa die geistigen Überlieferungen der Widderzeit so vorurteilslos übernommen und vom heidnischen Ursprung abgelöst, intellektualisiert und systematisiert werden konnten, wie z. B. im ethischen Konfuzianismus, im jüdischen Talmud, in der Aristotelesnachfolge des Thomas von Aquin und der Araber und im christlichen Platonismus. In der intellektuellen Überschau des 4. Feldes fand der Mensch Sicherheit, Geborgenheit und Ausgleich. Die philosophischen Systeme, die in der Fischezeit aus dem Material der geistigen Tradition gebildet wurden, formten gleichsam ein bergendes Schild.

Die Beweglichkeit dieses Feldes wirkte sich auch in den großen Entdeckungsfahrten der Menschheit aus, vor allem der weißen Rasse. Das „Haus des Menschen" wurde beweglich, wie dies das Zwillings-Zeichen andeutet. Es wurde gewissermaßen von Erdteil zu Erdteil getragen, sei es durch die Eroberung fremder Kontinente oder durch die weltweiten Fahrten der Missionare. So ward die Welt zum Haus des Menschen. Diese Entwicklung vollendete sich am Ende der Fischezeit durch die Kolonisationstätigkeit der europäischen Völker, die erstmals in der Menschheitsgeschichte die Grundlage zu einer Weltkultur schuf, als Manifestation der zwar vorgegebenen, aber bisher nicht realisierten Einheit des Menschengeschlechtes.

Der Charakter des Zwillings-Zeichens hatte auch eine neue Bewertung des Alters zur Folge. Im Fische-Zeitalter hat sich eine hohe Wertschätzung des Alters, die heute wieder abklingt, ausgebildet. Im Alter wurde demzufolge nicht eine Zeit der Schwäche und Erstarrung, sondern eine solche der Fülle und der Möglichkeit geistiger Überschau erfahren. Der Alte galt als der Weise, das Alter als Zeit des Ausreifens und zugleich als Brücke von dieser Welt zur jenseitigen. Denn das Jenseits war für den Menschen des Fische-Zeitalters nicht minder wichtig als das Diesseits.

Das Fische-Zeitalter war weitgehend durch die Hochschätzung des Seelischen, Innerlichen bestimmt, im Gegensatz zum Widder-Zeitalter, in dem die Vorherrschaft der sinnenhaften Blutskräfte überwog. Der seelische Bereich war die letzte Zuflucht und das bergende Haus des Menschen im Fische-Zeitalter. In seiner Seele kam er sowohl in Berührung mit dem nährenden Grund wie mit der Gottheit. Erst am Ende des Zeitalters war es möglich geworden, die beiden Seiten des Zwillings-Zeichens, die rationale und bewegliche mit der pneumatisch-seelenhaften in der wissenschaftlichen Reflektion über die Seele, in der Seelenkunde zu vereinen und so die Seele einer Anatomie zu unterwerfen, wie es bisher nur mit dem Leib geschah.

Das fünfte Feld

Dieser Bereich der Selbstdarstellung, in dem der Mensch sich auszuspielen und zu gewinnen sucht, des Wettbewerbes, des Schau- und

Liebesspieles, wie auch der Bereich der Kinder, wird jetzt vom gefühlsbetonten, von Mondkräften durchwirkten Krebszeichen geprägt. Nun wirkt hier nicht mehr, wie im ursprünglichen Lebensrad, das kraftvolle sonnenhafte Löweprinzip mit seiner unbedenklichen Erotik, sondern eine zur Tiefe leitende, „sammelnde" Mütterlichkeit, die in Liebe zu allem Lebendigen von der werthaften Unterscheidung der Wesen absehen kann. Der hohe Anspruch des Löweprinzipes, der es vermag, aus allen Gestalten die lustspendende, lebenssteigernde Kraft zu entbinden, ist dem Behagen am Sosein der Erscheinungen gewichen.

Eine mondhaft mütterliche Gesinnung wird im pflanzlich wuchernden Krebszeichen, dem Sinnbild der Fruchtbarkeit, vorherrschend. Es ist darum nicht zufällig, daß im Fische-Zeitalter das Thema Mutter und Kind in der Kunst wie in der Religion — in letzterer in höchster Verklärung als Maria mit dem Gotteskind — so bedeutungsvoll und zentral geworden ist. Erst seit dem Beginn der Neuzeit wurde dieses, die Gemüter tief bewegende Thema mehr und mehr säkularisert, sentimentalisiert oder verzweckt.

Andererseits wird durch solche mütterliche Gestimmtheit das freie Spiel der Erotik durch moralische und zweckhafte Erwägungen gebunden; die im Fest des Leibes kulminierende Sinnenfülle wird biologischen und sozialen Bedürfnissen dienstbar gemacht und zudem durch theologische Ideologien gesteuert und zurechtgebogen. In der Dichtung wird zwar in begeisterten Worten von hoher Liebe und tragischer Leidenschaft gekündet, jedoch mehr aus Sehnsucht, denn als Zeugnis der tatsächlichen Verhältnisse. Aber in der Praxis prägte die Gebundenheit an das Gesetz des organisch wachsenden Lebens, soweit dieses nicht durch die asketischen Neigungen des Mittelalters verstört wurde, die Gesinnung. Im Hintergrund aber lauerten die verdrängten und darum ungeformt gebliebenen Triebkräfte, die in Zeiten der geschwächten sozialen oder moralischen Ordnung in wildem Ungestüm verheerend hervorbrachen (die erotische Seite des Hexenwesens, des Masochismus der Geißlerzüge u. a. m.). Auf die Gefahr des Dammbruchs der durch moralische Einengungen allzusehr zensurierten Triebmächte hat, allerdings zu spät, Sigmund Freud hingewiesen.

In der Mentalität des sorgenden, ängstlichen, mütterlich hegenden Krebs-Zeichens gibt es keine Möglichkeit für eine rauschhafte, zwecklose Entfaltung des leiblichen Eros. Jetzt wurde der Eros in Dienst genommen - ihm blieb keine Möglichkeit sich im freien Spiel auszuwirken. Er ward dem Alltag, ward der Familie dienstbar gemacht — er steht darum drangvoll unter dem Druck ihm wesensfremder Zwecksetzungen (das Gegenextrem wird sich im Wassermann-Zeitalter ereignen). Auch dem Kind, der Frucht des leiblichen Eros, dem Bereich des 5. Feldes zugehörig, ward hier keine kindlich angemessene Freiheit zugebilligt. Es ward in seiner Kindlichkeit gar nicht gesehen, sondern mußte schon früh als „kleiner Erwachsener“ den Familieninteressen dienen. Das sentimentale „Jahrhundert des Kindes“ am Ende der Fischezeit ist bereits als Rückschlag auf die soziale Funktionalisierung des kindlichen Lebens zu werten.

Die Krebsbesetzung des 5. Feldes zeigt sich auch in der Hochschätzung des Biographischen, im Interesse für die Art des Wachsens beispielhafter Menschen. Andererseits führt die träumerische, mehr gefühlshaft und imaginierend nach innen gewandte Seelenhaltung dieses Feldes zur Entstehung von Utopien. Träumend entflieht der Mensch aus der uneinheitlichen, als leidvoll erfahrenen Welt in eine einheitliche und leidlose. Utopien brachte schon die Widderzeit hervor, wenn auch erst gegen ihr Ende, aber keinesfalls von solcher Bedeutung und Häufigkeit wie in der Fischezeit. Joachim von Fiore, Franziskus, Dante, Thomas, Morus, Campanella, Andreä und schließlich — vom säkularisierten Ethos des Alten Testamentes geprägt — Karl Marx waren solch träumende Täter, die im Sinne der Krebs-Mentalität einen neuen Weltorganismus hervorzubringen suchten. Die Welt war für die Menschen der Widderzeit so erregend, daß sie alles daran setzten, um sie in Besitz zu nehmen; sie aber grundsätzlich umzugestalten haben erst die Menschen der Fischezeit durch ihre Utopien versucht.

Das sechste Feld

Im ursprünglichen Lebensrad wirkte sich im 6. Feld das mütterliche, zu stummem, demütigem Dienst geneigt machende, aber auch Heilkräfte wirkende Jungfrau-Zeichen aus. Dieser Bereich des Alltags, des Dienstes, der Last, der ein Mensch oder eine Gemeinschaft unterworfen ist, aber auch der Krankheiten und ihrer Heilungsmöglichkeiten, wird nun von den feurigen, sonnenhaften Löwekräften durchwirkt. Der Held, der königliche Mensch, erscheint nicht mehr wie in der Widderzeit als die strahlende, faszinierende Persönlichkeit, sondern als derjenige, der seine Stärke und seinen Eigenwillen für die Dienstleistung zur Verfügung stellt, der sich nicht erniedrigt fühlt, wenn er die eigne und fremde Mühsal annimmt. Der löwehafte Heroismus ereignet sich nicht mehr als Heldentat sonnenhafter Übermenschen, sondern in der Weise des heroischen Dienstes und Gehorsams. Der Mensch wird nun groß, indem er nicht nur sein eignes Kreuz, sondern auch dasjenige der Welt auf sich nimmt, indem er die Armut bräutlich umfängt, sich in den Dienst der Alten und Kranken stellt, „heroische Tugend“ übt, sich zur „höheren Ehre Gottes“ des Eigenwillens begibt. Auf diese

Weise entstand eine völlig neue Verbindung von Ritter- und Mönchstum: der Ritter stellte sich in asketischer Haltung in den Dienst der Pilger, der Kranken, des Glaubens, der Kirche. Der Dienst an den Brüdern Christi, sei es als Ritter, Mönch, Arzt oder Missionar, ward zum königlichen Dienst.

Aber auch im allgemeinen wurde niedrige Arbeit nicht als Zwang, sondern als Dienst empfunden. Das werkende Tun wurde noch unverkrampft in einem gelassenen Rhythmus, der dem kosmischen entsprach, vollzogen. Darum mangelte der Arbeit nicht die Würde. Es gab, auch wenn dies nicht so pathetisch wie in der Gegenwart formuliert wurde, einen Adel der Arbeit, der freilich nicht durch Auszeichnungen und Titel, sondern durch ein natürliches Selbstgefühl bestimmt wurde.

Aus diesem Zusammenhang gewann auch der Arzt oder Heiler seine Bedeutung und Würde als ein dem Menschen Dienender. Erst dadurch wurde die Heilkunst eine wahrhaft königliche Kunst, in deren Dienst, vor allem seit Paracelsus, alle Natur- und Geisteskräfte gestellt wurden.

Aber auch das Leiden und Kranksein selber wurde im Fische-Zeitalter zu einer „königlichen Kunst" — vom demütigen Leiden der Armen und Kranken, die ja im Großteil des Zeitalters dem Ansturm der Elemente und den Mängeln der sozialen Ordnung besonders ausgesetzt waren, bis zu den heiligmäßigen Menschen, die im Verborgenen die Last und das Leid der Welt auf sich nahmen. Allmählich aber wurde das Leiden und das klaglose Erdulden zu einer hohen Kunst, die von Mystikern und geistlichen Lehrern gelehrt und hochgepriesen wurde. Der Bettler wurde zu einer tiefsinnigen, durchaus nicht verachteten Gestalt — im Gegensatz zu seiner Bewertung in der Widderzeit. Auch die Märtyrer, deren Zahl mit dem Beginn des Fische-Zeitalters ins Außerordentliche wächst, sind, abgesehen von dem Sinn ihrer ehrwürdigen Zeugenschaft, freiwillig Duldende und Leidende.

Das siebente Feld

Mit diesem ist der Deszendent erreicht, der Gegenpol des 1. Feldes des Ichs und der Grundschwingung eines Weltenjahres, das Feld der Partnerschaft in jedem Sinne. In seiner Prägung wird das erstrebte Ideal und die Art der Beziehung zum Du deutlich. Das Jungfrau-Zeichen, das in diesem Felde wirkt, steht — wie schon bei der Deutung des 1. Feldes erwähnt — im Gegensatz zu der auflösenden, passiven Fische-Mentalität. Seine „gespannte Beharrungskraft", sein Interesse an allem, was erfahrbar und verwertbar ist, entwickelt sich in der zweiten Halbzeit, deren Wesensart innerhalb eines Weltalters stets durch die Besetzung des Deszendenten gekennzeichnet ist. Hier ist die Begründung für die kritisch-analytische Geisteshaltung des Hoch- und Späteuropäers zu finden, aus der die europäischen Erfahrungswissenschaften hervorgegangen sind. Die Achse Aszendent - Deszendent — hier durch die Zeichen Fische und Jungfrau repräsentiert — wirkt sich als die eigentliche Waage des Lebens aus. Im Zusammenwirken ihrer beiden polar entgegengesetzten Zeichen und Kraftfelder von Innerlichkeit und Äußerlichkeit, von Gefühlsseligkeit und Sachlichkeit, von Jenseitigkeit und Diesseitigkeit, Hingabe und Selbstbewahrung hat die schöpferische Kraft des Zeitalters Gestalt gewonnen. Aber nur in seltenen Höhepunkten gelang ein wirkliches Gleichgewicht der Gegensätze — am ehesten um die letzte Jahrtausendwende. Sonst aber herrschte ein Auf und Ab der Waagschalen, der Weltenthaltung und der Weltergreifung. Jedoch in der 2. Halbzeit des Zeitalters ging die fischehafte All-Liebe und Innigkeit immer mehr in die Objektivität der jungfrauhaften Wissenschaft und der daraus folgenden Technik über, bis am Ende der Neuzeit die Gottesliebe durch den Glauben an die unendliche Fortschrittsmöglichkeit des Menschen verdrängt wurde.

Das 7. Feld wird aber nicht nur als das der Partnerschaft im allgemeinen, sondern auch im besonderen als das der Ehe verstanden. Obwohl in der Fischezeit die Ehe ihrer Idee nach als ein Sakrament, als ein Bund vor und mit Gott verstanden wurde, zeigt das so sachliche Jungfrauzeichen im 7. Feld an, daß in Wirklichkeit die Ehe von recht nüchternen und praktischen Grundsätzen bestimmt war. Die Ehe war eine Institution zur gemeinschaftlichen Bewältigung der sozialen Problematik, darum weitgehend eine Angelegenheit des Sippenverbandes, dessen Interessen denen des Individuums vorangestellt wurden. Wieviel heimliches Leiden durch den Zwiespalt zwischen persönlicher Liebe und der sozialen Eheverpflichtung ausgetragen werden mußte, ist heute kaum mehr vorstellbar.

Die Liebe aber erschien in verschiedenen Bezügen: als Liebe zum Ewigen und als Liebe zur Frau im Minnedienst — jenseits der sozialen Ordnung der Zeit. Durch beide Weisen löste sich erstmals in der Menschheitsgeschichte die Liebe von ihrem sozialen und biologischen Wurzelboden. Dadurch wurde Gott erfahrbar als das höchste Gut; die Frau bisher dinglich-sinnenhaft erfahren, wurde transparent auf das Urbild des Weiblichen. Die Sophia-Mystik, die mit dem hl. Augustinus anhebt, aber erst in den Religionsphilosophen unsrer Zeit (Solowjew, Bulgakow, Florenskij u. a.) ihren Höhepunkt erlangt hat, ist ohne ein solches Transparentwerden der irdischen Frau auf das Ewig Weibliche hin nicht denkbar[14]).

Diese Ausfaltung des Eros in seiner reinsten geistig-sinnlichen Weise fand ihre innigste Erfüllung und Ausgestaltung in der Verehrung der heiligen Jungfrau, im Marienkult. Wie alles Jungfrauhafte erreichte auch dieser seine reinste Vollendung erst in der zweiten Halbzeit des Fische-Weltzeitalters. Was die Kunst, die religiöse Erkenntnis, das Gemüt, die Gesittung des Abendlandes dem Marienkult verdankt, ist gar nicht zu überschätzen. Die Zähmung der Leidenschaften, das Aufkommen eines dynamischen und nicht nur ideologischen Humanismus ist wesentlich durch diesen mitbedingt; ebenso das Hervortreten der hochgeachteten freien Frau als der Mitarbeiterin des Mannes. Im Marienkult wird darum nicht die sachliche, sondern die heilende Seite des Jungfrau-Zeichens wirksam, das Bewußtsein des Edlen und Maßvollen, der große Versuch in „affektloser Mütterlichkeit" das zerteilte Ganze zusammenzufassen.

Das achte Feld

Im Horoskop des Fische-Zeitalters wird das 8. Feld des Todes und des wurzeltief Schöpferischen durch das venusbestimmte Harmoniezeichen der Waage geprägt. Dem Schöpferischen eignet nun nicht mehr, wie unter dem Skorpion-Zeichen des Widder-Horoskopes, ein bohrender, alle Tiefen des Daseins aufwühlender Charakter. Jetzt wirkt sich hier eine Kraft des Ausgleichens aus, welche die Lebensspannung durch die Herausstellung des Harmonischen und Schönen zu überwinden sucht. Nicht nur in den Domen des Mittelalters und des Barocks, nicht nur in der Malerei und der Musik des Abendlandes, in ihrer Durchwirktheit von zauberischen Kräften, sondern auch in der Kunst aller Völker der Fischezeit ereignet sich eine äußerste Verfeinerung und Beseelung der künstlerischen Aussagen und Formen. Das Waage-Zeichen im 8. Felde weist darauf hin, daß die Harmoniekräfte der Kunst das Verbundene, das die Leidenschaften Ausgleichende, das den Staat, die Glaubensgemeinschaft Erhöhende gewesen sind. Vielleicht ist noch nie zuvor der Glaube derart umfänglich und wesenhaft durch die Kunst zum Ausdruck gebracht worden.

Im 8. Feld des Schöpferischen und der Verwandlung des Daseienden im Prozeß des „Stirb und Werde" erscheint nun auch das Todesproblem. Im Widder-Zeitalter wurde der Tod als ein unauflösbares Verhängnis empfunden — auch im Tode bleibt der Mensch, schattenhaft dahindämmernd, ein Gefangener der Natur und ihres Kreislaufs. Aber in der Gesinnung der Fischezeit wird die Naturgrenze des Todes überstiegen — der Weg der Seele zur Freiheit, zum Aufstieg ins Göttliche ist durch den Herabstieg der Gottheit in die Welt und in das Reich der Unterwelt geöffnet worden. Im Harmoniezeichen Waage ist der Schrecken des Todes überwunden. In einer Art von Todesmystik sehnt sich nun der Mensch geradezu nach dem Tode und dem ewigen Leben, das er durch jene Pforte zu erreichen hofft. Dem „anderen Reich" wird eine ebenso große Bedeutung und Wirklichkeit zugebilligt, wie dem hiesigen. Da aber das Waage-Zeichen trotz seines Harmoniecharakters auch das Gericht mit einschließt, wird das persönliche Totengericht, der Läuterungsweg nach dem Tode von großer Wichtigkeit. Das Leben wird geradezu zu einer Phase der Vorbereitung auf das Gericht. Als Zeichen hiefür wird der Erzengel Michael mit der Waage als Attribut zu einer der mächtigsten, helfenden und führenden Geistesgestalten des Fische-Zeitalters. Erst mit seinem Ende verringert sich die Bedeutung des Todesproblems und jene Hoffnung auf Seligkeit jenseits des Todes[15]).

Das neunte Feld

In das 9. Feld des religiösen Denkens und all jener Bezüge, in denen der Mensch transzendiert, ist im Horoskop des Fische-Zeitalters das dynamische, kriegerische Zeichen Skorpion eingerückt, das im Grundbestand des Lebensrades dem 8. Feld zugeordnet ist und über die Art des Schöpferischen und den Bezug zum Tode Auskunft gibt. Im Widder-Weltjahr, als das 9. Feld noch vom Harmoniezeichen Waage geprägt war, gab es keinen Zwiespalt zwischen dem religiösen Denken und dem sinnenhaften Leben — beides stand miteinander im Einklang. Aber das Skorpion-Zeichen im 9. Feld des Fische-Weltjahr-Horoskopes zeigt an, daß nun Natur und Übernatur, Geist und Leben, Diesseits und Jenseits in eine schmerzhafte und unvereinbare Spannung zueinander getreten sind. Jeder Lebensbereich, der unter der Einwirkung der skorpionhaften Wirkkräfte steht, erfährt das schmerzhafte, aber für die Verwandlung niederer Lebenszustände in höhere unerläßliche Wechselspiel des Stirb und Werde, die Drangsal des Scheidens und der Entscheidung, die Erfahrung der äußersten Lebensgrenze und damit des Todes. Es ist bedeutsam, daß das Skorpion-Zeichen am Leibe den Geschlechts- und Ausscheidungsorganen zugeordnet ist. Die von solchen Kräften geprägte Mentalität weiß — aufs Allgemeine übertragen — von innen her um den Schmutz, die Abfälle der Materie wie des Geistes. Sie drängt darum unaufhörlich nach Reinigung, nach der Reindarstellung des Lebensprozesses, der Ausscheidung aller Schlacken, um das Absolute, das Unbedingte, das Beständige, das „Gold" zu gewinnen — und sei es auch um den Preis des Unterganges, des Tötens oder Getötetwerdens.

Im 9. Feld sind durch die Skorpionbesetzung die Aspekte des Begeisternden und Erhabenen, der harmlos-vertrauensvollen Haltung einem düstern Ernst, unerbittlicher Entschlossenheit, einer weltentsagenden Totalhingabe an Gott, einem strengen Scheiden zwischen wahr und falsch, gerecht und ungerecht, heilig und unheilig und einem bisher in dieser Intensität unbekannten Willen zur Reinheit und Unversehrtheit des Glaubens gewichen. Das Problem der Wahrheit wird hier bis zum Äußersten zugespitzt und der gigantische Versuch unternommen, das ewig Wahre in kristallklare Formeln zu bannen und den Menschen um seines Heiles willen an diese zu binden.

So drängte die skorpionhaft geprägte Religiosität der Fischezeit dazu, das Wahre in einer intellektuellen Weise mit größter Klarheit und Unbedingtheit im Dogma auszukristallisieren, in der Überzeugung, der Mensch vermöge das göttliche Wort im menschlichen sinngemäß und kongenial zu fassen und zu bewahren.

Die aus gewaltigen Geisteskämpfen hervorgegangenen Dogmen des Christentums, wie auch des Buddhismus, des Islam oder des Exiljudentums (das ursprünglich als Religion der Widderzeit keine Dogmen kannte) führten zu einer erschreckenden Konsequenz: Zum Hervortreten eines bis dahin unbekannten geistigen Typus, des Ketzers. Denn wer sich nicht dem dogmatisch formulierten Glauben unterwarf, wurde als Fehlform aus der Lebensgemeinschaft der Kirche ausgeschieden. Umgekehrt nannten sich die Ketzer — als Glieder der Gegenkirche — zum Protest die „Reinen", d. h. die völlig in der Wahrheit Stehenden. Es ist typisch, daß dieser spannungsvolle Begriff aus dem Namen einer der unheimlichsten Ketzerbewegungen der Fischezeit, der Katharer, d. h. „Reinen" abgeleitet wird.

Die Entwicklung des aus dem Unbedingtheitsanspruch des Skorpions, seiner scheidenden Kraft, seinem Mangel an einfühlender Liebe entstandenen Ketzerbegriffes hatte einen folgenschweren Einfluß auf die europäische Geistes- und Völkergeschichte. Denn sie führte nicht nur zur Ausmerzung der religiösen, sondern auch der sozialen Ketzer (der Typus der letzteren wanderte nach Amerika aus, so daß Europa dadurch die kraftgeladenste und originellste Menschenart verloren ging) und als Folge zur Erstarrung und Intellektualisierung des Glaubens. Durch diese drängende und ausschließliche, auf die Vorherrschaft absoluter Prinzipien gerichtete Skorpion-Mentalität sind die vielfältigen „Religionskriege" hervorgerufen worden: Die Christenverfolgungen der römischen Kaiser, die Kreuzzüge, die Ketzerverfolgungen, die Reformationskriege, der ein Jahrhundert dauernde blutige Bilderstreit in der Ostkirche, das Wüten der chinesischen Kaiser gegen den Buddhismus, die „heiligen Kriege" der Mohammedaner, aber auch der späteuropäische Absolutismus, die Unduldsamkeit sowohl der Atheisten wie der klerikalen Integralisten.

Das Skorpionprinzip im 9. Feld ist nun die Ursache der weitverbreiteten Angst im Fische-Zeitalter. Auch die übertriebene Sorge um die Reinheit der Glaubenslehre entspringt großenteils dieser irrationalen Angst, die sich nicht minder in der Scheu vor der Unberechenbarkeit des Trieblebens und der Geschlechtlichkeit auswirkt. Wurde diese im Widder-Zeitalter geradezu religiös verklärt, so wurde sie nun aus religiösen Gründen angstvoll eingegrenzt. Auch das Hinstarren auf das undurchdringliche Dunkle, Unheimliche und Dämonische im Mittelalter ist aus solcher Angst vor dem Unreinen (das zugleich faszinierend wirkte) zu erklären. Die positive Seite dieser Beunruhigung war eine geistige Sinnesschärfung für den dunklen Teil der Schöpfung, für den Teufel, der erst im Fische-Zeitalter in seiner ganzen unheimlichen Umfänglichkeit realisiert wurde.

Aus der mißtrauischen und nach Reinheit trachtenden Skorpion-Mentalität ist wohl auch die so zwiespältige Haltung des Menschen im Fische-Zeitalter hinsichtlich der Geschlechtlichkeit zu verstehen. Psychisch bedingt, und entgegen dem wahren Sachverhalt, wurde Geschlechtlichkeit und Sünde gleichgesetzt. Darum neigte man dazu um der Reinheit willen die Regungen des leiblichen Eros zu verdrängen und mit Hilfe einer weit überzogenen Askese seiner Herr zu werden. Andererseits hatte die, auf dem nach Reinigung trachtenden Skorpionsprinzip beruhende Askese auch eine sckög eine schöpferische Wirkung. Denn auf der Stauung und Sublimierung der Triebkräfte, die durch sie erreicht wurde, beruhten zu einem großen Teil die kulturelle Hochspannung und die schöpferischen Leistungen, sowohl des Abendlandes wie auch Asiens.

Das zehnte Feld

Das 10. Feld, die Sonnenhöhe des Lebensrades, weist auf den im tätigen und öffentlichen Leben zutage tretenden Geist der Zeit, auf deren höchste und unüberschreitbare Möglichkeit. Durch die jeweiligen Tendenzen dieses Feldes werden die Bilder der großen Täter eines Zeitalters geprägt. Hier sind die in dem Zeitalter wirkenden Kulturimpulse und die expansiven Tendenzen der Zeit ablesbar.

Im Horoskop der Fischezeit ist dieses Feld durch das weitblickende, weitausgreifende Schütze-Zeichen besetzt. Von heilsamen Jupiterkräften durchwirkt, fördert es eine königliche, nach Gerechtigkeit trachtende, weitausschauende und hochgemute Mentalität. Die Jupiterbesetzung ergibt, daß die im Fische-Zeitalter vorherrschenden Gestalten aus einer Verbindung von Weisheit und Kraft Autorität ausstrahlten. Wie in einer göttlichen Aura erschienen diese hohen Gestalten, die aber — wenn sie dem in ihnen erscheinenden Archetypus des weisen, gütigen Herrschers nicht standhielten — in eine dämonische Magie des Herrschens verfielen. Dann versammelten sie das Licht, das sie zur Erleuchtung und Genesung der Welt als von Gottes Gnaden weiterleiten sollten, auf sich selbst und zum Genuß der Herrschaft. Ein Schimmer göttlicher Herrlichkeit umkleidete die individuelle Menschlichkeit solcher Hochgestalten: Als Kaiser und Papst im Abendland, als Kalif im Islam, in China als Kaiser und Himmelssohn, in Tibet als Dalai-Lama. In der verschiedensten Weise überkreuzten, vereinten und trennten sich in diesen und anderen Gestalten die Ämter des Herrschers und des Hohepriesters, von denen in einer heute kaum mehr vorstellbaren Weise buchstäblich das Heil der Völker erwartet wurde.

Die Fischezeit beginnt mit der Vereinigung der königlichen und priesterlichen Funktionen durch den römischen Kaiser als pontifex maximus. Polarität und Einheit dieser beiden höchsten Ämter der Menschheit, des Priesters und des Königs, bestimmen weithin die Geschichte des Fische-Zeitalters. Um ihre jeweilige Zuordnung wurden, über die Völker hinweg, erbitterte Kämpfe zwischen den Repräsentanten beider Ämter geführt. Bald usurpierte der Kaiser die Herrschaft über das geistliche Amt, bald machten sich die Päpste zu Völkerherren. Erst in der Barockzeit wurde das mit religiösen Kräften geladene Herrscheramt durch den Absolutismus ganz verweltlicht — aber auch das Priesteramt verlor einen großen Teil seiner Würde.

Durch die Schützebesetzung des 10. Feldes des öffentlichen Lebens trat allerdings mehr seine ideale als seine reale Seite als Wirklichkeit hervor. Darum wurde ja auch das Amt, weniger der Amtsträger, für wichtig erachtet. Auch ein schlechter Amtsträger wurde nicht isoliert vom Amt gewertet, sondern in seinem Zusammenhang mit der Hierarchie. Denn durch das Schütze-Zeichen im 10. Felde war das öffentliche, das sichtbare soziale Leben nach dem Gestaltprinzip der Hierarchie geordnet. Nicht nur das hiesige, sondern auch das jenseitige Leben war nicht anders als hierarchisch aufgebaut vorstellbar. So ist die Schau der Engelhierarchien durch den christlichen Platoniker Dionysius Areopagita durchaus solchem hierarchischen Denken und Imaginieren entsprungen.

Aus derselben Herleitung ist die hohe Bedeutung des Adels im Fische-Zeitalter zu verstehen. Die adelige Lebensform war für das Fische-Zeitalter, das andererseits innerlich alle Schranken abbaute, die eigentlich legitime. In der Lebensschau des Schütze-Zeichens genügt die natürliche Ordnung der Welt nicht — aus dem bloß Vorhandenen soll vielmehr das Edle und Höhergesinnte auskristallisiert werden: der durch Zucht erst auszubildende Adel. So wurde gerade durch das Rittertum und den Adel der schützehaft hochgemute Versuch unternommen, den Menschen über seine Natur hinaus durch hohe Zielsetzung und durch Zucht zu einer Idealform zu verklären.

Durch das Schütze-Zeichen des 10. Feldes gehörten auch das öffentliche Fest, die feierlichen Aufzüge, die ritterlichen und Volksfeste ganz allgemein zum Lebensstil des Fische-Zeitalters. Noch nie hatte der kirchliche Festkalender das ganze Leben in einer derart umfassenden Weise durchwirkt. Auch die Ausbildung der christlichen Liturgie wie der liturgischen Feiern im nichtchristlichen Bereich, sei es in der sakralen Feier zu Ehren Gottes oder der Herrscher, ist eine typische Ausprägung dieser festlichen Gestimmtheit. Das heilige Fest ist der Mutterboden der europäischen Kultur, das Band, das alle sozialen Gegensätze und auch den der Geschlechter zusammenfaßte.

Das elfte Feld

Der Steinbock als Prägestempel des so weitgespannten luftigen, jenseits der sozialen Gegebenheiten wirksamen 11. Feldes zeigt strenge Ordnung in einem Bereiche an, in dem eigentlich die Gebundenheit durch Gesetz und Pflicht überwunden sein sollte. Denn das 11. Feld wird als Bereich der Freiheit jenseits der sozialen Bezüge verstanden, auch als das Feld der Freundschaft, die nicht nach Herkunft, Besitz und Bildung fragt, sondern die auf Grund der Sympathiekräfte die Gleichgesinnten jenseits der Standes- und Altersgrenze in einer Sphäre der Freiheit zusammenführt.

Aber der Steinbock, als Zeichen des klar-kühlen Gesetzes, der geistigen Ordnung, steht dem freien, schwingenden, ja tänzerischen Charakter des 11. Feldes entgegen. Er drängt auf feste Gestalt, wo sich eigentlich das Fließen der Kräfte und Sympathien ereignen sollte; er bewirkt strenge Teilung und gesetzeshafte Bindung, wo eigentlich alle Unterschiede aufgehoben und im tänzerischen Sprung alle Sphären und Gegensätze verbunden werden sollten. Mit anderen Worten: Der ganze Bereich der Freundschaft und der Freiheit steht im Fische-Zeitalter unter dem Druck von Ideen und von Gesetzen.

Im Widder-Zeitalter — da dies Feld, auf das Grundhoroskop des Lebens bezogen, „normalerweise" durch das Zeichen des Wassermann geprägt war — konnten die Freundschaftskräfte frei ausschwingen; die Freundschaft war eine der wenigen Möglichkeiten, die strenge Sippenordnung zu überwinden und das wilde eigensüchtige Blut in der Blutbrüderschaft in gemeinsamem Spiel zu binden. Aber diese „spielende Freiheit" fand im Fische-Zeitalter keine Erfüllung mehr; die Freundschaft wirkte sich jetzt nur noch eingeschränkt im Rahmen von steinbockhaften Ordnungen aus, sei es im Bereich des Rittertums, des Mönchstums oder der Kirche. Das Fische-Zeitalter, das überall, oft auf gewalttätige Weise, die „Totalmacht" des Blutes bekämpfte und ihr ein geistliches Gegenbild setzte, transponierte auch den Freund als „Blutsbruder“ in die geistliche Familie: Bruderschaft unter dem Gesetz und durch die Regel ins Überpersönliche zurückgebunden, aus dem Geist geboren und durch die gleiche Berufung begründet.

So entsteht der für das Fische-Zeitalter typische Zustand, daß freie Gemeinschaft im weltlichen und geistlichen Bereich mit tiefem Mißtrauen betrachtet wird. Als Beispiel hierfür sei auf das Schicksal der Ordensgründung des hl. Franziskus verwiesen, dessen glühende Kräfte der Gottes- und Menschenliebe durch eine Eingliederung in das soziale Gefüge der Großkirche abgebremst wurden. Aber nicht nur die brüderliche Zugewandtheit wurde in den Panzer steinbockhafter Gelübde, Regeln, Statuten und kirchlicher Sozialformen gezwängt — der Geist und die Wahrheit waren selbst davon betroffen. Freie Gesellungen und Gestaltungen, sei es auf politischem, sozialem, künstlerischem oder religiösem Gebiet, mußten verdächtig erscheinen, da alle Gebiete durch einen Kanon vorgegebener Gesetze bestimmt waren. Auf diesem Wege sind allerdings großartige geistige und weltliche Formungen gelungen. Doch die Leiden, mit denen diese erkauft wurden, müssen ungeheuer gewesen sein. Der Mangel an Möglichkeit freier Gestaltung und Gesellung mag wohl eine der Ursachen zur Bildung des für das Mittelalter so typischen Sektenwesens gewesen sein.

Wenn man den Druck bedenkt, der durch das harte, gesetzeshafte Steinbockprinzip auf die Freundschaftskraft des Menschen ausgeübt wurde, wenn man sich vergegenwärtigt, wie jede freie, ungebundene Regung so schnell als möglich in Regeln und Dogmen, in Gelübden, ständischen Ordnungen, sozialen Verpflichtungen, theologischen und philosophischen Systemen eingefangen wurde — der seelisch so empfindsame Mensch des Fische-Zeitalters konnte gar nicht anders leben als im Gefüge eines solchen Gerüstes — dann wird es auch begreiflich, daß der „Aufstand der modernen Welt“ im Vulkanausbruch der Französischen Revolution unter dem Schlachtruf: „Freiheit, Gleichheit, Brüderlichkeit“ geführt wurde. In diesem Aufstand wird auf eine gewaltsame, unorganische, ja frevelhafte Weise das Versäumnis eines Weltalters nachgeholt. Was diesem nicht möglich war, harmonisch, vertrauensvoll, in freiem Spiel während eines Weltalters zu gestalten, das wird nun dämonisch und trotz der verkündeten idealen Formel als Zerstörung ins Werk gesetzt: Die allzulange gestauten Triebe und Leidenschaften durchbrechen die Dämme und ergießen sich wie ein Wildwasser über die abendländische Kultur.

Das zwölfte Feld

Das ursprünglich in der Grundsituation des Lebensrades das 11. Feld prägende, von Saturn- und Uranuskräften durchwirkte Lebens-Urbild Wassermann ist im Horoskop der Fischezeit in das 12. Feld vorgerückt – aus dem Feld der Freiheit und der Freundschaft in das der Verborgenheit und Gefangenschaft. Was ins 12. Feld gerät, wird gleichsam illegal – der Mensch verschwindet im Kloster, im Gefängnis, im Krankenhaus, er wird entrechtet oder zum Sklaven; freiwillige oder unfreiwillige Einsamkeit ist hier das Los.

Das Werk bleibt geheim oder der Mensch lebt im Geheimen ein zweites, verborgenes Leben. Auf eine Epoche bezogen sind im 12. Feld diejenigen Tendenzen und Gestaltungskräfte zu finden, die von der Zeit abgelehnt, verfolgt, verdrängt oder satanisiert werden. Sie haben weder Kraft noch Spielraum, um sich auszugestalten; dennoch wachsen sie im Verborgenen weiter, wenn auch unter Leidensdruck, der nur in seltenen Mitternachtsstunden durchbrochen werden kann. Dieser Prozeß des leidvollen Gefangenseins dauert in wechselvollen Stadien – auf die Weltalter bezogen – jeweils zweitausend Jahre. Allmählich geht das nur erduldete Leiden in nicht minder schmerzhafte Geburtswehen über. Denn gerade aus den im 12. Felde gefangenen und unterdrückten Geist- und Sinneskräften gehen die Impulse und Formen der nächstfolgenden Zeit hervor. Das gefangene Lebens-Urbild – in diesem Falle das des Wassermann – geht als Sternbild der neuen Zeit, als deren Aszendent die Zukunft prägend, im 1. Hause auf.

Im ursprünglichen Lebensrade wirkte das Fische-Zeichen als prägende Kraft des ihm durch seine Tendenzen der Verborgenheit und des Rückzugs angemessenen 12. Feldes. Aber die Kräfte des Zeichens Wassermann, das nun dies letzte Haus des Lebensrades beherrscht, mit ihrer Tendenz, sich unbegrenzt nach allen Seiten zu verstrahlen, der originellen, untraditionellen Denkart und der Liebe zu Spiel und Freiheit, die sie erregen, finden sich im 12. Feld in einer leidvollen Gefangenschaft. Im Fische-Zeitalter gab es kein freies Spiel des Eros, der Kunst oder der Erkenntniskräfte. Der regelvolle Kanon herrschte und gegen seine Herrschaft zu verstoßen war ein gefährliches Unternehmen, das für den, der es wagte, erst recht zur Gefangenschaft führen mußte. Erst in der Neuzeit, als die fischehaften Ordnungen mehr und mehr zerfielen, konnten sich die eigenwilligen Erkenntnis- und Triebkräfte des Wassermann-Zeichens aus ihrem Exil hervorwagen, und zu Beginn des Wassermann-Zeitalters wurden sie schließlich die eigentlich Gestaltgebenden. Der Typus des Ketzers im Fische-Weltalter, ob nun weltlich oder religiös, trat nun unwiderstehlich hervor als der neue und legitime Typus des „neuen Menschen“[16]).

URANISCHE WELTWENDE

Die Übergangszeit vom Weltalter der Fische zu dem des Wassermann

1425 – 1950 n. Chr.

Die kosmische Weltzeit, als eine lebendig prägende, wirkt sich im Gegensatz zur mechanischen Uhrzeit in gleitenden Übergängen und in rhythmischen Wellenbewegungen aus. So werden durch die kosmische Weltzeit Leben und Geschichte in Wellenhöhen und Wellentälern ausgegliedert. Von der Wellenkrone der Kulturhöhe gleitet die Zeitbewegung hinab ins Wellental, den Tiefstand der Kultur, um dann wieder aufzusteigen. Begegnung zweier Weltalter und ihrer Tendenzen, zweier Großkulturen, der absteigenden mit der aufsteigenden, kann es aber nur in den Wellentälern der Zeit und der Geschichte geben. Darum ist deren Bereich reich und vielfältig, ja schillernd ausgestaltet, synkretistisch, während die Kulturhöhe einheitliche und scharf geprägte Formen und Gesinnungen aufweist.

Ein solches Wellental bildet als Übergang zwischen zwei Kulturperioden zugleich eine Nahtstelle des Lebendigen. Wie schon dargelegt, umfaßt eine derartige Periode drei „Weltmonate" von je 175 Jahren, also insgesamt 525 Jahre. Es ist die sogenannte „Neuzeit" am Ende eines Weltjahres, die man auf Grund der Ereignisse auch als Zeitalter der Reformationen und der gehäuften Umstürze bezeichnen könnte.

Infolge der Rückläufigkeit des Weltmonatzyklus – in Analogie zu der rückläufigen Abfolge der Weltalter – bilden in allen Weltjahren die Weltmonate mit den Zeichen Zwillinge, Stier und Widder die jeweilige Endtriade. Es sind dies innerhalb der kosmischen Symbolik die klassischen Frühlingszeichen mit ihrer Diesseitigkeit, ihrem Optimismus und ihrer zu Leben und Gestalt dringenden Kraft. Die in ihrem Bereich wirksamen Lebensimpulse zielen auf Festsetzung in der Sinnenwelt, auf deren Genuß und rationale Bewältigung. In der ersten Phase der Endtriade oder der „Neuzeit", der Renaissance unter dem Vorzeichen der Zwillinge (1425–1600) ergriff der Mensch mit seinem forschenden und rechnenden Verstand die Welt und ihre Erscheinungen. Im mittleren Teil der Endperiode, unter dem Vorzeichen des Stiers (1600–1775), der Barockzeit, wird die Welt als Objekt des Genusses betrachtet. Die Welt wird zum Festsaal, die Kunst erblüht in den Hochformen des Sinnlichen, vielschichtige, umfassende Synthesen von Welt und Gott werden entworfen. In der Periode unter dem Vorzeichen des Widders (1773–1950) wird der Einfluß der Tradition zurückgedrängt, nur die Gegenwart, die Pioniertat gilt; in rücksichtslosem Egoismus wird die Welt ausgenutzt und der Fortschritt in

Permanenz erklärt. Das Schöpferische tritt vor allem glanzvoll hervor im Bereich von Wissenschaft und Technik — Mobilisierung aller Möglichkeiten ist die Tendenz dieses letzten Weltmonats des Fische-Zeitalters.

Je mehr aber diese Triade sich ihrem Ende zuneigt, desto mehr fließt die Substanz der jeweiligen Kultur aus den „Gefäßen", aus den Formungen, die zu ihrer Entstehung notwendig sind, ins Allgemeine und Formlose aus. Eine Säkularisierung nicht nur der Religion, sondern aller Kulturwerte hebt an. Zwar führt diese zu einer Verbreiterung der Kulturbasis, zu einer ungehemmten — freilich nicht mehr mit den alten strengen Maßstäben der Geisthierarchie zu messenden — Entfaltung aller, auch geringerer schöpferischer Kräfte und zu einer Miteinbeziehung von Volksschichten, die bisher vielleicht nur passive Mitträger des Kulturgeschehens gewesen sind. In solchen Endzeiten gleicht die Kultur einer niedrigen Pyramide mit breiter Basis, anstatt, wie in Hoch-Zeiten, einer steilen und spitzen mit einer schmalen Basis. Aber solche durch bloßes Summieren alles Möglichen herbeigeführte Verbreiterung der Kulturbasis, die Veröffentlichung der bisher den Wissenden und Verantwortlichen vorbehaltenen Geheimnisse des Himmels und der Erde führt schlußendlich zu einer Ausraubung, Verarmung und Verflachung der vorhandenen schöpferischen Kräfte auf allen Ebenen des innern und äußern Lebens. Durchaus gesetzmäßig endet darum die Entwicklung innerhalb dieser Triade, die mit einer Folge hochgestimmter Reformationen und Renaissancen als Erneuerungsbewegung eingeleitet wird, nach dem Ausfluten der entbundenen schöpferischen Kräfte im Skeptizismus, Nihilismus, Materialismus, in Menschenverachtung und -vergewaltigung.

Schon in der ersten, der Zwillingsphase, hat ein seherischer Künstler, Hieronymus Bosch, die Folgen dieses damals erst anhebenden Entbindungs- und Entbildungsprozesses in seinem berühmten Triptychon „Garten der Lüste" (zutreffender „Lobpreisung des Eros" genannt) dargestellt. Auf dem Höllenflügel dieses Triptychons erscheint als Mitte der durch Eiseskälte und Feuersgluten gequälten Verdammten der „Baummensch", dessen Füße aus toten Bäumen und dessen Leib aus einem aufgebrochenen und ausgelaufenen Ei besteht. Hieronymus Bosch, dieser unerbittliche Zeitkritiker und apokalyptische Seher, hat hier kompromißlos auf die sich bereits anbahnende Kulturkatastrophe hingewiesen. Denn was im hohen Selbstbewußtsein des Humanismus und des Intellektualismus der Renaissance begann, was sich im festlichen Weltgefühl, in der genußsüchtigen Weltergreifung des Barock ausfaltete und im Fortschrittsrausch des Widder-Monats kulminierte, endete im Höllenschrecken der beiden Weltkriege und der dadurch bedingten Entmachtung Europas. Voll unsagbarer Trauer blickt darum der „ausgelaufene" Baummensch aus der Eis- und Feuerhölle zurück auf den Irrgang, nach dem Retter ausschauend.

Die Epoche der Renaissance deckt sich mit der Phase des Zwillings-Weltmonats (1425—1600). Im Widerspruch zur über tausendjährigen abendländischen Tradition tritt nun eine neue Weise der Kunst wie des Weltverhältnisses hervor: Die Überwertung der Innerlichkeit im Mittelalter wird abgelöst durch eine leidenschaftliche und vorbehaltslose Zuwendung zur Außen- und Sinnenwelt. Der Goldgrund der Bilder, Symbol des in der Welt gegenwärtigen Göttlichen, weicht der behaglichen Schilderung der Landschaft, der Preisung der Natur; an den Platz des Erhabenen tritt das sinnlich Schöne; die Autorität der Tradition wird abgelöst durch die des Forschungsbeweises. Die Welt erscheint nun begehrenswert — nicht wie einst um Gottes — sondern um ihrer selbst willen. Die geistige Ordnung, sowohl der theologischen Systeme wie der kirchlichen Hierarchie, wird fragwürdig. Ein Reformversuch löst den andern ab: Einmal in offener Rebellion wie bei Hus und den Hussiten, dann durch den Versuch klugen Verhandelns wie im Basler Reformkonzil (1431—49) und schließlich durch den vollzogenen Abfall, die Aufspaltung der Kirche durch die Reformen von Luther, Zwingli und Calvin. Die Folge war aber — beabsichtigt oder nicht — eine tödlich wirkende Entblößung und Intellektualisierung des Mysteriums, entsprechend dem aufklärerischen Zwillingscharakter der Zeit. Durch die Erfindung des Buchdrucks mit beweglichen Lettern aus der Wirkung des Zwillingsprinzips (Gutenberg 1450) wurde die heilige Überlieferung in steigendem Maße der Beurteilung Aller unterstellt. So vollzog sich — ähnlich wie in den letzten Weltmonaten des Widder-Jahres (675—150 v. Chr.) — ein Abstieg von der mythischen zur logischen Weltdeutung. Der Mensch bemächtigte sich der Welt durch eine in der Konsequenz frevelhafte Entfleischung des Logos.

Dadurch, daß der Glaube aus der Verbindung mit der Gemeinschaft herausgelöst und der historischen und philosophischen Forschung überantwortet ward, wurde der Einzelne einer unmenschlichen Einsamkeit ausgeliefert. Aus dieser Einsamkeit vermochte er sich im Verlauf dieser Zeittriade, besonders im 19. Jahrhundert, nur noch in das radikale Bewußtsein seines Selbststandes, in die Hybris des Individualismus, in das Nützlichkeitsdenken und den Aktivismus zu retten. Der Mensch als „Schöpfer seiner selbst", die Abschaffung Gottes und die Proklamierung des „Menschengottes", die wiederum zu Greueln und Menschenmord jeder Art geführt haben, sind die Folgen davon, daß seit der Zeit des Zwillings-Monates die Mysterien analysiert und dem Menschen ausgeliefert wurden. Zweifellos ist es so, daß durch die Zwillingsphänomene Reformation und Renaissance eine Fülle von bis dahin im Menschen ruhenden und nur verborgen wirkenden Kräften entbunden wurden, was zu einer wahrhaften Glanzzeit der weißen Rasse führte, die sich von da an immer schneller über die Erde verbreitete und von ihr Besitz ergriff. Wissenschaft, Technik und Erforschung des Stoffes wie des Kosmos nahmen unvorhersehbare Ausmaße an. Aber es wurde dabei übersehen, daß durch diese immer ungehemmtere Entbindung von Kräften die weiße Rasse zugleich ihrer eigentlichen Reserven und schöpferischen Kräfte beraubt wurde. Durch den Abbau aller Bindungen und durch die Stimulierung eines einseitigen Individualismus kam es schließlich gegen Ende der Fischezeit zum Aufstand der modernen Welt und des Individuums gegen die Gemeinschaft, des einsamen Schöpfers gegen die Menschheitstradition.

Noch weitgehender wie in der Weltreformationszeit des Widder-Jahres (675–150 v. Chr.) – denn die auflösenden und einebnenden Tendenzen wirken sich unter dem Generalvorzeichen der Fische ungehemmter aus als unter dem des Widders – werden auch in der Endtriade der Fischezeit Religion und Gemeinschaftsform von den großen Ideenwurzeln gelöst, aus denen sie gewachsen sind. Das heilige Reich zerfällt nun endgültig in Nationalstaaten, die Raubgier der selbstsüchtigen Völker kann sich ohne Widerstand ausleben. Ähnliches ereignet sich im Bereich der Kirche. Die Idee der einen und unteilbaren Kirche, der Welt- und Menschheitskirche, der bisher umfassendste und wurzeltiefste Entwurf zur Einheit des Menschengeschlechtes, wird durch den Grundsatz der beliebigen Vielheit der Kirchen und durch die Auslieferung der Reformationskirchen an den Staat abgelöst. Somit wird, wie die gesamte Kultur, die Kirche in den allgemeinen Säkularisierungsprozeß einbezogen – jedenfalls werden immer neue Versuche hiezu unternommen. Da aber dadurch die Kräfte des Daseins der Ratio des Menschen überantwortet wurden, vermag dieser nicht mehr wie einst, weil in Gott ruhend, auch in seinen eigenen Werken zu ruhen. Denn durch die ungehemmte Ausdehnung seines Bewußtseins, welche auch eine unermeßliche Steigerung seines geschichtlichen Bewußtseins zur Folge hatte, ist der Mensch nicht nur seiner Geschichte, sondern auch sich selber gegenübergetreten. Infolgedessen hörte er auf, sich selbst als ein Mysterium zu erfahren, dessen Schlüssel er nur aus Gottes Händen empfangen kann – er wird vielmehr zu seinem eigenen Experimentierfeld – sich selber entfremdet und fragwürdig.

Der Realismus und Intellektualismus des Zwillingsprinzips, seine große geistige Beweglichkeit, die zu der gewaltigen Raum- und Bewußtseinsexpansion der weißen Menschheit antrieb, wurde in dem venusbestimmten Stier-Monat, der ab 1600 den der Zwillinge ablöste, noch einmal in einer synthetischen Geistes- und Weltschau zusammengefaßt. Die durch die Zwillingsexpansion ungeheuer erweiterte Welt wird nun dem Menschen erstmals zur Spielbühne, zu einem Welttheater, auf dem Gott, der Teufel und der Mensch das Weltendrama aufführen. Nun tritt alles in die Sichtbarkeit, alles Verborgene blüht aus, alles Vorhandene wird im Licht verklärt und in sinnenhafter Gestaltung genossen. Das Leben wird zum Spiel vor Gott, die Kirche zum Schloß, und im Königsschloß wiederum steht der Götterthron des Sonnenkönigs.

Unter den Künsten ragt insbesondere die Musik hervor, die zur süßen Reife und zu ihrer klassischen Form gedeiht. Die Zartheit und Innigkeit des Fischeprinzips verbindet sich in dieser Zeit ihrer Klassik mit dem venushaft Wohllautenden und den festen Formen des Stierprinzips. Zum erstenmal im Abendlande tritt die Musik in der Weise einer tönenden, beseelten Architektur hervor. Andererseits führt der stierhafte Schönheitskult zur Ausbildung des Dekorativen. Der Kunst wird die Aufgabe übertragen, für das Fest des Lebens die Kulissen hervorzubringen. Die Bühne ist geschaffen; jetzt kann sich das hohe Drama entfalten: Shakespeare, Racine, Corneille, Calderon, das Jesuitendrama finden hier alle Voraussetzungen zur Ausgestaltung und Blüte. Alles tritt in dieser Zeit in eine neue Dimension der sichtbaren Schönheit, die Religion wie die Liebe, der Staat wie die Wissenschaft. Aber zugleich spüren die Menschen jener Stierzeit, daß die Reformation der Renaissance doch nur das Denken, nicht aber das Leben und die Gestaltskräfte betroffen hat.

Eine Generalreformation wird angestrebt, deren eigenwilligste Fanfare gerade zu Beginn dieses Stier-Monats ertönt: in dem großen Reformationsversuch der durch J. V. Andreä ausgelösten Rosenkreuzerbewegung, einem ernsthaften Versuch, die seit dem Zwillings-Monat zerbrochene Einheit von Wissen und Glauben wieder ineinander zu fügen. Noch einmal eignet dem „Zwischenmonat“ Stier ein Blick für das Ganze, bevor im Endmonat Widder die europäische Kultur, eine überreife Samenkapsel, aufbricht und ihre Kräfte, Erkenntnisse und Gestaltungen wie Flugsamen über die ganze Erde verbreitet. Was aber in der Rosenkreuzerbewegung[17]) in kühner Vorwegnahme angestrebt wurde, ein kosmisches Denken, eine sophianische Durchdringung und Vermählung aller Lebensformen, das Christliche nicht nur als Glaubens- sondern auch als Erkenntnisweise (Gnosis), die Überwindung der Theologie durch die Theosophie, eine aus All-Liebe und Allwissen gewirkte Brüderlichkeit — das alles wird sich erst in der Ganzheitserfahrung der beiden ersten Weltmonate Fische und Wassermann des Wassermann-Zeitalters (also längstens bis zum Jahre 2300), in der Heraufkunft des bis dahin herangereiften wassermannhaften Christentums verwirklichen[18]).

Am Ende des Stier-Monats und schon im Übergang zu dem des Widders erscheint sodann als seine Krönung und geistig-künstlerische Summe Mozart, der „letzte Musiker" und Diesseitsmystiker mit der göttlich-menschlichen Komödie der „Zauberflöte" — ein Stern über dem im Sumpf des Materialismus versinkenden Abendlande. Der Stier-Monat ist die hohe Zeit der Menschheitsmusik. Eine solche Blüte war seit dem Beginn der Hochkulturen noch niemals aufgebrochen, und sie war auch nur im Bereich der so tief empfindenden Fischezeit durch ihre Empfänglichkeit und Offenheit möglich. Erst unter diesem Vorzeichen vermochten die Schwingungen des Kosmos, die Sphärenharmonien bis zum Seelengrund des Menschen durchzudringen und in der festhaltenden, zur Gestaltung drängenden Kraft des Stiers in seinem Weltmonat zur Kunstform zu gedeihen. Die vielfachen Versuche der Fischezeit, die Strahlungen und Schwingungen des Heiligen, des Kosmischen und des Seelischen in einem klingenden Spiel als Symphonie hörbar zu machen, finden ihre unüberbietbare Vollendung in der innigen Seelen- und Sphärenmusik Mozarts.

Freilich schwingt in Mozarts Schöpfungen, die auf der Grenze zweier Zeiten hervortraten, bereits ein wesentliches Element des nun schon insgeheim anhebenden neuen Zeitalters. Denn auch Mozarts Horoskop zeigt innerhalb seines Lebens und Wirkens, nachdrücklich die Wirksamkeit des in seiner Lebenszeit entdeckten Planeten Uranus an, der als das Symbol des neuen Zeitalters verstanden wird. Die schier unfaßbare schnelle Beweglichkeit, das Tänzerische und Sprunghafte ist Mozart ebenso eigentümlich wie der ganzen Zeit, die durch das Bewußt- und Sichtbarwerden des Planeten Uranus gekennzeichnet ist. Eine Kettenreaktion von Revolutionen und Erfindungen hebt nun an und im Zusammenhang mit der Lebenshaltung, aus der sie hervorgegangen, eine unendlich vertiefte Hörsamkeit für den „Klang der Welt". Mozart, weitgehend durch das Uranusprinzip bestimmt, machte eine bisher noch nie wahrgenommene Tiefe der Welt, des Seins hörbar.

Der Widder-Monat beginnt durchaus in entsprechender Weise etwa mit der Zeit der Französischen Revolution — mit dem ersten radikalen und darum unendlich folgenschweren Traditionsbruch der beiden letzten Jahrtausende, der zugleich der Ausbruch eines ebenso maßlosen wie irrealen Optimismus in Bezug auf das Wesen des Menschen und den Verlauf seiner Geschichte war. Denn in der Proklamation der Prinzipien der Französischen Revolution: Freiheit, Gleichheit, Brüderlichkeit wurden, in jähem Drang nach einem Idealzustand auf Erden, die wirklichen Möglichkeiten des Menschen überzogen. So führten die drängenden Widderimpulse noch im Bereich der ohnedies zu Nachgiebigkeit und Selbstopfer, aber auch zu Selbsttäuschung neigenden

Fische-Mentalität zu einer Überwertung des Prinzipiellen und zur Negierung des Wachstümlichen. Die Mentalität des Widderprinzips im Fische-Zeitalter läßt eben noch einmal, wenn auch schwächer, die Diesseitigkeit und die Kampflust des Widder-Zeitalters anklingen. Aber weit über dessen Tendenzen hinaus wurde nun im Widder-Monat ein ungezügelter Optimismus und der daraus erwachsende Fortschrittsglaube, ein pionierhafter Elan und eine Kettenreaktion von Revolutionen zum Schicksal nicht nur Europas, sondern der ganzen Menschheit.

In besonderer Weise war die Zeit des Widder-Monats ein Zeitalter der Revolutionen, die sich in drei großen Phasen abwickelten. Mit der Überfülle neuer Entdeckungen und neuer Einsichten sowohl im Gefüge des Makro- wie des Mikrokosmos hing eine Kettenreaktion von Umstürzen zusammen, zu denen die Entdeckung von drei neuen Planeten innerhalb der 175 Jahre des Widder-Monats in Parallele steht. So wurde im Jahre 1780, noch zu Lebzeiten Mozarts, zu Beginn der ersten nationalen Revolutionsphase durch Herschel der Planet Uranus aufgefunden, der seitdem als Symbol der Reformen gilt; zu Beginn der zweiten internationalen Phase wurde der als Symbol der Entgrenzung und All-Liebe verstandene Planet Neptun entdeckt und gegen Ende der dritten mundanen Revolutionsphase der alles aufsprengende Planet Pluto.

Gewiß bedeutet für eine rationalistische und aufklärerische Mentalität diese Häufung an Planetenentdeckungen nichts weiter als eine bloß quantitative Vermehrung der Erkenntnisse der Planetenwelt. Wer aber bereits von der Mentalität der Wassermannzeit, von einer Ahnung der Sympathie aller Dinge und Welten ergriffen ist, für den kann es unmöglich ein bedeutungsloser Zufall sein, daß innerhalb von eineinhalb Jahrhunderten die Anzahl der Planeten — in der Kenntnis des Menschen — um fast die Hälfte vermehrt worden ist. Da die Planeten nach der „großen Überlieferung" der Menschheit zugleich Urbilder des Lebens repräsentieren, sind damit drei bisher latente „Urbilder" in Wirkmächtigkeit getreten: Uranus, der Allumfassende, der blitzgleich sich Bewegende und in der Erkenntnis Durchdringende, Neptun, der unendlich Flüchtige, alle Fernen gestaltlos Erfassende, der das Nervensystem in höchste Schwingungen zu versetzen vermag und Pluto, der mit unheimlicher Gewalt schöpferisch die Gründe der Lebens Aufrührende. Von nun an sind die Kräfte der Urbilder, die durch diese neuen Planeten repräsentiert werden, da sie mit Vernunft erfaßt und in das Bewußtsein eingeprägt sind, als wirkende Mächte in der Seelenwelt und in der Geschichte aufgewacht und mitbestimmend im Denken und Handeln des Menschen geworden.

Man kann, um die Bedeutung des neuen Planeten zu ermitteln, auf zwei Weisen verfahren: Man zieht die Theoria, die Überschau, die Weisheit der Alten, die noch von den wesentlichen Zusammenhängen von Geist und Physis, von Kraft und Stoff — wenn auch nicht auf modern-wissenschaftliche Weise — unterrichtet waren, zu Rate. Oder man sammelt durch die Praxis — das will sagen durch die Beobachtung — Material, aus dem Schlüsse auf das Wirken neuer Kräfte im Bereich des Menschen und seiner Geschichte und über den Grund seiner veränderten Mentalität gezogen werden können. Denn um das Kraftfeld zu umschreiben, das ein Planet unten wie oben repräsentiert, bedarf es der Feststellung bestimmter Gesinnungsweisen und Handlungsschemen des Menschen, sowie der Möglichkeit des Vergleichens. So wurde Uranus sowohl aus der Theoria wie aus der Praxis, durch geistige Überschau wie durch die Statistik, als der Planet der großen Kräfteballungen und blitzhaften Entladungen bestimmt, des Originellen und Unvorhersehbaren, des Plötzlichen, Durchschlagenden und Umwälzenden. Eine neue, nicht mehr in erster Linie logische, sondern translogische, komplementäre Denkart setzt sich als Folge seiner Einstrahlung durch, ein neues, nicht mehr statisches, sondern dynamisches Weltgefühl. Die Intuition, die Zusammenschau der Gegensätze erlangt eine zentrale Bedeutung.

Mit dem Auftauchen des Uranus beginnt die Schnelligkeit mit ihren Instrumenten mehr und mehr die Weise und den Rhythmus des Menschenlebens zu gestalten. Es erwacht nicht nur ein neues Vertrauen in die Bewegung, sondern es werden auch die Mittel gefunden, sie im Interesse des Menschen zu steuern. Als Planet der Umwälzung und des Neuen scheint Uranus in Analogie zu stehen mit der Französischen Revolution, in deren Zeitraum er entdeckt wurde, und die sich als Mutter aller Revolutionen seit mehr als 150 Jahren erwies. Nicht zufällig besteht eine Synchronizität zwischen seiner Bewußtwerdung im Menschen und der Erfindung der Dampfmaschine. Mit dieser war erstmals in der Menschengeschichte eine Ablösung von der Muskelkraft von Mensch und Tier und die von beiden unabhängige Bewegung vollzogen; so war wenigstens im Prinzip deren fast unbeschränkte Beschleunigung möglich geworden und als Folge die totale Beweglichkeit des Menschen und die Produktion von Massengütern. Damit war das Zeitalter der Massen und der Vorherrschaft der maschinellen Produktionsweise angebrochen.

So wurde mit der Entdeckung des Uranus, des ersten der „neuen Planeten", bereits jene uranische Weltwende eingeleitet, die um 1950 allgemein wahrnehmbar in Erscheinung trat. Die Wurzeln des Wassermann-Zeitalters reichen also bis in jene Zeit der Französischen

Revolution zurück, in welcher der sich unendlich fortzeugende Aufstand der Massen, der Atheismus, die Zerstörung des abendländischen Ordnungsgefüges, aber auch neue Denk- und Handlungsweisen ihren Anfang nahmen. Damals wurden auch die ersten uranisch-akausalen Heilmethoden, wie diejenigen Mesmers und Gassners ausgebildet, welche erst die geistigen und feinstofflichen Kräfte zu nutzen verstanden. Die Entdeckung und erste Auswirkung der Uranuskräfte und des uranischen Lebensprinzipes bedeutet jedoch nur die erste, nationale Phase des widderhaften Revolutionszeitalters, der um 1848 die zweite, internationale („Proletarier aller Völker, vereinigt euch") und ab etwa 1900 die dritte der Weltrevolution folgte. Erst mit dem Ablauf aller drei Phasen wurden die eigentlichen Absichten und Ziele dieses Revolutionszeitalters (Widder-Monat im Fische-Weltalter), die aktive Auflösung und Umwälzung aller bestehenden Lebensverhältnisse, sowohl der seelischen Haltung wie der Erkenntnisweise, der technischen Hilfsmittel wie der sozialen Bezüge, offenbar. Besonders aber in der dritten, mundanen Phase wurde vollends deutlich, daß der weiße Teil der Menschheit, stellvertretend für die übrigen Teile, die Elemente eines sechstausendjährigen Lebenssystems auszuschalten begann. Zugleich traten die neuen Denkweisen und Hilfsmittel der Zukunft von Jahrzehnt zu Jahrzehnt deutlicher hervor.

So wie Uranus für die Tendenzen der ersten Phase kennzeichnend und auslösend war, so war es Neptun für die zweite. Es ist durchaus aufschlußreich, daß dieser Planet Symbol des Feinstofflichen und der raum- und zeitüberwindenden schwingungshaften Durchdringung jeder Ferne, der Erfassung des Unfaßbaren und des Indienstnehmens unsichtbarer Kräfte, nicht mehr wie der Planet Uranus durch unmittelbare Anschauung gefunden wurde. Er wurde vielmehr auf abstrakte Weise durch mathematische Berechnung, durch die neue Mathematik und die nichteuklidische Geometrie des „uranischen" Mathematikers K. Fr. Gauß (1777–1855) entdeckt, auf dessen neuem Denken die Erforschung des Unsichtbaren und die Entwicklung der Maschinenwelt, der Technokratie beruht. Neptun ist der Signifikator der Elektrizität, die um die Zeit seiner Entdeckung erstmals systematisch erfaßt und genutzt werden konnte. Damit beginnt das Zeitalter der nicht ortgebundenen Krafterzeugung (im Gegensatz zur Dampfmaschine); Kraft kann von nun an wie ein Stoff über weite Strecken transportiert werden. Im Gegensatz zu allen bisherigen Kraftmitteln (auch noch der Dampfkraft) ist sie eine unsichtbare und gewissermaßen übersinnliche Kommunikation; das will sagen: Mit ihrer Entdeckung und Handhabung beginnt ein Zeitalter des Unsichtbaren. Von nun an werden sich die Menschen im Unsichtbaren genau so sicher bewegen können wie bisher in der sichtbaren Welt.

Die Auffindung des Planeten Neptun um die Mitte des 19. Jahrhunderts steht offensichtlich in Parallele zu einer Freisetzung von bisher als wunderhaft empfundenen verborgenen Kräften, die um diese Zeit sich in der ganzen Menschheit ereignete. Eine ungeheure Steigerung des Phantasielebens, die Aktivierung bisher schlummernder Nervenzentren, war die Folge davon. Auf den verschiedensten Ebenen war die Wirkung festzustellen: In der Handhabung der „unsichtbaren Kraft", der Elektrizität, im Aufkommen sowohl des Okkultismus wie in der Mehrung mystischer Phänomene, in Entartungen des Nervenlebens. Um diese Zeit wurde auch die nur neptunisch zu erschließende Sphäre des Unbewußten im Menschen entdeckt und erforscht. Der Okkultismus breitete sich wie eine feinstoffliche Flut über Europa und Amerika aus. Der Anlaß hiezu war folgender: Im Jahre 1848, zur Zeit der Entdeckung des Neptun, meldeten sich zuerst in Hydesville (U.S.A.), dann in 60 000 Haushaltungen des übrigen Amerika und schließlich wie eine Infektion auf ganz Europa überspringend, die Klopfgeister, welche vorgaben, unmittelbar Kunde aus dem geistigen Reich zu vermitteln. Einerseits wurde die der Skepsis verfallene weiße Menschheit dadurch wieder auf die Existenz und das Wirken eines sowohl göttlichen wie dämonischen geistigen Reiches aufmerksam gemacht, andererseits verfielen zahllose Menschen durch diese Botschaften der Blendung und Verblendung. Denn Neptun ist nicht nur der Quellgrund der intensivsten und feinsten Schwingungen, der Urheber der mystischen Erfahrung und des symbolischen Denkens, der Erreger einer alle Lebewesen umfassenden All-Liebe und der verfeinerten künstlerischen Regungen, sondern auch der Erzeuger von Illusionen, von Süchten und Wahnvorstellungen auf allen Gebieten.

Die Ausweitungstendenzen des Neptunischen beschworen einerseits eine Fülle okkulter und mystischer Phänomene herauf, andererseits führten sie zur irrealen Aufhebung irdisch notwendiger Grenzen. So werden im Bereich des Sozialen durch die ideologische „Gleichheit" die Grenzen der Stände aufgehoben; im Ästhetischen, in den Künsten zeigt sich eine Verwischung der Grenzen im sogenannten Gesamtkunstwerk (Wagners Werk und Intentionen haben stark neptunische Züge), zum andern in der Musikalisierung der Malerei, in der malerischen Musik, im Überhandnehmen des Romans als Weise der Erotisierung der Literatur.

Ein typisch neptunisches Phänomen ist das die Weltrevolution einleitende Kommunistische Manifest, das die sozialen Mißstände des beginnenden Massenzeitalters zum Anlaß nahm, um den Umsturz der gesamten sozialen Ordnung und die Zerstörung aller bisherigen Werte der Menschheit einzuleiten. Hierbei mischten sich zwei einander im Grunde entgegengesetzte neptunische Wirkkräfte: Grenzenlose All-

Liebe, praktisch als hingebungsvoller Fürsorgewille für jedes Lebewesen, und die neptunischen Verblendungs- und Illusionstendenzen, der Wahn, daß das Zusammenfließen der Gegensätze, das in den obersten geistigen Regionen der Schöpfung möglich ist, ohne weiteres auch auf die immer widerspruchsvollen irdischen Verhältnisse zu übertragen und in ihrem Bereich zu verwirklichen sei. Diese Überflutung der Menschheit mit den entgegengesetzten neptunischen Gefühls- und Vorstellungsweisen hatte folgenschwere geschichtliche Auswirkungen: Einerseits als Kommunismus, als gewalttätiges und blutiges System zur Herbeiführung des „Himmels auf Erden" und organisierter „Brüderlichkeit"; andererseits — in gemilderter Form — als Wohlfahrtsstaat des verwalteten, verdinglichten Menschen. Durch Ausschaltung aller Unsicherheitsfaktoren und „Zufälle" glaubt man eine dauernde Sicherstellung von Nahrung, Kleidung und Wohnung für alle Menschen erreichen zu können. Solange die Menschheit unter dem Vorwalten der Neptuneinflüsse steht — noch etwa 170 Jahre lang — werden die aus neptunischem Wahn und mißverstandener All-Liebe entstandenen Sozialsysteme noch zu faszinieren vermögen.

Auf neptunische Einflüsse seit der Mitte des 19. Jahrhunderts ist auch die „neue Heilkunst" zurückzuführen — die Heilung durch feinstoffliche Kräfte und in hoher Weise durch das Gebet. Die neue Heilkunst beruht auf dem Versuch, einen unmittelbar heilenden Einfluß auf die Lebenszentren des Menschen zu gewinnen. Man kann die „magnetischen Heilungen" Mesmers um die Zeit der Französischen Revolution noch aus dem uranischen Prinzip herleiten; jedoch im Exorzismus Pfarrer Gaßners und vollends in der charismatischen Heilweise J. Chr. Blumhardts um die Jahrhundertmitte ist die Wirkung neptunischer Kräfte zu erkennen[19]). Auch die Heilweise der Homöopathie mit ihrer merkurial unbegreiflichen Verdünnung der Heilstoffe gehört in diesen Bereich. Zweifellos werden im Wassermann-Zeitalter die Heilungen durch charismatische, psychische oder feinstoffliche Einwirkung oder durch Veränderungen im elementaren Gefüge der Physis eine bedeutsame Rolle spielen.

In den neptunischen Bereich der Kommunikation des Nahen und Fernen gehören auch die berühmten Marienerscheinungen des 19. Jahrhunderts, so die erste von La Salette (1846) und diejenige von Lourdes (1858), die mit der Entdeckung des Neptun einsetzten. Nicht als ob Neptun ihr Urheber wäre — aber durch seine Einstrahlung ist das Gefüge der menschlichen Seele empfindlicher, medialer und auch in den Tiefenschichten kontaktbereiter geworden. Alle diese und spätere Marienerscheinungen wollen die gelockerte Verbindung des Menschen mit dem Göttlichen wieder erneuern. Durch sie fällt ein Strahl der All-Liebe in die Dunkelheit jener Zeit, als eine heilsame göttliche Gegenwirkung gegen die erschreckende Zunahme des Satanismus im 19. Jahrhundert, der allerdings erst im 20. Jahrhundert, seit der Entdeckung des Pluto, seinen Höhepunkt erreichte.

Neptun ist zwar kein Symbol für Satan oder satanische Kräfte. Da er aber durch die Entgrenzung, die er bewirkt, die Kommunikation von allem mit jedem ermöglicht, des Menschlichen sowohl mit dem Göttlichen wie mit dem Satanischen, des Heilen mit dem Heillosen, da er als eine gestaltlose Kraft sich in den Dienst eines jeden Gestaltprinzips stellt, kann seine Wirkkraft auch von den dunklen Mächten in Anspruch genommen werden. Satan als Vater der Lüge ist imstande, sich des Zauberischen in Neptun zu bedienen — wie anderseits auch das Mütterliche in Gott, das in den Marienerscheinungen hervortritt, durch die unfaßbare Neptunwirkung ins Innerste der Seele zu dringen vermag.

Obwohl Pluto, das Urbild und die Kraftsphäre, durch deren Wirkung die dritte Phase der Revolution geprägt ist, erst um 1930 (etwa gleichzeitig mit dem praktischen Gelingen der Atomspaltung, der totalen Wandlung der Materie in Kraft) als Planet entdeckt wurde, sind seine Vorwirkungen bereits seit etwa 1900 festzustellen. Denn um diese Zeit wurden die Methoden ausgebildet, die zu einer entscheidenden Wandlung sowohl unserer Erkenntnis vom Leben und seinen Qualitäten, wie unseres Standes in der Welt geführt haben. Pluto als Planet der Wandlung entblößt den Kern; durch seine Wirkung wird allen Gestalten und Wesen die sowohl schützende wie täuschende Maske abgezogen. Plutowirkungen machen alles nackt und unmittelbar — sowohl im positiven wie im negativen Sinn. Wenn die Uranuskräfte in Analogie stehen zu Aufbruch und Umsturz, zum Zerbrechen verhärteter Formen, zu gewaltigen Kraftballungen und -entladungen, zu blitzhaften funkensprühenden Verbindungen auch der entferntesten Pole — wenn die Neptunkräfte Entgrenzung alles Gestalthaften, Überflutung aller Pole, höchste Verfeinerung aller Gefühle, mediale Empfindlichkeit, aber auch die Gefahr der Täuschung und der Illusionen hervorrufen, so bewirken die Kräfte des Pluto die Wandlung und die erneute Ballung und Umformung des solchermaßen aufgelösten und „mürbe" gewordenen Lebensstoffes. So entspricht Pluto riesigen, plötzlichen Stoff- und Kraftballungen unter Ausschaltung alles Wachstümlichen und Organischen. Durch Einwirkung der Plutokräfte kommt es zu einer Kollektivierung der Menschheit. Die Turbine des „Betriebes" in ihrer rasenden Drehung erzeugt im Auflösungsprozeß der entgrenzten Individualität Kräfte von solch gewaltigem Ausmaß, wie sie noch niemals in der Menschheitsgeschichte freigesetzt wurden. Diese plutonischen Kräfte — entbunden durch Senkung des Gesamtniveaus, durch Vernichtung der organischen wie der traditionell-geschichtlichen

Bindungen, durch Entwertung des Individuellen (der eine ebenso weitreichende und nicht minder gefährliche Überwertung vorausgegangen ist) — stehen von nun an der Menschheit für die Verwirklichung ihrer gewaltigen Pläne, zur Erlangung der Totalherrschaft innerhalb des Sonnensystems, der Bemächtigung sowohl des Innern des Menschen wie des Erd- und Weltraumes zur Verfügung. Insofern die Plutokräfte alles Stoffliche, Vereinzelte, alles Hochdifferenzierte, alles in Schönheit Erblühte gestaltvernichtend in ungeheure Vernichtung zwingen, geht von ihnen eine tödliche Wirkung aus. Durch ihre Zwinggewalt werden Völker unter Mißachtung ihrer Lebensgesetze, vom rücksichtslosen Willen der Tyrannis zur Verwirklichung einer Ideologie eingespannt, wie im Nazismus und Bolschewismus. Die 50 Millionen Opfer des letzten Weltkrieges stellen eine plutonische Kraftauspressung der Völkerleiber dar. Pluto konzentriert und entbindet die „reine Kraft" der Schöpfung — im Menschen wie im Stoffe. So war es möglich, durch die plutonische Atomspaltung die Kernkraft aus dem Erdstoffe herauszulösen und auf kleinstem Raum zur beliebigen Verwendung durch den Menschen zu konzentrieren. Durch Plutowirkung dringt diese in bisher unzugängliche Tiefen des Lebens, in denen Tod und Leben noch eins sind, zum Ort der ungespaltenen, undifferenzierten Kraft.

Bisher kannte die Menschheit nur Kraft in organischer Bindung — d. h. an den Sinn gebundene Kraft — die, wenn hervortretend und sich manifestierend, immer wieder durch eine polare Gegenkraft eingeordnet, gebunden und so jederzeit für das Ganze dienstbar gemacht werden konnte. Durch die plutonischen Einwirkungen ist aber der Mensch erstmals zur Quelle der Kraft gelangt, wo er sie noch ohne Vermischung mit den organischen Stoffen gewinnen kann. Aber im Gegensatz zum Status der drei letzten Weltalter sind nun Sinn und Kraft, die vom Ursprung her eins waren, auseinandergefallen, weil der Mensch sie zerspalten hat. So wie sich selber, hat der Mensch auch die Kraft „nackt" gemacht. Kraft und Sinn sind ursprünglich zwei aufeinander bezogene Pole, aber durch den Verlust des Sinnes ist die Kraft einpolig geworden — ungerichtet und rasend. Wenn aber der Mensch die Kraft richten und wieder auf einen zweiten Pol beziehen will, so wird er den entsprechenden Pol in der äußern Natur nicht mehr finden. Er findet ihn einzig noch im Geiste des Menschen selber. Wenn darum sein Geist (was nicht identisch ist mit dem unterscheidenden Intellekt) auch nur einen Augenblick schwach wird, so wird die durch den Menschen einpolig entbundene, ungerichtete Kraft ihn selber und große Teile der Schöpfung auffressen, d. h. ihn selber in richtungs- und sinnlose Kraft verwandeln. Da einzig in Gott Sinn und Kraft nicht nur polar bezogen, sondern sogar identisch sind, so wird der Mensch, wenn er der von ihm freigesetzten Kraft Herr werden will, sich noch mehr, noch inniger und jenseits der zu Formeln gewordenen Gottes-Bilder an Gott binden müssen.

In der Widderzeit wurde Gott in der äußern Welt gesucht und gefunden — die göttlichen Kräfte durchströmten auf eine herrliche und mit den Sinnen wahrnehmbare Weise die Natur. Wer mit ihr kommunizierte, nahm Anteil am Göttlichen. In der Fischezeit wurde Gott im Innern entdeckt — durch die Seele kommunizierte der Mensch mit Gott. Nun aber wird man tiefer, wie in die Schöpfung, so auch in Gott „hinabsteigen" müssen, um mit dem göttlichen Ur zu kommunizieren. Der Mensch wird — welch hohes und gefährliches Unternehmen — mit den Feuer-, Licht- und Erkenntniskräften in Gott in Bezug treten. Dann wird allerdings Gott zu lieben, ihm nachzugehen, sich vor ihm nackt zu machen, um ihn nackt zu finden, ein gefährliches Unterfangen sein. Wem dies gelingt, und wer dabei nicht aufflammend zum Grunde oder zur Höhe fährt, der wird als ein von elementischem Gottesfeuer strahlender Mensch in der Welt wirken, Gott durch sein Dasein bezeugend.

Drei Ereignisse weisen bereits um 1900 auf die anhebende Auswirkung plutonischer Kraft und Geisteshaltung hin: Die Entdeckung der Atomphysik, durch die es erstmals möglich war, in das Innere der Materie zu dringen, die moderne abstrakte Kunst, die dem Sinnenleib der Welt das Gewand abstreifte, und die Entdeckung der Tiefenpsychologie, deren Methoden ein unmittelbares Eindringen in die Seelentiefe und in die Sphäre der menschlichen Impulse erlauben. Durch diese Entdeckungen sind die „gläserne Welt" und der „gläserne Mensch" Wirklichkeit geworden. Die Tiefenlotung, sei es des Weltraums (uranisch), sei es des Inneren der Seele (neptunisch) oder des Kerns der Materie (plutonisch), die Gegenwärtigsetzung der jenseits der Erdatmosphäre, dem Bewußtsein und der festen Materie wogenden Kräfte (der Kruste, die den Menschen und seine Welt schützt), hat Sigmund Freud prophetisch in dem Motto seiner revolutionären Traumdeutung angekündigt: „Und kann ich die Götter (die Welt des Uranischen) nicht stürzen, so will ich die Unterweltlichen (das Reich des Plutonischen) in Bewegung setzen." Freud, der durch seine Forschungen um die Gestaltung und Wirkung der dem Uranium und Plutonium entsprechenden reinen Triebkräfte wußte, prophezeite zudem eine revolutionäre Explosion unserer Gesittung durch das steigende „Unbehagen an der Kultur", das eine Folge der allzu weit getriebenen Zähmung und Rationalisierung der Impulse ist. In dem nicht mehr zu verhindernden Empordringen der gewaltigen, bisher wie der Geist in der Flasche verschlossenen Triebkräfte, liegt aber auch der psychische, innermenschliche Anstoß zur Atomspaltung, die ja die gebundenen Kern- und Triebkräfte der unbelebten Natur freisetzen wollte, und schließlich zur Erfindung der Atombombe selbst. Aber auch die Weltrevolution, durch deren Anbruch die gesamte sittliche, soziale und geistige Ordnung der weißen Rasse, die Weltordnung unserer Zeit schlechthin, zertrümmert wurde, ist auf denselben Anstoß zurückzuführen.

Zur gleichen Zeit, in der die Grundeinsichten, die zu einem Umsturz des abendländischen Weltbildes wie zur Atomspaltung führten, durch Planck, Einstein, Eddington und andere entwickelt wurden, fand auch eine andere Spaltung der Sinnenwelt und eine sich daraus ergebende geistige Explosion statt — eine Explosion der Formen in der modernen Kunst, durch welche die gesamte Überlieferung der bisherigen Kunst der Menschheit überspielt wurde. Kandinsky, der Erfinder der abstrakten Kunst, setzt deren Grundprinzip ausdrücklich in Beziehung sowohl zur Geistverkündung des Joachim von Fiore wie auch zur Atomphysik.

Den drei neuen transsaturnischen Planeten eignet eine außerordentlich lange Umlaufzeit um die Sonne.Dies legt den Schluß nahe, daß, übertragen auf die entsprechenden Phänomene in der Menschenwelt, damit nicht Kräfte aus der persönlichen Sphäre des Individuums aufgebrochen sind und nicht dieses selber durch Ausweitung seines Wirkungsfeldes und seiner Erkenntnismöglichkeit bereichert worden ist. Vielmehr handelt es sich um das Wirksamwerden allgemeiner und schicksalswirkender Kräfte. Während seit dem Beginn der Neuzeit (1425), im Grunde aber schon seit der Jahrtausendwende (seit dem „Monat" der Jungfrau) das Individuum anstelle der Gemeinschaft in den Vordergrund tritt und im letzten Monat des Fische-Jahres (Widder) die Überwertung des Individuums und der Geniekult durch den so ichhaften Widder Triumphe feiern, brechen nun aus dem verleugneten, durch die Aufklärung und den wuchernden Materialismus zugedeckten Grund Explosionen von ungeheurer, schicksalsträchtiger Gewalt hervor. In Entsprechung zu dem Gesetz, nach dem die konsequente Demokratie die Heraufkunft der Tyrannei vorbereitet, führt die Hybris des Individualismus (letzte Monattrias) zum Ausbruch so tiefgelagerter und geballter Kraftzentren, wie dies noch niemals in der Menschheitsgeschichte der Fall gewesen ist. Man könnte dies mit der ebenfalls in der Zeit um 1900 anhebenden systematischen Anbohrung und Ausbeutung der unterirdischen Ölseen vergleichen.

Während nun in der Endtriade der Fischezeit die mit dem Beginn derselben anhebende geistige Revolution ihren materiellen Ausdruck als Totalrevolution sämtlicher Lebensbereiche fand, zog sich die Kirche, teils von den Empörern bedrängt, teils unfähig, mit der rasenden, ambivalenten Entwicklung Schritt zu halten, in ein Ghetto zurück.

Noch einmal war sie, im Barock des Stier-Monats, wie ein in Saft stehender Lebensbaum in Blüten ausgebrochen — wenn auch bereits angekränkelt von der europäischen Aufklärung und deren Rationalismus. Dann aber senkte sich nach der Französischen Revolution ein grauer Schleier über die christliche Kirche; um ihren Feuerkern bildete sich eine harte, immer mehr erkaltende Lavaschicht, durch die ihr Wesentliches von der Welt geschieden wurde. Die Theologen, als die intellektuellen Träger der Kirche, bemühten sich einerseits, die in der Kirche geborgene Wahrheit durch den plattesten Moralismus und Intellektualismus einzugrenzen, andererseits sie psychologisch und historisch zu relativieren. Wohl brachen eine Fülle von Charismen in der Kirche auf — aber sie erreichten die Welt nicht mehr. Namen und Gestalten wie Joh. Chr. Blumhardt, der hl. Pfarrer von Ars, die kleine hl. Theresia, die großen Marienerscheinungen, durch die Kinder zu Propheten wurden, sind Zeugen für das heimliche Leben der Kirche im Widder-Monat.

Aber um 1900, im ersten Aufbruch der plutonisch angetriebenen geistigen und materiellen Weltrevolution, trat auch die Kirche langsam und zögernd aus ihrem Ghetto wieder hervor — in eine ihr gänzlich fremd gewordene Welt, belastet durch bedeutungsvolle Traditionen, die sie als einzige Institution seit dem Stier-Weltalter bewahrt hatte. Zwar wird sie solche Traditionen (der Gott, der sich zur Speise gibt, die magna mater, die Leibhaftigkeit der Kirche), weil sie die einzige legitime Hüterin des geistigen Menschheitserbes ist, auch für die Zukunft bewahren müssen. Dennoch wird für die Liebhaber geistlicher Altertümer ein Verlust bevorstehen. Denn die Kirche wird viele ihrer tiefsinnigen Formen und Symbole, die, weil nicht mehr verständlich, ihren Dienst am Heiligen nicht mehr zu erfüllen vermögen, hinter sich lassen müssen. Wenn Gott, was zu erwarten ist, durch seine fortgesetzte Inkarnation sich noch inniger als es in Seiner Menschwerdung geschah, mit dem Menschen verbinden wird, dann wird die heilige Gemeinde mancher feierlichen Begehungen, mancher Verteidigungs- und Sicherungsmaßnahmen, nicht mehr wie bisher bedürfen. Aus ihrem jahrtausendalten, herrlich schönen, aber zum Ghetto gewordenen Hause hervortretend, wird die Kirche, verjüngt und unendlich beweglich geworden, vom Feuer des Geistes flammend, wieder vermögen die Herzen zu ergreifen und zu wandeln. „Gott ist jünger als alle" (Augustinus). Aber um mit Gott jung zu sein, muß die Kirche und alle, die ihn suchen und tragen „jung" sein, biegsam und wandelbar, voll Hoffnung und ganz gegenwärtig von jeder spielerischen Freude erfüllt, in der einst Sophia, das reine Urbild der Schöpfung, als Tochter Gottes auf dem Erdenkreis spielte.

DRITTER TEIL

DAS WASSERMANN-WELTZEITALTER

1950 – 4050

ÜBERSCHAU

In diesem Sinn – ein Wagnis

ES MAG ALS EIN WAGNIS ERSCHEINEN, DAS BILD UND DIE Struktur eines kommenden Zeitalters in ähnlicher Weise entwerfen zu wollen, wie die Geschichtsforscher die Vergangenheit schildern[20]). Ein solches Unterfangen gleicht einer Gratwanderung, bei der man den Abgrund des Ungewissen und Trügerischen unter sich weiß, und hinter sich die Pseudo-Ethiker, die Ängstlichen oder die Spötter. Nur wenn man sich durch diese Gespenster nicht beirren läßt, sondern sich im beharrlichen „Trotzdem" vorwärtstastet, einzig von den Erfahrungen des bisher zurückgelegten Weges, der Geschichte und ihrer rhythmischen Gesetzlichkeit geleitet, vermag man zu einer zulänglichen Schau des Künftigen zu gelangen.

Durch die Löcher, die die heutige Menschheit unentwegt in die Mauer der Gegenwart schlägt, strömt augenscheinlich in immer rascherem Gefälle die Zukunft in die Gegenwart herein. Im Vergleich mit vergangenen Zuständen schwimmen wir heute auf einem Meer der Zukunft – die Gegenwart nimmt sich auf diesem recht klein und bescheiden aus. Ein Blick durch ein solches „Loch in der Mauer" ließ die Schau des künftigen Weltalters zur Gestalt werden; sie wird hier vorgelegt als ein Versuch, nicht Schrecken oder Unruhe zu erregen, sondern Illusionen abzubauen, Klarheit zu schaffen und Ermunterung zu vermitteln für den gemeinsamen Weg durch die apokalyptischen Verhängnisse unserer Zeit.

Das neue Zeitalter hat begonnen: Alle Welt weiß dies. Wann sich aber der Übergang vom Fische-Weltalter in das des Wassermanns vollzogen hat, ist nicht mathematisch genau festzulegen. Man kann jedoch sein Datum mit hoher Wahrscheinlichkeit aus der Zusammenschau vieler Faktoren erschließen: Das Jahr 1950 kann als die wahrscheinliche Zeit des Überschrittes angesehen werden[21]). Wir müssen es wagen von diesem Datum auszugehen – denn in einer Grenzsituation und -zeit, wie der heutigen, kann auf eine grundlegende Hypothese nicht verzichtet werden. Stehen wir doch am Ende aller Sicherheit, was zugleich schmerzlich und fruchtbar ist. Darum bleibt uns Heutigen ohnedies nichts anderes übrig, als den ersten Schritt ins Dunkle hinein zu wagen. Da wir uns hierbei eines Leit- und Ariadnefadens bedienen, nämlich der Lehre von den Welt-Zeitaltern, vermag der sonst auf die Gegenwart eingeschränkte Blick, sowohl über diese, wie über die notwendige Begrenzung des Einzelnen hinauszuschauen, wodurch das Erkannte und Auszusagende das Gewicht einer hohen Wahrscheinlichkeit erhält. Dennoch wird jedem in eine ferne Zeit Schauendem bewußt bleiben, daß jede menschliche Aussage durch unbewußt projizierte Wunschbilder oder durch zeitgebundene Kurzsichtigkeit gefährdet ist. Auch wenn darum die großen Linien des Geschehens der Wirklichkeit entsprechend entworfen sind, ist es immer noch möglich, daß sich die Einzelheiten anders als „vorgesehen" entfalten werden. Doch mindert dies keinesfalls die Bedeutung der großen Perspektiven und der sich künftig auswirkenden Kräfteverhältnisse. In der Auswägung von Möglichkeit und Begrenzung, im Wissen um das Wagnis dieses Unternehmens, aber auch um den unermeßlichen Gewinn, der aus der Erkenntnis der Zusammenhänge entstehen kann, die zurückwirken muß auf das Verständnis der Gegenwart, als Darstellung des im hohen Grade Wahrscheinlichen und des so zu Erwartenden, wurde dieser „Durchbruch zur Zukunft" unternommen.

Im Zeichen des Wassermann

Das Weltjahr der Fische ist zu Ende gegangen. Eine Übergangszeit von drei Weltmonaten, der Zeitraum der Jahre 1425–1950, leitete zu einer neuen Phase der Menschheit, dem Weltzeitalter des Wassermann über. Dessen Tendenzen lenken und prägen offensichtlich bereits heute den Gang der Ereignisse, die Art der Gesinnung und Gesittung des Menschen. Wir sind im Begriff eine neue Kulturschwelle zu überschreiten – ein Vorgang von derart revolutionärer Bedeutung und umstürzender Wirkung, daß er sich nur noch mit dem ebenso umstürzenden Übergang von der Kulturstufe der schweifenden Jäger zur Bauern- und Stadtkultur im Neolithikum vergleichen läßt. Damals nahm der Mensch erstmals systematisch Besitz von der Erde. Heute hat er vollendet, was er damals begonnen: Die Erde ward ihm untertan und bereits unternimmt er Versuche, sie zu verlassen. Ein Zeitalter der kosmischen Expansionen des Menschen hat begonnen. Doch seine Eroberung des Weltraumes ist nicht nur durch die Notwendigkeit angetrieben, neue Kraftquellen und Herrschaftsräume zu erschließen, sondern auch von unbändiger, den Tod nicht fürchtender Abenteuerlust. Unter der Vorwirkung des Zeichens Wassermann, und des Kräftebereiches, das damit umschrieben ist, wird der Mensch Bürger einer „größeren", wenn auch nicht besseren Welt.

Das Zeichen Wassermann ♒, das vorletzte des Tierkreises, ist dem 11. Feld des Lebensrades und zugleich dem Monat Februar zugeordnet. Sein Charakter gleicht dem des „abgeernteten Feldes", einem Zustand jenseits des allgemeinen Werdeprozesses — die Blüte ist zur Frucht gereift und diese ist geerntet worden. Nun ist auf diesem Feld an Kraft und Gestalt alles übersehbar versammelt, was im Jahreskreise herangewachsen ist. Aber die sinnenhafte Fülle des „schönen Fleisches" ist geschwunden; dadurch tritt nun die bisher verborgene Grundstruktur aller Dinge, das geistige Gerüst aller Erscheinungen sichtbar und erfahrbar hervor. Von diesem Standort aus gleicht das Leben einer Landkarte, deren tausendfache Wege mit einem einzigen Bild übersehbar geworden sind. Das „Klima" dieses Lebensfeldes entspricht dem des Winters: eine helle kühle Atmosphäre ist vorherrschend, in der die Strebungen weniger auf das Sinnliche als auf das Geistige gerichtet sind. Die Gestimmtheit des Wassermann-Zeitalters steht in völligem Gegensatz zur seeleninnigen, mitfühlenden, sich verströmenden und oft sentimentalen Haltung der Fischezeit.

Da dem Zeichen Wassermann im Grundhoroskop das 11. Feld zugeordnet ist, was besagt, daß in ihm der Zenith (die Himmelsmitte, das 10. Feld) überschritten wurde, wird der nicht mehr auf ein eindeutiges irdisches Ziel gesammelte Blick nach allen Richtungen hin frei und die Konzentrierung auf die Mitte aufgelöst. In dieser Lebenssituation vermag sich der Mensch nach jeder Richtung hin zu bewegen; aber keine ist mehr die einzig mögliche und notwendige. Auch treten an allen Erscheinungen und in allen Situationen immer gleichzeitig mehrere Bedeutungen zutage, ohne daß der Mensch genötigt ist, eine einzige als die ausschließliche bestimmen und wählen zu müssen.

Wenn aber jede Grenze niedergelegt, der Blick nach allen Seiten frei geworden ist, wird auch eine bisher ungeahnte sowohl geistige wie physische Beweglichkeit möglich. Die Ausweitung und Entgrenzung des Menschen befähigt diesen, sich über alle Lebensbereiche besitzergreifend zu verbreiten, sich dadurch der Bindung an die organische Welt, die ihm als Leibwesen auferlegt ist, zu entledigen und so sich selbst übersteigend, mit allem zu spielen. Nun vermag der Mensch in unaufhörlichen Experimenten, jenseits der Bedingtheiten des lebendig Gewachsenen, das Entfernteste nahe zu bringen, aber auch das organisch Verbundene und Zusammengewachsene künstlich und nach Belieben zu trennen.

Einer so gerichteten und begabten Menschenart widerstrebt es allerdings, an die organischen Bezüge und Bedingtheiten gebunden zu sein, wie sie es bisher war. Der Mensch versteht sich nicht mehr wie früher als ein Mittel zwischen Tier und Engel. Und was an ihm trotz seiner neuen „Vergeistigung" unauflösbar animalisch bleibt, das wird nun, weil peinlich und das neue Idealbild störend, mit „existentialistischen" Argumenten wegdisputiert. So wird sich der Mensch sowohl von den kosmischen Rhythmen und Jahreszeiten, wie vom Rhythmus des Blutes und des Geschlechts, ja auch von den Rhythmen des Seelenlebens unabhängig zu machen suchen, zugunsten einer Verfügbarkeit über sich und alle Schöpfungsbereiche. Infolgedessen wird er seinen Leib nicht mehr als das große geheimnisvolle Lebensorgan betrachten, in dem, wie die Alten wußten, die Götter wohnen, in dessen Gestalt Gott selbst Leib geworden ist. Er ist für ihn nur noch ein Instrument zur Hervorbringung uneingeschränkter Leistungen, eine Sammellinse der Kräfte für die geistige Beherrschung der Welt und für willkürlich an- und abstellbare Lustempfindungen.

Da der Mensch versuchen wird, alle Schranken zu durchbrechen oder zu umgehen, wird für ihn auch der Tod — die Schranke schlechthin — nicht mehr etwas zu Scheuendes und zu Fürchtendes sein. Denn die Lust des Überbietens und Übersteigens wird sowohl die Angst vor dem Tode wie auch die Ehrfurcht vor dem Leben, zumindest aus dem Bewußtsein verdrängen. Die Loslösung vom Organischen wie das Zerbrechen der Schranken und das Verrücken der Maße wird jedoch zu einem ungeheuerlichen Verlust an Schönheit auf der ganzen Erde führen. Denn da die Schönheit des Geschaffenen, ja auch des zu Schaffenden, an das durch die organischen Funktionen gesetzte Maß gebunden ist, muß mit dessen Verrückung im gleichen Verhältnis auch jene Schönheit dahinschwinden, die man bisher als Attribut Gottes, als Ausglanz der Wahrheit oder als Beglückung durch das Zauberische erfahren hat. Die Kategorien der Ordnung und der Struktur werden jene der Schönheit ersetzen. In einer gänzlich geplanten Welt, die herbeizuführen der heutige Mensch auf Grund der Verhältnisse genötigt ist, wird es eben nur noch die „Schönheit" der auf Nutzbarkeit beruhenden Ordnung geben, als ein Menschenwerk, das einzig auf seinen Erzeuger, aber nicht mehr auf Gott zurückweist. Damit ist aber von innen her das Ende der Freiheit angezeigt. Denn Ordnung hat zwar bindende, aber die Schönheit allein befreiende Wirkung.

Da bisher die Schöpfung und die Werke des Menschen, besonders die der Kunst, im Gewande der Schönheit aufleuchteten, haftete allem Sichtbaren das Vermögen des Transzendierens an. Es gab darum, abgesehen von romantischen und sentimentalen Mißbräuchen, eine echte Mystik der Natur und der Schönheit. Diese Möglichkeit verklingt von nun an, oder sie wandert in ein Bereich, das jenseits des Gestalterischen liegt. Der mystische Aufschwung wird nicht mehr im Medium des Sichtbaren und der Schönheit geschehen, sondern in den Entzückungen der Erkenntnis und der Gnosis, in Schwingungen und Aufschwüngen, für die wir heute noch keinen Namen haben, in denen der Bereich des Leiblichen, aber auch des Seelischen in nüchtern-rauschhafter Weise weit überflogen wird.

Wenn aber die Verehrung und die Beschwörung der Schönheit enden wird, so wird ein Kult des Häßlichen, wie er sich bereits in der Kunst anbahnt, an ihre Stelle treten. Das Gerippe, das Gestänge, das die Nerven aufpeitschende Geräusch, die unverhüllte Funktion der Maschine werden Erregungen und Stimulation vermitteln. Das künstlerische Vermögen wird dann der Funktion dienen, nicht umgekehrt wie bisher. Dann wird auch die Verhäßlichung des Menschen als Folge seiner Gleichschaltung und Funktionalisierung als Mensch-Maschine, entweder nicht mehr wahrgenommen oder als Stigma harter Arbeit gefeiert werden: Die Verzerrung der Gesichter der Managertypen, der Sportkanonen und der durch Arbeit überanstrengten Frauen.

Es ist anzunehmen, daß die Organe des Menschen und die aus ihren Funktionen sich ergebende Lebensgesetzlichkeit, die bisher das Band der Harmonie zwischen Mensch und Natur gebildet hat, den exaltierten und rasenden Bewegungen im äußern Raum wie in den inneren Säften, durch das wassermännische Spannungsverhältnis hervorgerufen, nicht mehr entsprechen können. Zwar wird der Mensch tausend Mittel erfinden, um die tödliche Spannung zwischen dem organisch-biologischen Bereich und der im Wassermann-Zeitalter hervortretenden intellektuellen Maßlosigkeit und willensmäßigen Hochgespanntheit zu überbrücken. Der künftige Mensch wird in seiner Fasziniertheit durch leibfremde Möglichkeiten lieber eine Schädigung aller organischen Verhältnisse in Kauf nehmen, als auf das berauschende Abenteuer des Geistes mit seinen ständigen Grenzüberschreitungen zu verzichten, auf geistige Abenteuer mit einem Lustgefälle, das noch erregender und berauschender wirken wird als selbst die leib- und seelengebundene Erotik früherer Zeiten.

Für das Wassermann-Zeitalter werden weniger die Kriege als die Katastrophen bezeichnend sein, und zwar solche von riesigen Ausmaßen, die sich schrecklicher als die bisherigen Kriege auswirken und in denen Millionen zugrunde gehen werden. Hervorgerufen werden sie durch das „Anbohren" der kosmischen Kraftbereiche, durch die von Menschen verursachte Störung der kosmischen Ordnung oder die nicht zu bewältigende Ausdehnung der Grenzen des Menschenreiches und seiner Macht. Diese Katastrophen, die sich als Verwüstung ganzer Länder auswirken können, sind jedoch nicht nur auf den Bereich der Physis beschränkt. Da die angebohrten Kraftbereiche stets zugleich physischer und geistiger Natur sind, wird sich der „Rückschlag" der Mächte nicht nur auf die Physis, sondern auch auf den Geist des Menschen auswirken. Es wird darum zu kollektiven geistigen Störungen kommen, wie sie in diesem Ausmaß bisher auf Erden noch nicht bekannt gewesen sind. Der Hexenwahn des Mittelalters war nur eine harmlose Vorstufe zu diesen neuen pneumatischen Seuchen, die zum Teil mit der Überspannung des Bewußtseins und der Nervenkräfte durch die Überfülle des Wißbaren, die Aufsprengung des Kosmos und der Elemente zusammenhängen. Wer die wassermannhafte, kreisförmige Gleichordnung aller Möglichkeiten und Lebensteile nicht dadurch zu bestehen und zu überwinden vermag, daß er sich im Punkt der Einsicht und im Blick auf das Ganze zentriert, der wird von der gespannten Überfülle zerrissen werden wie Dionysos von den Mänaden zerrissen wurde, d. h. er wird der Zerrissenheit, der Schizophrenie anheimfallen.

Gerade weil der Mensch im Wassermann-Zeitalter mit der inneren und äußern Welt und mit der Gesamtheit seiner selbst konfrontiert wird, wird ihm nun eine Ganzheitsschau des Lebens möglich. Weil er nun sowohl das Nebeneinander wie das Ineinander aller Dinge und Kraftverhältnisse zu überschauen vermag, ist er imstande, die Vielheit der Seinsformen zu einer Gesamtgestalt zusammenzuordnen. Aus der gleichen Geisteshaltung vermag er dann auch die Gestalten und Ereignisse als sternartige Viel-Einheit gleichzeitig zu erfassen, als einen Stern, in dem die verschiedenartigen Kraft- und Bedeutungslinien zusammenstreben, von dem sie aber auch wieder nach allen Richtungen zugleich wegstreben. Als Mittel solcher Geisteshaltung wird ihm aber nicht mehr die bisherige Polarität von diskursiver und bildhaft-mythischer Denkart dienen, sondern ein auf gleichzeitige Umgreifung der Gegensätze gerichtetes, intuitives Denken. Diese synthetische, integrale Denkweise wird zwar dem bisherigen begrifflichen, spaltenden, punktförmigen Denken als verschwommen erscheinen. In Wirklichkeit aber wird das bisherige Nacheinander des Denkens durch die Fülle des Gleichzeitigen dieser paradoxalen Erfahrungsweise überboten, als Darstellung einer Wirklichkeitsspannung, die nur noch in der Weise der Intuition zu bewältigen ist.

Das Wassermann-Zeichen wird der Überlieferung nach graphisch durch zwei parallele Wellenlinien dargestellt. Dieses einfache Symbol steht für eine Fülle von Wirklichkeitsbezügen, von denen einige herausgegriffen werden sollen. So ist u. a. damit auf die Erfahrung (oder die Erkenntnis) des schwingenden, wellenförmigen, strahlenden Charakters der Materie, des Lebens hingewiesen. Denn nicht nur auf das Schwingende, sondern auch auf das Gleich- und Zusammenschwingende, auf das Hervortreten der in Freiheit wirkenden Sympathiekräfte, die alles durchströmen und verbinden, und auf das dadurch hervorgerufene totale Kontaktphänomen deutet die Symbolgestalt des Wassermann-Zeichens hin.

Die irrationale Weltkraft der wassermannhaften Sympathie, durch die alle Teile der Schöpfung zusammengehalten werden, äußert sich im Bereich des eigentlich Menschlichen als die verbindende Kraft der Freundschaft. Diese wird im Wassermann-Zeitalter in einem Maße als die Kraft des lebendig Schöpferischen hervortreten, wie noch nie in einem bisher bekannten Zeitalter. Da das Zeichen Wassermann im ursprünglichen Lebensrade (das identisch ist mit dem kosmischen Zustand des Widder-Weltjahr-Horoskopes) dem 11. Lebensfelde, dem Feld der Freiheit und der Freundschaft zugeordnet ist — denn Freundschaft ist nur im Bereich der Freiheit und durch freie Wahl möglich — kommt ihr im Wassermann-Zeitalter erhöhte Bedeutung zu.

Die bereits erfolgte Niederlegung aller Grenzen führt notwendigerweise zur Aushöhlung des bisher im Fische-Zeitalter vorherrschenden, wertescheidenden, stufenden und repräsentativen Prinzips der Hierarchie. Eine in die Breite wirkende Lebens- und Gemeinschaftsgestalt durch Koordination, die bereits der heutigen, nur zeitbedingten Form der Demokratie zugrunde liegt — anschaulich im Symbol des Bundes, der Ratsversammlung — wird das bisherige hierarchische Gefüge des Geistes und der sozialen Ordnung ablösen. Damit ist aber die Voraussetzung der bisherigen Elite, der Aristokratie, dahingeschwunden. In der Übergangszeit der beiden Zeitalter hat es zwar den Anschein, als ob der — einerseits durch Vergröberung der geistigen und sittlichen Haltungen, andererseits durch Überfeinerung — entmachteten und untergehenden Elite keine neue nachfolgen werde. Ein scheinbares Vakuum der Elitenbildung setzt die Wissenden in Schrecken. In Wirklichkeit aber beginnt bereits in unserer Zeit — wenn auch an ganz anderen Orten und Schichten als bisher gewohnt — eine heimliche Elitenbildung. Aber diese wird in Zukunft nicht mehr einer einzigen, durch Jahrhunderte hindurch gezüchteten Schicht des Volkes oder einer Rasse entstammen. Elite wird sich nun sternartig aus allen Schichten zusammenfinden. Das Ausleseprinzip bleibt auch in Zukunft bestimmend, nur wird es durch freie Wahl gehandhabt werden. Die Kraft der Freundschaft wird die verschiedenartigsten Menschen, soweit sie zu den Einsichtigen gehören, zum Bund zusammenführen.

Der Bund, in zahllosen Bünden ausgegliedert, ist der oberste Typus der wassermannhaften Gemeinschaftsformen. Stefan George zeugte bereits davon mit den Worten: „neuer adel, den ihr suchet, führt nicht her von schild und krone / stammlos wachsen im gewühle / seltene sprossen eignen ranges". Diese neuen, von der Freunschaftskraft gewirkten Bünde des Wassermann-Zeitalters werden u. a. auch als notwendige Gegengewichte zu der übersteigerten Bewegungs- und Wandlungssucht der Wassermann-Mentalität wirken. Denn in einer blitzhaften und sprunghaften Weise bewegt sich die künftige Menschheit durch die Geschichte, von einem Extrem zum andern wechselnd, heute verdammend und niederreißend, was gestern als höchster Wert gegolten, und durch solch mörderische Weise zu einem ungeheuren Verschleiß von Ideen, Ideologien und Idealbildern, Moden, Stars und Führergestalten genötigt. Das Organische wird zugunsten des kühnen Experimentes, der blitzartigen Erleuchtungen des Geistes entstaltet. Denn der Planet Uranus, der als Antriebskraft des Wassermann-Zeichens wirkt, drängt den Menschen zum Übermaß und veranlaßt die totale Mobilmachung aller Kräfte und aller nur möglichen Erkenntnisse und Lebensformen. Er öffnet bisher für unüberschreitbar gehaltene Grenzen, löst die kunstvollen Denk- und Moralsysteme der bisherigen Kulturen auf und erweitert den Bereich des Menschseins und seine Mächtigkeit ins schier Unfaßbare. Alles wird fließend, weit, das Unmögliche möglich, das Geisterhafte real, die Materie entmaterialisiert, das Seltsame wird ein Bestandteil des Alltags. Das Unterste wird buchstäblich nach oben gekehrt; neue Weltbilder, neue Sinndeutungen des Lebens — und hieraus abgeleitet — neue Weltordnungen bestimmen das Denken, Imaginieren und Handeln der von Uranuskräften angetriebenen Menschheit.

Die Kraftwirkung des Uranischen tritt zudem in der auf ungewöhnlichen Wegen sich vollziehenden Verbindung zweier entfernter Pole auf den verschiedensten Ebenen zutage. Da sich zwischen solchen Polen des Gegensatzes in jedem Sinn der uranische Kraftstrom mit höchster Intensität und ohne jede Zwischenschaltung entlädt, wurde zutreffend der Blitz, der jäh das Obere und das Untere verbindet und den Raum plötzlich mit kaltem geisterhaftem Licht erhellt, als Symbol der Wirkung des Uranischen erkannt. Der uranischen Geistigkeit und Beweglichkeit eignet etwas Blitzendes, Funkelndes, Jähes und Durchdringendes.

Durch das unmittelbare Zusammenschauen und Verbinden der Pole gewinnt der Mensch unter uranischer Einwirkung auch ein verändertes Verhältnis zur Zeit. Vergangenheit und Zukunft werden geradezu vertauschbar, die letztere wird in die Gegenwart einbezogen, die Zeit wird raffbar, sei es durch Bewegungsbeschleunigung, sei es durch die Indienstnahme des Feinstofflichen, der raumdurchdringenden verborgenen Kraftstrahlungen. Der Mensch wird auf dem Lichtstrahl reiten. In gewissem Sinn stellen die Utopien und Zukunftsschilderungen, die seit der Entdeckung des Planeten Uranus in ungewöhnlicher Häufung produziert werden, auf dem Gebiet der Literatur ebenfalls eine Form der Zeitraffung dar.

Symbolisch bedeutungsvoll wurde der Planet Uranus — als Potenz und Wirkkraft des Urbildes Wassermann — zum ersten Mal von Herschel um die Zeit der Französischen Revolution gesichtet, die Kettenreaktionen von Umstürzen ausgelöst hat. Denn Uranus gilt — zuerst auf Grund von Analogien, dann von auswertbaren Erfahrungen — als die auslösende Kraft jeder Art von Umsturz, aller jähen und plötzlichen Veränderungen (Mutationen), der politischen, auf weltanschaulichen Gründen beruhenden Krisen, aller radikalen Wandlungen von Gesinnung und Umwelt, der hohen, zur Explosion führenden Spannungen, sowohl stofflicher wie geistiger Art, aller kühnen und neuen Ideen. Er gilt aber auch — im negativen Sinn — als Urheber der Ideologien, d. h. des Wahns, die Widersprüche des Lebens durch abstrakte Systeme, bei denen alles aufgeht, meistern zu können. Denn die kühne und eigenartige uranische Erkenntnis ist nicht nur der Mutterboden hoher schöpferischer Impulse, sondern auch jener immer neu hervorgebrachter Ideologien, durch die der Mensch in den Kerker künstlicher Systeme gesperrt wird. Es ist durchaus kennzeichnend, daß Ideologien, vom Organischen abgelöste abstrakte Systeme der Lebensgestaltung (politisch, sozial, ethisch) erst seit der Neuzeit, vor allem aber seit der Französischen Revolution ausgebildet worden sind.

Unter der Einwirkung des Uranus wird sich auch eine neue Bewertung der Tradition entwickeln. Da man die Fülle aller Menschheitstraditionen überblicken und jederzeit zur Verfügung haben wird, wird man sich nur noch selten an eine einzige Tradition binden. Man wird allen unbefangener gegenüberstehen, aber nur noch jene heranziehen und zur Wirkung auf Geist und Leben gelangen lassen, die dem augenblicklichen Bedürfnis entspricht. Auch im Religiösen wird sich die Übersicht über eine Vielheit von Möglichkeiten sowohl relativierend wie bereichernd auswirken.

Wahrscheinlich werden im Wassermann-Zeitalter schließlich nur noch zwei Religionen miteinander um die Sinngebung des Lebens auf Erden und die Gestalt der Wahrheit ringen: Einerseits der Buddhismus mit seinem Versuch, die Welt zu entgöttlichen, den Menschen zu entpersönlichen, die Schöpfung zu verneinen; andererseits das Christentum mit der Frohen Botschaft von der Versöhnung des Menschen mit Gott, der Vergöttlichung der Welt, der Hochschätzung der Person und der Einbeziehung der Schöpfung in das Heil.

Das Wassermann-Zeitalter wird ein solches unaufhörlicher Reformen sein. In diesem Weltjahr wird nichts Vergangenes und Gegenwärtiges in sich selber ruhend belassen werden. Auch das Christentum wird immer neuen Reformationen unterworfen sein. Denn nichts kann im Zeitalter des Wassermann eingebracht werden oder in seinem Zeitraum bestehen, das nicht — sei es durch Not oder vertiefte Einsicht — seine zeitliche Gestalt gewandelt hat. Aber gerade durch seine heute schon sich anbahnende Wandlung und durch seine künftige größere Beweglichkeit wird das Christentum mit seiner ewigen Botschaft gerade dann, wenn es aufgehört hat, Staatsreligion zu sein, die Welt noch inniger durchwirken und umgestalten können. Diese Reformen, Wandlungen und Umwälzungen werden nur von jener Menschenart ohne Schaden und ohne, das ganze Gefüge entstellende, Zerrungen durchgestanden werden können, die sich unauflöslich an das Zentrum ihrer Person, dieses Abbild des überweltlichen Zentrums gebunden hat und durch von der Zentralerkenntnis erleuchtet und gelenkt, frei nach allen Seiten zu schauen vermag.

Der menschliche Mensch

Der Überlieferung nach wird das Tierkreiszeichen Wassermann durch eine männliche Gestalt dargestellt, die aus einer Amphora Wasserstrahlen in den Abgrund der Welt sendet, aus dem „Himmlischen" in das Tief-Unten des Lebens. Diese „Wasserstrahlen" repräsentieren die befruchtende und erleuchtende Kraft des Geistes, welche „von oben her" auf unwiderstehliche Weise den Menschen und die Materie zu durchdringen vermag — plötzlich, bestürzend und mitreißend, als intuitive Durchschau, als Blick in die weitesten Fernen, als Zusammenschau des Gegensätzlichen. Dieses Zeichen des Wassermann repräsentiert eine neue Menschenart, deren Ansatz in den letzten Jahrhunderten der Widderzeit und vor allem in der zweiten Halbzeit des Fische-Zeitalters sichtbar geworden ist: den „menschlichen Menschen". Es kann allerdings nicht geleugnet werden, daß diese Formel heute noch unter Ideologieverdacht steht. Sie erinnert an den „autonomen Menschen", diese Frucht eines „rationalistischen, metaphysiklosen Humanismus" und des Materialismus des 19. Jahrhunderts. Andererseits hat sich auf der ganzen Erde eine eigenartige Entwicklung angebahnt, die man sowohl positiv wie negativ bewerten kann: Das Weltbild und das Selbstverständnis des Menschen sind nicht mehr theozentrisch, wie sie bisher waren — sie sind anthropozentrisch geworden.

Der Mensch ist anstelle Gottes in die Mitte gerückt; sein Denken und Wollen „dreht" sich nun um diesen neuen Lebenspol. Dies ist aber keineswegs nur eine vorübergehende Geisteshaltung; es entspricht vielmehr durchaus der Grundtendenz des Wassermann-Zeitalters. Dadurch daß der Mensch in schöpferischer Kraft seine gesamte Umwelt über das Sichtbare hinaus zu durchdringen und umzugestalten vermag, ist er nämlich zu einem vollständigen Innewerden seiner selbst gelangt. Das anthropozentrische Selbst-Bewußtsein des Menschen, das dadurch entstand, ist nicht mehr rückgängig zu machen. Es kann sich nur noch darum handeln, ihm einen Sinn abzugewinnen, es aus einer pubertäthaften Opposition gegen Gott und aus knabenhafter Selbstüberhebung herauszuführen. Denn wenn sich auch der Mensch als die Mitte seiner Welt entdeckt hat, so ist Gott dennoch in keiner Weise tot, wie dies Nietzsche voreilig verkündete. Dieser zwielichtige Seher spürte nicht, daß Gott nur den Ort gewechselt hat. In einem neuen „Gewande" erscheint er nun dort, wo ihn diejenigen nicht erahnen können, die ihn in bewährten Regeln festhalten wollten. Solcher „Ortswechsel" Gottes, als Wechsel seines „Gewandes", läßt sich durch alle Weltjahre hindurch verfolgen. Nach der Paradieseszeit verhüllte er sich in eine Vielheit von Gestalten, den Göttern. Dann trat er seinem Willen gemäß aus dieser Verhüllung als der Ur-Eine und Schöpfer aller Welten hervor, und schließlich entäußerte er sich seiner Herrlichkeit im Übermaß seiner Liebe und wurde Mensch. Seither aber kann man nicht mehr sagen „siehe hier, siehe dort" ist Gott. Was immer und wo er auch „an sich" sein mag — nun ist er seinem eignen Willen gemäß im Menschen, in den er abgestiegen und vor allem durch diesen erfahrbar. Damit aber wirkt Gott, der Inbegriff und Urheber von allem, nicht mehr nur von außen, sondern vor allem von innen, die Welt und den Menschen von innen her bewegend. Der eigentliche Ansatz- und Wendepunkt für diese „Verinnerlichung" Gottes war seine Menschwerdung in Jesus Christus zu Beginn der Fischezeit, die sich als die größte, heute noch andauernde „Weltrevolution" ausgewirkt hat, eine Revolution Gottes zugunsten des Menschen, der entscheidende Akt der Menschwerdung des Menschen.

Bis dahin war der Mensch der grausam-bezaubernde Tier-Mensch — seither ist ihm das Tor zum Mensch-Menschen (wie dies Origenes formuliert) geöffnet worden, beginnend mit der Entdeckung des „innerlichen Menschen" zu Anfang der Fischezeit und sich fortsetzend mit derjenigen des „menschlichen Menschen" im Wassermann-Zeitalter. Jedes der künftigen Weltalter hat im Grunde nur dies eine

Thema, was immer auch das jeweils vorgesetzte Zeichen als besondern Auftrag bringen wird: die Menschwerdung des Menschen, ein Generalthema, das in unsern Tagen am tiefsten von Leopold Ziegler begriffen wurde[22]). In den drei „Winterzeichen" Fische, Wassermann und Steinbock und den entsprechenden Weltaltern vollzieht sich diese Menschwerdung — zuerst im Bereich des Seelischen, dann des Geistigen und schließlich im objektiv Seienden. Es wird aber des gesamten Kreislaufes von 25 200 Jahren, eines großen Weltjahres bedürfen, damit die Menschwerdung des Menschen, die in der Menschwerdung Gottes begann, sich — vielleicht nur in einer ersten Etappe — vollende. Denn erst dann wird das, was sich heute geistig, psychisch, mental als Ahnung einer Transparenz des Daseins spürbar wird, auch im Leibe wirklich geworden sein — so daß der Mensch dann, wie im Paradiese, leuchtenden Leibes wandeln wird.

Gerade dem menschlichen oder integralen Menschen ist heute und künftig die Aufgabe gestellt, auf Gott hin transparent zu werden. Denn dem im Wassermann-Zeitalter geheimnislos werdenden Menschen, dem nackt, entblößt, sich selber durchsichtig Gewordenen, ist auch vor Gott keinerlei Verborgenheit mehr gewährt — er hat keine Zuflucht mehr, weder in mystischen Erhebungen noch in religiösen Bräuchen, weder in theologischen Systemen, noch in seinen Werken. Er ist der Sonne Gottes ausgesetzt, die ihn paradoxerweise, wenn er sich zu schützen versucht, verbrennt, die ihn aber durchlichten wird, wenn er sich ihr preisgibt.

Läßt sich der nackt und hüllenlos gewordene Mensch von den Lichtspeeren Gottes durchdringen, dann kann er — mehr als je zuvor — zum Medium des Ewigen werden. Dann wird etwas an ihm sichtbar (und nicht nur denkbar), was bisher nur vom menschgewordenen Herrn und manchen seiner Heiligen überliefert ist: der das Künftige vorwegnehmende Zustand der Verklärung hier im Fleische. Der „menschliche Mensch" kann auf das ihm einwohnende Göttliche hin transparent werden; er wird — weil Gott ihm einwohnt — sich nicht mehr wie der typische Mensch des Fische-Zeitalters in grenzenloser Sehnsucht nach Gott verzehren und um Gottes Willen Leiden suchen, sondern durch ihn seine Umwelt erleuchten. Ein solch wahrhaft „strahlender" d. h. von Gott durchstrahlter Mensch wird dann ein „göttlicher" genannt werden. Das Ziel, das die Väter als das des Menschen erkannten: „Gott wurde Mensch, auf daß der Mensch vergöttlicht werde", wird sich dann auf einer neuen Seins- und nicht Bewußtseinsstufe realisieren.

Nicht ein gesonderter „geistlicher" Stand wird für das Wassermann-Zeitalter von Bedeutung sein, sondern dies, daß der Mensch selber „geistlich" werde. Der Mensch wird darum zu wählen haben, ob er sich der göttlichen Dynamis öffnen oder ob er im unerlösten Zustand einer unendlichen Wandlungsfähigkeit verharren will. Es handelt sich hierbei jeweils um eine zentrale Entscheidung, die sich zugleich auf alle Lebensbereiche, auf Seele und Leib, Erkenntnis und Werk auswirkt, als Schaltung vom Zentrum aus, durch die alle Schichten des Menschen blitzartig umgepolt und in einen gewandelten und erleuchteten Seinszustand erhoben werden können. Aus solchem Aufleuchten des Göttlichen im Zentrum, seinem Durchleuchten des Fleisches und der ganzen Person resultiert jene Zentralschau Gottes und der Welt, die von einigen christlichen Lehrern und Heiligen bereits vorweggenommen wurde (so vom hl. Benedikt, von Bonaventura, Hugo von St. Victor, Bruder Klaus von Flüe, von Michael Hahn und von J. Chr. Oetinger[23]).

Wenn aber der Mensch im Gegensatz hiezu sich in sich selber verschließt, sich im Selbstgenuß verbraucht, hingerissen von der ungeheuren Kraftfülle des „menschlichen Menschen", dann werden endlose Greuel die Folge sein, da der Mensch des Wassermann-Zeitalters, gleichzeitig oder nacheinander nach allen Seiten ausschreitend, das Böse und das Gute ohne Empfindung des Gegensatzes zu tun vermag. Da es ihm durch das vielschichtige Wassermannprinzip nur zu leicht an Unterscheidungsvermögen mangelt, wird er wie ein Taschenspieler nach Belieben die Pole der innern und äußern Weltwirklichkeit vertauschen können. Der nach letzter, illusionsfreier Erkenntnis verlangende Wassermann-Mensch wird, wenn er den Zentralpunkt verfehlt, entweder zum affektgeladenen Selbstbetrüger und zum kalten, gerissenen Verführer der Welt.

Der Mensch als Androgyn

Weil das vom Wassermann-Zeichen bestimmte 11. Feld ein Jenseits der Spannungen des Werdens, des Irdisch-Wachstümlichen darstellt, ist in diesem Bereich auch die schärfste Spannung des organischen Lebens, die männlich-weibliche, wesentlich gemildert, sublimiert oder transformiert. Das hohe, lichte, funkelnde geistige Prinzip, das dieses Lebensfeld durchwaltet, wirkt sich auch in der Umwandlung der Geschlechterspannung aus. Nun wird es möglich, daß sich die Typen von Mann und Frau ausgleichen, daß der Anteil des Mannes an der weiblichen Grundpotenz des Lebens, sowie der Anteil der Frau an der männlichen deutlicher hervortritt als bisher. Das Geschwisterliche, das das Verhältnis der Geschlechter bis anhin nur in Ausnahmefällen bestimmte, wird im Wassermann-Zeitalter eher eine Norm darstellen, ohne daß dies die einzige Weise der Beziehung wäre. Es werden sich neue Formen der Begegnung der Geschlechter bilden — teils in der Weise des flachen, spannungslosen, unfruchtbaren Nebeneinanders (der Arbeits- und Spielkameraderie, der seelisch ungebundenen Sexualität), teils als Verinnerlichung des Eros in der Weise der geistigen Liebe. So wird echte Freundschaft zwischen Mann und Frau auf breiter Basis möglich werden.

Die durch das Wassermannprinzip gewirkte Androgynität des Menschen deutet aber nicht nur auf Spannungsänderungen zwischen den Geschlechtern, sondern auch auf eine Veränderung im Selbststand des Menschen hin. Da im „menschlichen Menschen" seine ganze Fülle — als Höhe des Bewußtseins, als Erfahrung eines universalen Lebensgefühls — versammelt ist, so ist in ihm, wenigstens grundsätzlich, auch die polare Geschlechtlichkeit zusammengefaßt, im intensiven Typus selbstverständlich mehr als im extensiven. Dies kann zur Ausbildung einer im Höchstmaß ganzheitlichen, frei über sich verfügenden Persönlichkeit führen, die vom Zentrum her die geschlechtliche Kraft vom Psychischen ins Geistige zu lenken vermag.

Dies wird sich verschiedenartig auswirken. Da der Mensch in Zukunft gleicherweise sowohl mit dem weiblichen wie mit dem männlichen Lebensprinzip vertraut sein wird, vermag er seinen Aktionsradius wie sein Verstehen von Mensch und Welt wesentlich zu erweitern. Und da der Mensch die Spannung der Geschlechterpole in sich selber austrägt, wird sich ein bisher noch nicht mögliches Verständnis zwischen den Geschlechtern anbahnen können. Denn bis dahin gründete die Beziehung der Geschlechter auf dem Mangel und dem Ergänzungsbedürfnis, sowie auf dem Reiz, der dadurch ausgelöst wurde. Nun aber könnte eine verstehende, nicht mehr auf der Bedürftigkeit beruhende Liebe zwischen den Geschlechtern hervortreten, deren Auswirkung vielleicht nicht immer zur Sozialform der Ehe führen wird. Mann und Frau werden sich — was bisher nur selten möglich war — gegenseitig von innen her wahrnehmen und erkennen. Dies zu realisieren ist durch die Freundschaft eher möglich als durch die Ehe; Freundschaftsbündnisse zwischen den Geschlechtern werden wahrscheinlich einst sozial ebenso anerkannt werden wie bisher die Ehegemeinschaften. Es handelt sich hierbei aber nicht um die Auswirkungen eines moralischen Liberalismus, sondern um neue soziale Ordnungen auf Grund eines veränderten sexuellen und seelischen Verhaltens der Geschlechter. Die Voraussetzung hiefür ist freilich, daß die Ehe ihren bisherigen sozialen Charakter (die Familie als kleinste Zelle des Staates) verlieren wird.

Da jedoch im Menschen alles doppelt ist, eines der Gegensatz des andern, wird sich auch die Androgynität — eines der großen Themen des Wassermann-Zeitalters — in zweifacher Weise auswirken: Als Erfahrung der Ganzheit wie als maßlose Machterweiterung des

Menschen. Auf der einen Seite steht der ruhende, ausgeglichene Weise, der die Geschlechterspannung als Wirkkraft der höchsten Humanität ganz in sich hineingenommen hat, der den Menschen und sein Wirken in allen Teilen zu überblicken und darum den Gang des Ganzen aus dem Hintergrunde heilsam zu beeinflussen vermag. Den Gegentypus des androgynen Weisen bildet der hellsichtig Wissende, der alle Bindungen — auch die des Geschlechtes, die jeden Menschen einschränken — aufzuheben vermag. Auch er weiß die Geschlechtskräfte, die er nicht mehr auf das Du hin auslebt, in sich zu nutzen, allerdings zur Entflammung des „kalten Lichtes" und als Motor seiner Selbstmächtigkeit. Er weiß das Ganze; aber im Gegensatz zum androgynen Weisen dient er nicht mehr dem Ganzen, das er vielmehr in seinen Griff zu zwingen sucht. Das unausdenkbar Fürchterliche, der Schrecken, den der androgyne Wissende und Mächtige verbreitet, rührt auch davon her, daß ihm selber jede Furcht, aber auch jedes Gefühl fremd ist; ihn treibt einzig der unendlich erglühende Funkenschlag seines Gehirns. Er ist ein Magier, der scheinbar unbeschränkt auf der Tastatur der Weltkräfte und der Menschenseelen zu spielen versteht, bis ihn die Katastrophe, mitsamt der Welt, die er zu beherrschen glaubt, in den Abgrund reißt. Ihm steht der androgyne Weise weniger als strahlender Held denn als heimlicher König gegenüber. Zwischen diesen beiden Gestalten des schöpferischen und des ausbeutenden androgynen Menschen wird — im Wechsel von Sieg und Niederlage — der Kampf um den Sinn und die Gestaltung des Wassermann-Zeitalters ausgetragen werden.

Selbstverständlich gilt dies nur vom positiven Wassermanntypus. Jedoch wird das androgyne Prinzip sich auch im primitiven oder dunklen Typus der Wassermannzeit als erhöhte Selbständigkeit und Unabhängigkeit des Menschen auswirken. Denn wer das Gegenprinzip seines eigenen Geschlechtspoles in sich selber gefaßt hat, bedarf des ihm polar entgegenstehenden Nächsten nicht mehr. Er wird durch seine als Einheit erfahrene Natur sich weniger gedrängt fühlen, sich zum Du hinüberzuneigen und sich um des Nächsten willen zu entäußern. Er findet in sich selber alles, wessen er bedarf (wenn auch nur in relativer Weise). Und da er der Spannung zum Nächsten hin nur noch in geringer Weise unterworfen ist, vermag er ihn in kühlem Abstand unbeteiligt zu betrachten und — als Folge davon — zu beherrschen. Verschiedene Gefahren sind damit angezeigt: Perversionen durch ungerichtete Sexualität, die Vergewaltigung des Nächsten durch Empfindungslosigkeit. Vielleicht werden die großen Tyrannen des Wassermann-Zeitalters die Kraft zu ihren gewalttätigen Rücksichtslosigkeiten gerade aus ihrer — allerdings negativ wirkenden — androgynen Natur gewinnen.

Engel und Mensch im Wassermann-Zeitalter

Aus der rhythmischen und geistigen Struktur des Wassermann-Zeitalters läßt sich nun mit vielleicht ungewohnten Gedankengängen die erhöhte Bedeutung erschließen, die dem Engel in dieser Zeit zukommen wird. Denn das Lebensurbild Wassermann steht mit dem des Engels in einem altüberlieferten Bezug. Dies ergibt sich auch aus dem Verständnis der Weltvision des Propheten Ezechiel (Ez. 1,1) der als die „vier Weltecken", vier ungeheure Cherube (Engel) sah, mit je vier Gesichtern: dem eines Stiers, Löwen, Adlers und Menschen (Engels). Diese quadratisch oder kreuzförmig angeordnete Vierheit als Inbegriff der geistigen Weltkräfte trug den Kristall-Himmel, der wiederum Gott, dem Herrn der Schöpfung, als Ort seines Thrones diente: Ein Bild der Verknüpfung der kosmischen und himmlischen Welt. Diese vier Cherube als Grundtypen der Weltspannung erscheinen wiederum in der Apokalypse als die vier Wesen an Gottes Thron und wurden schließlich als Stier, Löwe, Adler und Engel zu den bekannten Evangelistensymbolen. Offensichtlich liegt der Vision der Propheten Ezechiel ein kosmisches Urbild zugrunde. Denn diese doppelte, einander durchkreuzende Paarheit entspricht dem sogenannten fixen Kreuz innerhalb des Tierkreises — den Zeichen Stier, Löwe, Skorpion und Wassermann. Dem letzteren, als einem „Winterzeichen" und dem Zeichen der sinnenfernen geistigen Natur, ist nun als Sinnbild der Engel und der Mensch zugeordnet.

Aus einer rationalistischen Sicht wird man diese Art der Symbolik und Zuordnung als eine esoterische Spekulation ablehnen. Aber überraschenderweise zeigt sich gerade im Blick auf unsere und die kommende Zeit, daß Mensch und Engel bereits auf eine realistische Weise in Verbindung stehen und wohl in Bälde sich noch inniger verbinden werden. Der Einbruch der Engelwelt in die des Menschen beginnt bereits Wirklichkeit zu werden. Wir nähern uns einem Zeitalter der Engel. Was und wer sind diese?[24]).

Die Engel sind — wenn auch nur in einer Hinsicht, so im Verständnis des Apostels Paulus — ungeheure Machtwesen, Repräsentanten geistiger Kräfteballungen. Als solche sind sie gleichsam Hüter der Schwelle zum Bereich der Urbilder und Urzeugungen, ja die verborgenen Kraftquellen im „Innern" der Schöpfung. Aber der Mensch der Gegenwart und der Zukunft fühlt sich, sowohl von Notwendigkeit wie von Lustverlangen gedrängt und von der uranischen Wassermann-Mentalität getrieben, diese Kraftbereiche, die bisher unangetasteten Reserven der Schöpfung anzubohren. Da er es durch seinen Geist vermag, seine Macht über die Grenze des Organischen hinaus ins Universale auszudehnen, gerät er an die Grenzen der Schöpfung, gleichsam an die Behälter der Urkräfte, in das Reich der Engel.

Der Mensch, der in das Reich der Engel, der Hüter der Weltkräfte eingebrochen ist, wird fortan mit ihnen, vielleicht mehr als ihm lieb ist, in Berührung kommen. Denn dadurch, daß der Mensch im Wassermann-Zeitalter die Grenze zwischen Sinnen- und Geisteswelt immer weiter in das Reich der Urmächte, das heißt aber auch der Geister und der Engel, vorschieben wird, vermag es zwar — indem er sich die Kräfte der Engel dienstbar macht — gewissermaßen zum Engel-Menschen, dem Symbol des Wassermann aufzurücken. Aber zugleich dringen, da im Wassermann-Zeitalter alle Begrenzungen und schützenden Hüllen labil werden, die herausgeforderten geistigen Urmächte ebenso ergreifend in den organischen und seelischen Lebenskreis des Menschen ein, wie dieser in die Engelwelt. Mensch und Engel nehmen dann als Repräsentanten zweier ebenso entgegengesetzter wie aufeinander bezogener Welten gegenseitig voneinander Besitz. Bisher hat man unter dem engelhaften Menschen jenen verstanden, der „wie die Engel" allzeit im Gotteslob verharrt. Jetzt aber wird es vom Menschen heißen, er sei „mächtig und wissend wie die Engel". Die Engelmächte aber werden ins Menschenreich eingehen. Es findet gewissermaßen eine Verengelung des Menschen statt.

Hiezu kommt, daß die Engelwelt, in die der Mensch eindringt, ambivalent ist — die Geistmächte haben sich in sich selber geschieden. Den berufenen Hütern und Verwaltern der Weltkräfte stehen die verdunkelten Störer ihrer Ordnung entgegen. Zwar ruht die Kraftfülle im Grunde der Welt in der Hut der lichten Engel, denen sie seit Urzeiten anvertraut ist. Aber die Gegenmächte, die durch den Menschen hindurch sich der Welt zu bemächtigen suchen, lauern allzeit und treten gerade dann in Wirksamkeit, wenn das Gleichgewicht, die Ordnung des Geschaffenen, gestört ist. Eine übermäßige Entbindung der Urkräfte der Welt ruft die Zerstörer herbei, wie das Aas die Geier. Wenn der Mensch die Kammer der Geheimnisse aufsprengt, in der die Kräfte zwar wirksam aber gebunden ruhen, ohne daß er geistig genugsam für dies gefährliche Unternehmen gerüstet ist — das will sagen, ohne daß in ihm das Göttliche, ihn völlig durchdringend wirksam geworden ist — dann entbindet er, zugleich mit den hohen Kräften und den geistigen Wirkmächten des Engelreiches, auch das Heer der Dämonen und gewährt ihnen Zutritt bis zu den Bereichen der Zeugung. Dann werden die satanischen Gegenengel den Menschen, der die Tore zu allen Seins- und Kraftbereichen aufgesprengt hat, samt seiner Beute unterjochen, und die innersten Baukräfte der Schöpfung, deren er sich bemächtigt hat, werden in Kräfte der Zerstörung umgewandelt. Denn nur über den Menschen und seine Ausrichtung vermögen sich die „Engel der Zerstörung" der Urkräfte zu bemächtigen.

Das Vorschieben der Grenze des Menschenreiches und -werkes in die Engelwelt hinein ist weder zu verhindern noch rückgängig zu machen. Einerseits wird dadurch ein unermeßlicher Reichtum für den Menschen mobilisiert, andererseits wird seine Gefährdung in gleichem Maße wachsen. Es ist keine Frage, daß die Menschheit des Wassermann-Zeitalters die Nutzung der Urmächte für die Erhaltung und Ausweitung ihres Lebens unbedingt benötigen wird. Aber diese durch intellektuelle Magie erschlossenen neuen Lebensquellen sind zugleich eine Versuchung für den Menschen, mit ihnen zu spielen, sich als Herrn der Elemente zu wähnen und sich infolge seiner die Sinnenwelt weitgehend übersteigenden Macht „wie die Engel" zu dünken. Eine übermäßige Ausbildung des Geistleibes wird es ihm zudem ermöglichen, die Engel nachzuahmen, im Unsichtbaren zu sehen, im Weglosen zu gehen, das Fühllose zu fühlen, die Gleichzeitigkeit alles Geschehens zu realisieren und das Licht nicht nur im Abglanz wahrzunehmen. „Wie die Engel sein" heißt jedoch androgyn, den Spannungen des an die Erde bindenden Geschlechtes enthoben sein — auch dazu ist dann der Mensch befähigt.

Aber andererseits werden die Engel, die Urmächte des Geistes und der Kraft, von dem durch bewußt herbeigeführte Entgrenzungen zugleich mächtig und schutzlos gewordenen Menschen Besitz ergreifen und durch ihn leibhaft im Menschenreiche wandeln. Der Mensch wird von den Engeln besessen werden — und zwar von den lichten, wie von den dunklen — denn er hat sich grundsätzlich beiden eröffnet, und er hat nach den Besitztümern beider verlangt. Allerdings werden die Kundigen der „Engelwissenschaft", deren Ausbildung einer dringenden Notwendigkeit entsprechen wird, die jeweilige Gegenwart und Wirkung beider Weisen der Engel im Menschen unterscheiden können. Denn es wird sich bei diesen „Besessenheiten" nicht um die bisherigen gelegentlichen, oft fragwürdigen Geistererscheinungen handeln, sondern um massenhafte Manifestion von Geisterwesen (und nur Engel sind Geister im Vollsinn des Wortes) in leiblicher Gestalt. Durch die wassermannhafte Intuition werden sie nicht nur wie bisher von Heiligen oder Medien, sondern von einer großen Anzahl von Menschen wahrgenommen werden. Dann wird man sich bei jedem Menschen, dem man begegnet, immer erneut fragen müssen, ob und welch eine Engelmacht aus ihm wirkt. Dies ist der Grund, warum der Parapsychologie im Wassermann-Zeitalter eine erhöhte Bedeutung zukommen muß: Aus der Notwendigkeit, die Gesetze der Zwischenwelt zu erforschen und zu beherrschen — für den Magier im Interesse seines Machtstrebens, für den Weisen, um den Einbruch der

Engelwelt heilsam abzuschirmen, um das Menschenmaß zu gewährleisten.

Die Kirche begrüßt das Neue Jahr

In der Mitte des 20. Jahrhunderts hat die Menschheit die Schwelle der neuen, vom Lebensurbild Wassermann geprägten Weltzeit überschritten. Dieses umwälzende Geschehen ist inzwischen zwar als veränderte Atmosphäre, selten aber in Tiefensicht wahrgenommen worden. Nur einige uranische – meist als Sonderlinge gescheute – Denker haben die Eigenart und Ungeheuerlichkeit des Kommenden erkannt. Allerdings ist es weithin übersehen worden, daß die höchste aller geistigen Institutionen des Erdkreises, die Kirche, der sowohl ein Wissen von der Bedeutung der kosmischen Zyklen wie von deren Hinordnung auf das allgemeine Weltziel eignet, den Hintergrund der großen, durch den Überschritt in ein neues Weltalter ausgelösten Weltkrise aufgedeckt hat. Indem sie auf die ihr eigentümliche Weise das Neue Weltalter öffentlich begrüßte – und sie tat dies als erste – hat sie auch dem, wie eine Sintflut über uns Hereinbrechenden, eine erste geistige Schranke entgegengesetzt.

Ihre Begrüßung bestand – für viele rätselvoll und unannehmbar – in der Verkündigung der Himmelfahrt der Gottesmutter Maria mit Leib und Seele, im Jahre 1950, dem wahrscheinlichen Datum des Überschrittes ins Neue Jahr. Ohne Einsicht in die tieferen Zusammenhänge wird es allerdings gar nicht deutlich, daß die Kirche mit dieser an den Erdkreis gerichteten feierlichen Erklärung tatsächlich das Neue Jahr – wenn auch in ihrer altertümlichen Symbol-Sprache – im Vollzug ihres prophetischen Wächteramtes begrüßt hat. Ihr prophetisches Wort hat die mit Zukunftskeimen reich gesättigte aber noch ungeordnete massa confusa der Neuen Zeit „geteilt", geistig geordnet und dadurch bereits den noch im schwelenden Dunst verborgenen Kern enthüllt. Indem sie im Gewand ihrer heiligen Symbolsprache das Leitbild des Kommenden, den integralen – und im höchsten Sinn – den verklärten Menschen ans Licht gehoben hat, ist in die mitternächtliche Gottesfinsternis unserer Zeit bereits der erste Lichtschimmer des kommenden Morgens gefallen.

Der entsetzlichen Entwürdigung des Leibes in unsern Tagen – sei es durch das Willkürregiment der Tyrannen, durch die Greuel der Konzentrationslager oder jene des systematischen Menschenmordes im Mutterleibe – hat die Kirche das Bild der höchsten Würde des Leibes durch die Auferstehung und Verklärung entgegengestellt. Was aber so gesehen für das Ende der Zeiten gilt, das gilt auch für das „kleine Zeitende" und den „kleinen Zeitanfang" in unsern Tagen. Darum verweist die Kirche mit ihrer Erklärung und Begrüßung nicht nur auf den Zustand des endzeitlichen, sondern auch auf den zeitlich zukünftigen Menschen, d. h. auf ein neues, universales Menschenbild. Die Wissenden um den Menschen und die großen Symbolkundigen der Gegenwart haben durchaus begriffen, daß in der Botschaft der Kirche in Wirklichkeit ein doppelter Sinn enthalten ist.

Zu ihnen ist unter andern auch der Psychologe C. G. Jung zu rechnen, der in seinem Buche „Antwort an Hiob" die Überzeugung vertritt, dieses Dogma sei aus der Erkenntnis hervorgegangen, „daß Gott ewig Mensch werden will und sich darum durch den Heiligen Geist fortlaufend inkarniert". Er ist ferner der Ansicht, daß diese Verkündigung als Zeichen der Zeitwende „aus der Fühlung mit den gewaltigen archetypischen Entwicklungen in der Seele des Einzelnen wie der Masse und mit jenen Symbolen, welche die wahrhaft apokalyptische Weltlage zu kompensieren bestimmt sind" hervorgegangen sei. Zudem glaubt er in diesem Dogma „eine metaphysische Repräsentation der Frau" entdecken zu können. „Das neue Dogma", sagt Jung weiterhin, „bedeutet eine erneuerte Hoffnung auf Erfüllung der die Seele im Tiefsten bewegenden Sehnsucht nach Frieden und Ausgleich der drohend ausgespannten Gegensätze... Dieser Sehnsucht hat die päpstliche Deklaration tröstlichen Ausdruck verliehen." Wenn es auch Jung auf die Darstellung der Wirklichkeit der Seele und der im Grund der Schöpfung wurzelnden Symbole ankommt, so ist doch sein — alle nur psychologistische Deutung weit überschreitendes — Verständnis jener Dogmenverkündigung auf die Erfassung des von der Kirche gesichteten neuen Wandlungszustandes des Menschen ausgerichtet. C. G. Jung ist es aufgegangen, daß diese Erklärung nicht nur im höchsten metaphysischen Sinne, sondern auch unter verschiedenen zeitlichen Aspekten verstanden werden kann. So entdeckt er, durchaus im Sinne der androgynen Möglichkeit der Wassermannzeit, in dem Dogma einen Hinweis auf die hochzeitliche Vereinigung nicht nur Gottes mit dem Menschen, sondern auch des Menschen mit sich selber im Zuge einer „fortschreitenden Inkarnation Gottes, welche mit Christus angehoben hat". So wird Maria im Sinn dieses Dogmas in einer Hinsicht als Inbegriff des Weiblichen und Menschlichen durch ihre Himmelfahrt zum „Göttlich-Männlichen" hinaufgehoben, um im „Brautgemach des Himmels" mit dem Bräutigam vereint zu werden. Das „Männliche und Weibliche" rücken dadurch — sei es himmlisch oder abbildlich irdisch — auf eine alles Sinnliche übersteigende Weise so nahe zusammen, daß beide, sei es oben oder unten, umfangen und vereinigt werden können. Daß ein neues Menschenbild, eine neue Menschlichkeit im Werden ist — nicht als Rückgriff auf die zerstörte und dem Untergang überantwortete alte — davon kündet das neue Dogma unter ewigen und zeitlichen Aspekten.

DAS HOROSKOP DES WASSERMANN-ZEITALTERS UND SEINE LEBENSFELDER

Das Horoskop des Wassermann-Zeitalters

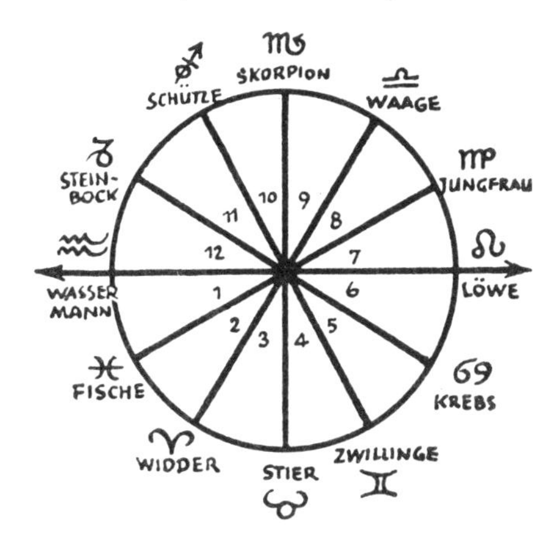

Das erste Feld

Auch im Horoskop des Wassermann-Zeitalters gibt das 1. Feld und das Lebensurbild, das dieses bestimmt, Auskunft über die Grundschwingung der ganzen Epoche, ihre geistige Richtung und ihre seelische Gestimmtheit. Als prägendes Lebensurbild wirkt hier das Zeichen des Wassermann. Die lebensabgewandte, passive und gefühlshafte Haltung des Fische-Zeichens, das zuvor im ersten Feld wirksam war, wird nun durch eine erneute, nun aber nicht mehr sinnliche, sondern geistige Zuwendung zur Welt abgelöst. Nicht mehr das Sinnenhafte wie im Widder-Zeitalter, nicht mehr das Seelenhafte wie in dem der Fische, sondern die Geistkraft im Menschen wird nun zum wesentlichen Organ und Instrument.

Die „luftige" Qualität des Zeichens Wassermann wirkt sich grundlegend aus als Tendenz zur sprunghaften Beweglichkeit und Bewegungsbeschleunigung, zur Expansion ins Grenzenlose und zu unaufhörlicher, blitzartiger Verwandlung. Als Wirkung dieses Zeichens und Kraftfeldes tritt im Menschen die Kraft zur geistigen Durchdringung aller Stoffe und Formen, zur Zusammenfassung der Gegensätze und zum intuitiven Durchschauen der Kausalitätsreihen hervor. Die aus solcher Mentalität gewirkten Taten ereignen sich dann in einer ebenso leidenschaftlich gespannten wie gefühlsarmen Atmosphäre — die Folge ist paradoxerweise eine ebenso brüderlich sich mitteilende, wie den Nächsten unbedenklich und grausam vernichtende Gesinnung. Die hohen Opfer, die im Bereich der Wirkung des Lebensurbildes Wassermann gefordert und auch gebracht werden, stehen im Dienst der Realisierung tiefreichender Erkenntnisse, großer Experimente, kühner Abenteuer. Und da der Mensch des Wassermann-Zeitalters infolge der hohen Spannung, in der er normalerweise lebt, nur selten Todesfurcht empfinden wird und es sogar liebt Gefahren herauszufordern, wird er diese Opfer ohne Zögern bringen.

Unter den 12 Menschentypen der Tierkreiszeichen-Typologie gehört derjenige des Wassermanns zu den seltensten und eigenwilligsten. Glücklicherweise tritt er, auch im Wassermann-Zeitalter, stets als Minderheit auf. Denn befände er sich jemals in der Überzahl, was auch im „neuen Zeitalter" nicht der Fall sein wird (in diesem findet er nur den ihm bisher versagten freien Spielraum), dann würde er infolge seiner hohen Spannung und seiner Tendenz Form und Materie in Kraft und Bewegung zu verwandeln oder alles zu vergeistigen (was als Dauerzustand des Lebens unerträglich und zerstörerisch wäre), die Revolution in Permanenz erklären und den Menschen zur Entstaltung drängen. Als Minderheit wirken die uranischen Tendenzen des Kraftfeldes Wassermann und die davon bestimmten Menschentypen, ungemein belebend, auflockernd, nicht nur als Salz, sondern geradezu als Pfeffer des Lebens. Der Wassermann-Typus ist leiblich gekennzeichnet durch seine schlanke und sehnige Gestalt, durch seine aufrechte Haltung mit erhobenem Kopf. Auffallend ist seine hohe und gewölbte Stirn, die „strahlende Zentralkraft" ausdrückt, ebenso seine hellen, strahlenden Augen und deren durchdringender, sich vor nichts scheuender Blick (Röntgenaugen). Seinen Eigenschaften nach ist er gekennzeichnet durch seine gemessene, auf Distanz drängende Freundlichkeit; er ist ernst, still, beobachtend und geduldig, dann aber kommt es auch zu plötzlichen, völlig überraschenden Einfällen und zu gewitterhaften Ausbrüchen. Beim reinen Wassermanntypus kann alles zweifach sein: Exzentrisch oder schrullenhaft, von hoher Geistigkeit oder bohèmehafter Formlosigkeit, pervers oder entschieden ethisch, aber zugleich amoralisch zugunsten einer Vielfalt von Möglichkeiten jenseits von Gut und Böse, wodurch er in innerer Freiheit über jedem Gesetz, jeder Moral, jeder Konvention, jeder Partei zu stehen vermag. Er ist der geborene Ketzer und Revolutionär — auch dann noch, wenn er sich dienend und helfend in das Ganze einfügt.

Seiner körperlichen Erscheinung nach sind zwei Grundtypen zu unterscheiden: Einerseits der schlanke, tänzerisch beschwingte, erkennbar an seinem „schwebenden" Gang. Durch seine originelle Denkart ist er sowohl ein bedeutsamer Anreger wie ein faszinierender Blender. Andererseits gibt es auch einen scheinbar gegensätzlichen Typus von massiger, vierschrötiger Gestalt, dessen expansive Lebenskraft sich in einer ungeheuren Dynamik auswirkt, die allerdings ebenso in schwere Depressionen, wie in Mordlust umschlagen kann. Beide Typen bewegen sich gerne in „Sprüngen", sind zu jäher Wendung in ihren Entschlüssen fähig, ohne freilich dadurch ihr wirkliches, nicht immer äußerlich erkennbares Ziel aufzugeben — sie erreichen dies gerade dadurch, daß sie unaufhörlich zwischen den Polen hin- und herwechseln, wobei eine mögliche Katastrophe niemals ein Hindernisgrund ihres Handelns ist. Beide Typen wissen gerade angesichts der Gefahr als kühne „Springer" die Hemmnisse der Kausalitäten zu überspringen. Im ständigen Wechsel der Situationen, bei allerdings gleichbleibender Intention, in den Umstürzen der Wertordnungen empfinden sie durchaus einen lustvollen, das Lebensgefühl erhöhenden Reiz. „Gefährlich leben", ohne sich und andere zu schonen, erscheint ihnen, nicht aus äußern, sondern aus innern Gründen, als etwas Erstrebenswertes.

Im russischen Volk als Ganzes (wenn auch in diesem alle Typen vorhanden sind) prägt sich die Wassermann-Mentalität am nachdrücklichsten unter den Völkern aus. Dies ist wohl der Grund, warum die russische Mentalität, in der die Spannung zwischen den entgegengesetzten Polen am entschiedensten hervortritt, den westlichen Völkern so unendlich fremd und unverständlich ist — so sehr, daß sie auch unter höchster Anstrengung und bei gutem Willen auf diese nicht in gemäßer Weise zu reagieren verstehen. Denn bei allem schroffen Realismus ist der russische Wassermann-Typus von ebenso tollkühner, wie maßloser Spielleidenschaft angetrieben. Die diskursive, merkuriale, eingleisige Denkweise des Westens steht im unvereinbaren Gegensatz zur uranisch-paradoxen, unberechenbar mutierenden, bipolaren Denkart Rußlands. So muß die Verhaltensweise der russischen Führerschicht, schwankend zwischen höchsten Menschheitsidealen, einer Ideologie der Brüderlichkeit und kältester Grausamkeit und bewußter Irreführung, zwischen Menschenverachtung und Überschätzung alles Funktionellen, dem westlichen Menschen, der seit einem Jahrtausend bemüht ist, die Gegensätze sowohl in der Natur, wie in der eigenen Brust kunst- und zuchtvoll auszugleichen, unverständlich, ja widersinnig erscheinen.

So besteht die Gefahr, daß das wassermannhafte Rußland den Westen immer wieder buchstäblich überspielen wird. Um dem zu begegnen müßte Europa-Amerika sich entschließen, die ihm bisher so unbequemen Wassermann-Typen im eignen Bereich, die durch ihre bisherige Zurücksetzung immer wieder zur revolutionären Aktion gedrängt oder zu Einzelgänger wurden, mit in die Führungsgremien zu berufen, ihre Mentalität in die geistige Grundhaltung des Westens einzubeziehen. Dies ist bisher so gut wie nirgends geschehen — man müßte ja dann seine eignen stur-dogmatischen Anschauungen, seine merkuriale Vordergründigkeit revidieren. Aber nur die Träger dieser spannungsvollen und höchst beweglichen Wassermann-Mentalität, die sich zugleich des jeweiligen Kernes der Situation tief und ernsthaft bewußt sind, sind der russischen Strahlkraft wirklich gewachsen und dem Vermögen der Russen, die ganze Breite der Lebensmöglichkeiten zu mobilisieren — je nach Belieben und Notwendigkeit einmal die eine Seite, dann wieder die entgegengesetzte des sozialen, wirtschaftlichen oder mentalen Ganzen in den Vordergrund zu stellen. Nur sie sind die eigentlichen Partner des östlichen Wassermannvolkes und vermögen ihm jeweils die gemäße Antwort zu geben. Und da zudem die Weltrevolution, auch ohne das fragwürdige kommunistische Vorzeichen, unaufhaltsam um den Erdball vorschreitet, wäre es klug und haushälterisch jene Menschentypen, die ihrer Natur und ihrem Wesen nach diesen großen Umgestaltungsprozeß unmittelbar zu verstehen vermögen, an den entscheidenden Stellen, zumindest als Ratgeber, mit einzusetzen. Der Westen hätte von der militärischen, wirtschaftlichen, ideologischen Macht Rußlands nichts zu fürchten, wenn er diesem jene „Spielpartner" entgegenstellt, die dessen Sprache sprechen und die ihm auch in dieser zu antworten verstehen.

Das Wassermann-Zeitalter wird einen neuen Typus kraftgeladener Persönlichkeiten hervorbringen, die man durch das Vorwiegen ihrer machtvollen Einsichten als die „Wissenden" bezeichnen könnte. Ein neuer Typus des Propheten und Visionärs, der es versteht unmittelbar erregend auf das Innerste, das geistige Bewegungszentrum des Menschen zu wirken, des Forschers, der zugleich Abenteurer ist und des soldatischen Arbeiters wird heraufkommen. Einige typisch uranische Schöpfer unserer Zeit seien als vorläufige Beispiele angeführt: Der Psychologe C. G. Jung mit seiner Lehre von der Vereinigung der Gegensätze und von der Synchronizität des Lebendigen; Romano Guardini, dessen frühes Hauptwerk dem Problem des Gegensatzes gewidmet ist; W. Kandinsky, der Verkünder des „Geistigen in der Kunst" als der eigenwillige Schöpfer der „abstrakten Kunst", und einer der selbständigsten Denker unserer Zeit, Hans Blüher. Aber auch der „Theoretiker des Umsturzes", Karl Marx, gehört noch in diese Reihe. Ein typisch wassermannhafter Künstler ist Mozart, in dessen Musik uranische Spiel- und Tänzerkraft ihren vielleicht auch künftig nie mehr erreichbaren Höhepunkt gefunden hat.

Allerdings begünstigt die dunkle, unheimliche Seite des Wassermann-Typus die Heraufkunft amoralischer Spieler, Gaukler, Blender und Verführer, die durch ihre ungewöhnlichen Einfälle und durch uranische Faszinierungskraft die Umwelt auch gegen ihren Willen zu erregen und zu bannen wissen, um im Trüben zu fischen. Sie lieben den Umsturz aus Lust an der Bewegung oder der Zerstörung, berauschen sich an Grausamkeiten und verschaffen sich unter Mißbrauch des Menschen und seiner Würde bizarre Nervensensationen. Die russischen Führergestalten sind Repräsentanten dieses Typus. Ebenso sind es die Ärzte und Leiter der Konzentrationslager von gestern, heute und morgen und alle Tyrannen, die um einer Ideologie willen – dieses Gespenstes des Wassermann-Zeitalters – die Völker erst in lustvolle Erregung, dann aber zur Verzweiflung treiben und zum Ausbluten bringen. Ein Künstler wie Picasso, sprunghaft und sich unaufhörlich wandelnd, von einem Extrem ins andere fallend, unberechenbar für sich und die Umwelt, ist ein ausgesprochen uranischer Typus, sowohl als Schöpfer wie als Blender.

Das Zeitalter des Wassermann wird, schon durch die ursprüngliche Verbindung des Zeichens mit dem weltoffenen 11. Feld, in dem auf geistige wie geisterhafte Weise alle Grenzen aufgehoben sind, ein solches der Entbergung sein. Durch den unstillbaren Wissensdurst, den vor nichts zurückschreckenden Forschungsdrang, durch die kühle Vorurteilslosigkeit, die zur unbedenklichen Sezierung des Lebendigen, sogar des Heiligen führen kann, werden die Türen zu allen Geheimnissen aufgestoßen – seien es die Tore zu den Bereichen des Göttlichen (soweit sie der Mensch von sich aus zu öffnen vermag), zu denen des Eros, der Kunst, der Materie, des Leibes oder der Seele. Die ganze dem Menschen zugängliche Welt des Belebten und Unbelebten wird, indem sie durchforscht wird, zugleich rational handhabbar gemacht. Bereits in den ersten impulsgebenden Jahrhunderten des Wassermann-Zeitalters wird dies Ziel erreicht sein: Die rationale Struktur aller Teile der Welt wird aufgedeckt, der Allgemeinheit zugänglich gemacht und dadurch zum unbewußten Grund und allgemeinverbindlich für das künftige Leben des Menschen werden. Die konsequent angestrebte Veröffentlichung alles Verborgenen und aller Geheimnisse führt notgedrungen zu einer „Totalveröffentlichung des Menschen", zu der Biologie und Chemie, Physik und Atomphysik, Psychologie und Parapsychologie, Astrologie, Chirologie und Graphologie ihre Beiträge leisten werden.

In einem Museum zu Dresden befindet sich der „gläserne Mensch", eine transparente menschliche Gestalt, deren Nerven, Adern etc. durch eine Glashaut hindurch sichtbar sind. Man kann dieses „technische Kunstwerk" als Ankündigung der kommenden, heute schon anhebenden Durchdringung des Menschen durch die komplex gewordene Ratio „in neuer Sicht" verstehen. Der „durchsichtig" gewordene, der veröffentlichte Mensch, den man, da er geheimnislos und berechenbar geworden, in ein künstliches Lebensganzes mit einplanen kann, wird dann als die allseitigste, die totale Maschine verstanden werden, als das unerschöpfliche Vorbild der gesamten Maschinenerfindung. Jede Funktion des Menschen, jeder Teil seines Organismus, wird so zum Modell eines entsprechenden Maschinentypus. Andererseits lassen, wie Adolf Fortmann einmal ausführt (Zeitschrift „Du" Okt. 1957, S. 94) die von uns erfundenen Maschinen, die Abläufe in den lebendigen Organismen neu und tiefer als bisher verstehen. „Das Erfinden von Maschinen und das Denken um den Organismus steht in einer eigenartigen Wechselwirkung" (Portmann). Allerdings wird die Nachahmung und Übersetzung menschlicher Funktionen und Organe durch Maschinen, die diese an Kraft und Bewegungsintensität weit übertreffen, den Urheber dieser „Machtwesen" scheinbar als antiquiert erscheinen lassen. Denn der leibhafte Mensch bleibt in den Grenzen des Organischen gebunden, auch wenn er diese im Bereich seiner wissenschaftlichen Technik weit überschreitet. Doch dadurch, daß er nun zum ersten Male die Qualitäten und Kraftverhältnisse des Kosmos in sein Leben einbezieht, wird der Kosmos, den er zu beherrschen sucht, sein Konkurrent. So wird im Zeitalter des Wassermann der Mensch seine Gebundenheit an das Organische, seine Verwurzelung im Seelischen, seine Herzenswärme und seine künstlerische Bildekraft immer erneut den eisig kalten, unpersönlich uranischen Mächten, die er entborgen hat, abgewinnen müssen.

Durch die bis in die letzte Konsequenz betriebene „Veröffentlichung des Menschen" wird es für diesen keine bergende Höhle mehr geben können — gläsern geworden, muß er in einer gläsernen Welt verweilen. Herausgestellt aus seinem, nur im Mythos mittelbar zu fassenden Zusammenhang mit der Natur, in sich selbst vereinzelt, andererseits durch den humanen Rationalismus funktionalisiert und gleichgeschaltet, wird er unerbittlich mit sich selber konfrontiert. Dies wird ihn nötigen seine Projektionen zurückzunehmen, die er in die Welt entlassen hatte, um sie zu erkennen; dann wird er sich nackt in eine nackt gewordene, d. h. eine in ihren Funktionen und Strukturen durchschaute, aber auch denaturierte und entgöttlichte Welt gestellt sehen. Weil die Natur dann aufgehört hat, für den Menschen als Mittlerin aller großen Urbilder zu wirken, so wird er Wasser, Erde und Baum nur noch als habbare und nutzbare Dinge, aber nicht mehr als Träger von Geheimnissen wahrzunehmen vermögen. Dann wird der Mensch allüberall nur noch sich selber und seinen eigenen Spuren begegnen. Mag er auch noch eine Zeitlang — als letzte Ausfluchtmöglichkeit — in den Kosmos ausschweifen (was bald weniger bewegend sein wird, als einst der Osterspaziergang vor den Toren der Stadt), so bleibt dies doch: Der Mensch ist durch sich selber gestellt worden und vermag dadurch auf sich selbst zurückgeworfen, sich nicht mehr zu entrinnen. Der Entgöttlichung der Welt folgt deren Entseelung. Dann erst wird sich die Größe, wie auch die Schrecklichkeit des Menschen völlig enthüllen.

Die beiden hauptsächlichen bisherigen Bewußtseinsstufen des Menschen, die bildhaft-mythische, wie die intellektuell-rationalistische, werden dadurch, daß er sich in der Welt nicht mehr einbegriffen fühlt, sondern ihr im Abstand gegenübersteht, durch ein synthetisch umgreifendes Menschheitsbewußtsein und durch ein Vorwalten der Intuition abgelöst. Diese vermag „gleichzeitig" die Erkenntnisse und Schauungen der Vergangenheit, Gegenwart und Zukunft zu umfassen, die fernsten Welten wie die Mikrowelten — nicht mehr in der Weise der Ausschließlichkeit eines Entweder-Oder, sondern als ein gleichzeitiges Nebeneinander und Ineinander aller Gegensätze. Typisch für den Lebens- und Erkenntnisrhythmus des Wassermann-Zeitalters ist die Diskontinuität, der Sprung, das blitzartige Umschlagen eines Pols oder einer Situation in den Gegensatz. Auch der Einbruch des Göttlichen wird infolge der weitgespannten, vibrierenden Seelen- und Geisteshaltung des Menschen oft mit solcher Plötzlichkeit erfolgen, daß dieser wie durch eine Explosion aus seinem bisherigen Standort geschleudert wird. Mit einer einzigen Wendung werden unter Umständen Manche zu den Höhen intuitiv einsehbarer Erkenntnisse hinaufgerissen werden. Anderseits kann sich der Sturz des Menschen in den Abgrund des Verbrechens und des Wahnsinns mit ebensolcher Plötzlichkeit ereignen, besonders wenn ihm, vielleicht nur einen lebensgefährlichen Augenblick lang, die Steuerung des künstlichen Lebenssystems des Wassermann-Zeitalters entgleitet. Doch was immer sich auch inhaltlich ereignet, so wird doch, im Gegensatz zum ängstlichen Festhalten und sich Anlehnen der Fische-Mentalität, innerhalb der des Wassermanns, gerade alles was sich halsbrecherisch sprunghaft ereignet, nicht nur zu einer schnellen Wandlung im Menschen führen, sondern auch in bevorzugter Weise als legitim gelten.

Das zweite Feld

Das 2. Feld der Dinge, des Materials, der Mittel in jedem Sinn zeigt durch sein jeweiliges Vorzeichen an, in welcher Weise die Grundgestimmtheit eines Zeitalters verwirklicht, ins Werk gesetzt wird — wie der Mensch des Wassermann-Zeitalters seine materiellen Mittel handhabt und in welchem Bezug er zu seiner Leiblichkeit steht.

In der seeleninnigen Fischezeit war das 2. Feld durch das Widder-Zeichen geprägt. Infolgedessen griff der Mensch naiv und unreflektiert, ohne auf die Bedürfnisse des Du zu achten, nach den Gütern der Erde. Trotz der christlichen Nächstenliebe waren seine Raub- und Kampfinstinkte auf ungehemmte Aneignung von Besitz gerichtet. So führte die Widder-Mentalität schließlich durch den Kapitalismus zur Ausplünderung des Nächsten und der Völker-Welt. Im Horoskop des Wassermann-Zeitalters bestimmt nun aber das Fische-Zeichen das 2. Feld. Durch seine Wirkung wird jetzt das Streben nach Besitzanhäufung zurückgedrängt. Als ein Zeichen der Auflösung macht es zur Hingabe, zu unbeschränkter Gemeinsamkeit und allgemeiner Menschenliebe geneigt. Der Mensch ist nun nicht mehr Herr seines Besitzes, sondern er erleidet ihn.

Der Mensch des Wassermann-Zeitalters wird in Bezug auf seinen Besitz und seine Leiblichkeit jene Gewalt erleiden, die er in Bezug auf den Nächsten im Fische-Zeitalter geübt hat. Jetzt wird er bereit sein oder genötigt werden, aus wirklicher oder ideologisch konstruierter Einsicht seinen Eigenbesitz einzuschränken oder sogar auf ihn zu verzichten. Besitzlosigkeit wird, weit über die reale Notwendigkeit hinaus, ein mystisches Ideal werden. Es wäre aber ein Irrtum, daraus auf die Wiederkehr einer frühchristlichen oder urfranziskanischen Gesinnung in Bezug auf Besitz und Leiblichkeit zu schließen. Denn der Mensch des Wassermann-Zeitalters wird seinen Besitz nicht um Gottes, sondern einzig um des Menschen willen einschränken. Solange der Mensch wie bisher nur die vorhandene Natur nutzte, seine Güter aus dem Naturbereich gewann, und solange sein Leben durch den Naturrhythmus gegliedert wurde, waren Privatbesitz und private Vorratshaltung unumgänglich notwendig. Ohne diese verfiel der Mensch der Sklaverei und Rechtlosigkeit oder fiel in die überwundene primitive Lebensform des Jägertums zurück. Da aber die Gebundenheit an den Naturrhythmus im Wassermann-Zeitalter durch ein künstliches Lebenssystem abgelöst wird, in dem der Mensch unabhängig von der Natur und ihren Rhythmen jederzeit alles zum Leben Notwendige produzieren kann, hört die zwingende Notwendigkeit des Individualbesitzes auf. „Wenn die Gesamtgesellschaft auf Beton und Stahl umgepflanzt wird, die Natur aus den Augen geschoben wird und die Chance des Lebenkönnens an die kühnsten, unwahrscheinlichsten Entwürfe geknüpft wird" (A. Gehlen), dann verliert der Einzelne den Überblick. Die lückenlose Verzahnung des Produktionsapparates, in dem er nur noch ein Rädchen ist und nicht wie einst als Bauer und Handwerker ein selbständiger, wenn auch bescheidener Herr seines Lebensraums, verunmöglicht echte Besitzbildung. Dann bedarf es der Fachleute mit Übergehirnen, um das Netz der materiellen Funktionen noch zu überschauen. Um diese aber zu lenken, um Besitzbildung — weniger für den Einzelnen als für die Gemeinschaft — zu ermöglichen, wird bereits heute eine Steuerungstechnik, die Kybernetik und die kybernetischen Maschinen ausgebildet.

Dies bedeutet aber keineswegs ein Vorherrschen des kommunistischen Besitz- oder Nichtbesitzsystems. Die illusionäre Sozial-Ideologie des Kommunismus wird keineswegs allgemein gültig; zudem wird sie weitgehend abgewandelt werden. Dann wird es zur Ausbildung vielfältiger Besitzsysteme kommen, auch gemischt privat-gemeinschaftlicher. Wahrscheinlich wird die wirtschaftliche Sozialform der Genossenschaft im idealen Fall vorherrschend sein, also weder der Privat- noch der Staatskapitalismus. Denn das Fische-Zeichen im 2. Feld weist darauf hin, daß die Formen des Besitzes und der Gewinnung der materiellen Mittel fließend bleiben und dauernder Umwandlung, sei es durch Notwendigkeit oder Tyrannis, ausgesetzt sein werden. Die Versuche zur Überwindung des Kommunismus, die nicht überall in gleicher Weise gelingen werden — denn die Erde wird nicht unter einheitlicher Verwaltung stehen, sondern in große Teilreiche geschieden sein — werden infolge der wassermannhaften Reformier- und Experimentierlust immer neue Formen des Gemein- und Einzelbesitzes hervorrufen. Einerseits wird Privatbesitz für unmoralisch gelten, als ein Verstoß gegen die neue „Brüderlichkeit" (die nicht mehr religiös bedingt ist); andererseits wird vererbbarer Einzelbesitz weder die Ausgestaltung einer eigenen Lebensform noch Machtgewinn ermöglichen und darum nicht mehr in gleichem Maße wie bisher als erstrebenswert gelten. Denn die wirkliche Macht wird im Wassermann-Zeitalter auf dem technischen Wissen beruhen, auf intellektueller Magie oder dem Vermögen, die Massen zu steuern, aber weder auf Land- und Geldbesitz, noch auf Heeresmacht.

Im Bereich des 2. Feldes aber handelt es sich nicht nur um das jeweilige Verhältnis zum Geld, zu Geldeswert, zum Grundbesitz, sondern überhaupt um die Beziehung des Menschen zur Dingwelt. Unter dem Vorwalten des Fische-Zeichens wird nun der Mensch die Dingwelt, die er zwar sachlich zu beherrschen weiß, in seiner persönlichen Sphäre leidvoll erfahren. Denn durch die Konstellation des 10. Feldes wird das soziale Leben, dem die irdischen Mittel zu dienen haben, von ständiger Unruhe erfüllt sein. Gerade der unablässige Umsturz- und Reformwille der Wassermann-Mentalität wird es dem Menschen verunmöglichen, in diesem Bereich heimisch zu werden. Er wird zwar über ungeheure Mittel verfügen, wird aber zugleich ihren Gesetzen zu gehorchen haben: Im Interesse der Mittel wird über ihn verfügt werden. Zudem werden die neuen Herren keine Erbherren der Macht wie bisher, sondern sonnenhafte Persönlichkeiten sein oder aufpeitschende Technokraten, Sozial-Magier, die ohne Rücksicht auf das Wohl des Einzelnen nur die Interessen der Gesamtheit oder die Durchsetzung einer Ideologie im Sinn haben. Solche Machthaber werden versuchen, die Menschen und ihren Beseitz unbedenklich für ihre großen, Menschenmaß übersteigenden Pläne auszunutzen. Bisher erschien die Welt in christlicher Sicht — durch die Ausrichtung auf das letzte Weltziel, das Eschaton — im Vergleich zur kommenden Welt als ein Tal der Tränen, als Ort des Leidens. Aber in Zukunft wird der Mensch nicht mehr an der Unzulänglichkeit des Irdischen, wie es gemessen am Ewigen notgedrungen erscheinen muß, leiden, sondern an den Dingen selber: Er wird durch das unentrinnbar zwingende Sozialgesetz, also vom Sachlichen her, in eine ständige Opferhaltung gedrängt werden.

Aus diesem Zusammenhang wird sich künftig die einstige, der Grundnatur des Menschen sinnvoll entsprechende, Freude am Besitz nicht mehr auswirken können. Gewiß wird der Einzelne auf Grund der Massenproduktion über die notwendigen Konsum- und Genußgüter verfügen, wenn nicht gerade eine der häufigen Katastrophen sozialer oder technischer Art (die anstelle der Kriege treten werden) die Menschen in Not und plötzliche Armut stürzt. Das Fische-Zeichen im 2. Feld weist aber auch darauf hin, daß der Mensch nicht mehr durch eine jenseitige Erlösungserwartung bestimmt sein wird, wie im Fische-Zeitalter. Er wird nicht mehr bereit sein, das Diesseits zugunsten einer jenseitigen Wirklichkeit aufzuopfern, er wird seine Opfer einzig zur Gestaltung des Diesseits bringen.

Die Wirkung des Fische-Zeichens im 1. Feld weckte einst die Sehnsucht nach einer allgemeinen, innerlich begründeten Bruderschaft der Menschen, aus der Erkenntnis, daß alle Menschen Kinder Gottes und darum Brüder seien. Aber durch das Vorrücken des Fische-Zeichens ins 2. Feld wird der Wunsch nach Brüderlichkeit und Gemeinschaft in den Bereich der Mittel, des Besitzes verschoben. Der Mensch erstrebt nun Güter-Gemeinschaft statt Seelen-Gemeinschaft. Wie aber die übersteigerte Sehnsucht nach Seelen-Gemeinschaft Religionskriege auslöste, so wird der übersteigerte Wunsch nach Güter-Gemeinschaft als Gegenwirkung „Sozialkriege“ hervorrufen. Denn diese ist nicht nur durch sachliche Notwendigkeiten, wie z. B. durch den ins Riesenhafte gewachsenen Kraft- und Güterproduktionsapparat, der nur noch durch die wassermannhaften „Räte“ zu handhaben ist, bedingt, sondern ebenso durch doktrinäre Theorien und eigensinnige Ideologien. Dem künftigen „Sozialevangelium“ von pseudoreligiösem Pathos wird eine ebenso zwingende Gültigkeit zugeschrieben werden, wie der kirchlichen Lehre im Fische-Zeitalter. Auf Grund des Sozialevangeliums, das im Demokratismus Amerikas wie im Kommunismus Rußlands seine ideologischen Wurzeln hat, wird es auch zur Ausbildung einer Sozial-Kirche kommen, gegen deren Dogmen zu verstoßen die materielle Vernichtung des Einzelnen, seine soziale Exkommunikation zur Folge haben wird. Der furchtbare Begriff des Ketzers verschiebt sich dann aus der religiösen Sphäre in das Bereich des Sozialen. Wer zum Ketzer der Sozialkirche oder des Wohlfahrtsstaates erklärt wird, dem wird der Anteil am gemeinschaftlichen oder an dem noch möglichen individuellen Besitz gesperrt werden. Auch die Sozial-Kirche wird „Kirchenstrafen" kennen, von Tötung und Frondienst bis zur gestaffelten Sperrung von Konsum- und Genußgütern.

Eine der Wirkungen des Fische-Zeichens im 2. Feld ist die Aufhebung der gewohnten Verfestigung und Fixierung des Besitzes und der Wirtschaft. Dadurch wird der Einzelne teilhaben an Vielem. Doch wird die ideologisch proklamierte, aber innerlich keineswegs immer bewältigte Besitzlosigkeit in Krisenzeiten immer wieder zu einem neuen „Unbehagen an der Kultur" führen und zu Protesten und Aufständen gegen die Sozialmaschinerie drängen, ohne indes grundsätzlich das dogmatisierte System aufheben zu können. Zwar wechseln die Dogmen, aber das System bleibt. Der Mensch wird etwa im Sinne Ernst Jüngers als „Arbeiter" in seiner Zugehörigkeit zur Sozialmaschine Glück und Unglück erfahren.

Eine derartige Organisation der Sozial- und Produktionswelt wird jedoch, auch wenn sie zur Ernährung der Menschenmilliarden notwendig ist (in etwa 100 Jahren wird die Anzahl der Menschen ungefähr 8 Milliarden betragen[25]), im Laufe der zweiten Halbzeit des Wassermann-Zeitalters (etwa im Jahre 3000–4050) allmählich die seelischen und wohl auch die biologischen Kräfte des Menschen aufbrauchen. Da das Zeichen Fische ein solches ungeschützter Empfindsamkeit ist, so wird die Menschheit – gerade weil sie durch rücksichtslose Ausbeutung der Natur und des Menschen zu einer wissenschaftlichen und technischen Hochkultur gelangt sein wird – dies ihr Werk mit einem unbeschreiblichen Verschleiß an menschlicher Substanz bezahlen müssen. Die totale Planung und Mobilisierung des Menschen, durch welche die organische Struktur der bisherigen Gemeinschaftsformen abgebaut und vernichtet werden wird (Fische als Prinzip der Auflösung), muß schließlich zu entsetzlichen Aufständen und brudermörderischen Schlächtereien führen. Der „innere Krieg", die permanente Revolution, wird anstelle des äußern treten, in der Weise periodisch wiederkehrende Kulturkatastrophen.

Erst mit dem Beginn des Steinbock-Jahres (um das Jahr 4000) – nachdem es durch Rückwirkungen der maßlos angebohrten und ausgenutzten Natur zu Katastrophen von apokalyptischen Ausmaßen gekommen sein wird und sich zudem die Aktivität der dauernd totalmobilisierten Menschheit erschöpft hat — wird sich eine grundsätzliche Wandlung der Gesinnung in Bezug auf die Gestaltung des Besitzes und den Anteil des Einzelnen an ihm anbahnen, vorbereitet durch die großen Umwälzungen in der „Neuzeit" des Wassermann-Zeitalters (den Jahren 3425—4050). Erst wenn das Fische-Zeichen das 3. Feld und das des Wassermanns das 2. Feld besetzen und prägen werden, kann es zu einer Entspannung der Besitzproblematik kommen. Durch diese Wandlung ist jedoch keine Regression auf Zustände vor dem Anbruch des Wassermann-Zeitalters zu erwarten. Denn sowohl der extreme Individualismus wie der utopische Kollektivismus werden dann endgültig überwunden sein. Erst dann wird es möglich, die irdischen Mittel und die Formen des Besitzes den jeweiligen Verhältnissen anzupassen; schöpferische Führergestalten werden dann im Rahmen einer lebensgesetzlich bestimmten, gerechten Ordnung wieder eine ausgeglichenere Besitzbildung ermöglichen.

Wie in einer jeden Zeit wird auch im Zeitalter des Wassermann die Wandlung der Besitzverhältnisse auf die Art der Persönlichkeitsbildung zurückwirken. Die allgemeine Zugänglichkeit der geistigen und materiellen Güter fördert keineswegs die Ausbildung und die Heraufkunft starker und geprägter Persönlichkeiten, auch wenn dadurch das Selbstbewußtsein des Durchschnitts der Menschen erhöht wird. Nicht der „große und adelige", sondern der gemeine, verallgemeinerte Mensch wird, wie dies Thornton Wilder in seiner Frankfurter Rede 1957 angekündigt hat, achtens- und beachtenswert sein. Allein aus der Tatsache des Menschseins wird ein durch die Sozialkirche begünstigtes Anrecht auf das vom Menschen Erzeugte hergeleitet. In Wirklichkeit aber ist dies Dogma ein Mittel, den Menschen in Freiheit darniederzuhalten. Jedem ist zwar ein „kleiner Spielraum" gewährt, der zu gering ist für die Ausbildung der vollen Persönlichkeit, deren Heranbildung einen durch frei verfügbaren Besitz gesicherten und abgeschränkten „großen Spielraum" zur Voraussetzung hat. Die Steuerungstechniker, die Kybernetiker des Wassermann-Zeitalters werden, um die Masse von dem Eingreifen in die hochempfindliche soziale, wirtschaftliche und technische Apparatur abzuhalten, eine Entwicklung des Menschen anbahnen, durch die seine Begierden und Lebenswünsche, sein Denken und Handeln planmäßig gesteuert werden können[26]).

Aber selbst die Herren jener Zeit, die sich der hochentwickelten wissenschaftlichen Technik der Macht zu bedienen wissen, werden nicht mehr große Persönlichkeiten im Sinne der beiden letzten Weltalter sein. Denn die Macht wird einen anonymen, unpersönlichen

Charakter annehmen, da sie einerseits auf dem Wissen um die Bedienung der „Maschinerie“, andererseits auf der aktuellen Potenz des Mächtigen beruhen wird. Denn nur solange sich Kraftnaturen ohne Rücksicht auf sich selber und andere in die Welt zerstrahlen, können sie künftig Macht ausüben. Da sie aber nicht mehr über „Erde“, d. h. kontinuierlichen Besitz verfügen werden, wird ihre Macht zugleich mit ihrer Kraft erlöschen. In einem Zeitalter der Diskontinuität kann sich der Mächtige, solange er nicht offene Gewalt anwendet, das Vertrauen der Beherrschten nur von Tag zu Tag sichern.

So wird die Besitzlosigkeit den Menschen im Wassermann-Zeitalter weder schützen noch entlasten und ihn darum auch nicht freisetzen zur Gestaltung des Zwecklos-Schönen, des nicht nur Aktuellen, zum Aufspüren höchster Sinngebung. Dadurch gewinnt der Mensch auch keinen Kraftzuwachs mehr aus seiner Umwelt. Auf sich selber zurückgeworfen hat er nur die Möglichkeit, sich selbst als Kraftquelle zu nutzen. Denn in gleicher Weise wie der Mensch die Schöpfung, ihre Kräfte und Stoffe auf eine systematische Weise ausbeutet, wird er durch die Ausbeutung seiner selbst in immer tiefere Schichten seiner Struktur eindringen. In diesem Prozeß wird zwar die maßvoll-schöne Gestalt des Menschlichen, das, was bisher Persönlichkeit genannt wurde und was noch Goethe als das „höchste Glück der Erdenkinder“ zu feiern wußte, zugunsten einer unaufhörlich vibrierenden Dynamik des Menschenwesens zerstört und abgebaut. Aber durch solchen Abbau des „spaltbaren Materials“ im Menschen werden die im Personkern zu höchster Einheit gebundenen Triebkräfte freigesetzt und so das Wirkvermögen, die Strahlkraft des Menschen unermeßlich erhöht. Eine solche Verhaltensweise ist freilich von großer Gefährlichkeit. Denn dadurch wird zwar der ganze Mensch als Kraft mobilisiert, jedoch unter Verlust von Stetigkeit und Kontinuität. Hier ergibt sich auch die Möglichkeit folgenschwerer Eingriffe der jeweiligen Machthaber in die Natur des Menschen in den mit wissenschaftlicher Akribie, d. h. durch intellektuelle Magie unternommenen Versuchen, den Menschen durch eine Zersetzung des Personkerns, einerseits zum Kraftlieferanten zu machen, andererseits als kraftentleertes „Material“ zu vernichten.

Die Gestaltung des 2. Feldes zeigt aber auch an, wie der Mensch eines Zeitalters zu seiner Leiblichkeit steht, wie er das Leibliche bewertet. Nicht nur das Fische-Zeichen im 2. Feld, sondern auch die Achse zwischen dem 2. und dem 8. Felde läßt den Schluß zu, daß dem Leiblichen im Wassermann-Zeitalter einzig die Rolle des „Sachdienlichen“ zugewiesen wird. Denn das 8. Feld ist vom nützlich-ordnenden Jungfrau-Zeichen besetzt. Die leiblichen Kräfte, die unter dem Vorwalten des Fische-Zeichens aufgelöst und entbunden werden können, werden durch das Jungfrau-Zeichen des 8. Feldes technisch-sachlich eingeordnet und verbraucht. Mit andern Worten: Der Leib des Menschen wird dienstwillig gemacht, damit er bis ins Letzte vernutzt zu werden kann. Die Art des heutigen Sportbetriebes weist bereits auf diese Einstellung hin. Im leibverherrlichenden Widder-Zeitalter diente der Sport weniger der Leistungssteigerung, dem Rekord, als vor allem der harmonischen Ausbildung des ganzen Menschen und seiner Schönheit. Der heutige Sportbetrieb aber verhäßlicht und disharmonisiert den Menschen. Darum liegt die Hauptbedeutung der heutigen „Leibeskultur" nicht in der Sichtbarmachung der Schönheit, sondern in der Ertüchtigung für Leistungen im Arbeitsheer. Vom Körper her wird demnach den ungeheuren Anforderungen der Lebens- und Arbeitsformen kein Widerstand entgegengesetzt werden — im Gegenteil: Es bedeutet dem Menschen Lust, ihn für die Hingabe, die Opferung vorzubereiten.

Das dritte Feld

Das dritte Feld der „Nahverbindungen" steht im ursprünglichen Lebensrad unter der Wirkung des beweglichen, intellektuellen und merkurialen Zwillingszeichens, in dessen Einflußsphäre eine Vielheit wenn auch kurzfristiger Lösungen von Lebensproblemen möglich ist. Während im 1. Feld das Vorgegebene eines Menschen oder einer Situation deutlich wird, im zweiten die Mittel, die zur Verwirklichung des Vorgegebenen zur Verfügung stehen, so gibt das 3. Feld Auskunft über die Situation des Menschen, der in die Welt tritt, zuerst in den „kleinen Kreis" der Geschwister, der Unähnlich-Ähnlichen. Hier wird deutlich, wie sich der Mensch hinsichtlich seiner nächsten Umgebung verhält und mit welcher Gesinnung er dem Nächsten entgegentritt.

Im Horoskop des Wassermann-Zeitalters wird das 3. Feld durch die Dynamik des frühlinghaft unbekümmerten, ichhaft drängenden Widder-Zeichens geprägt, unter dessen Vorwalten der Mensch sich triebhaft, unbewußt und naiv verhält, auf sich selbst bedacht und ohne Gefühl für die Bedürfnisse der Gemeinschaft. Der Widder ist das Anfangszeichen des Lebens wie auch des ursprünglichen Lebensrades. Unter der Einwirkung des Planeten Mars sucht hier der Mensch lustvoll in rücksichtslosem Drängen den Kampf um jeden Preis — was sich zugleich in großartigen Pioniertaten auswirkt. Mit noch ungeschiedenen Energien fühlt er sich in diesem Zeichen ohne ein geplantes Ziel vorwärtsgetrieben; der Mensch will sich unbedenklich auszeugen. Im Horoskop der Wassermannzeit bestimmen die Widderkräfte die Art und das Geschick der „kleinen Welt" des 3. Feldes: die Familie (aber nicht die Ehe), die Geschwister, die Nachbarn, den

Stamm (aber nicht das Volk), die Kleinstaaten (aber nicht das Reich). Ebenso ist hier die Verständigung durch Schriftwerke jeder Art, Briefwechsel, Dokumente, Literatur, aber auch die Bürokratie umschrieben. Dieser ganze, bisher beruhigte Bereich wird nun von den unruhigen, dynamischen Widderkräften aufgesprengt. Durch deren optimistisches Drängen in die Weite und nach vorwärts werden die sorgsam aufgebauten und schützenden Grenzen der Kleinwelt, aber auch die Mauern jeder Art von „Kleinstaaterei" niedergelegt.

Damit muß konsequenterweise das bisherige Familiengefüge zerstört und jede natürliche Bindung zerrissen werden. Die Geschwister (seien es leibliche oder geistliche oder auch die Stammesglieder) suchen nun, nur auf sich bedacht, ihren eigenen Weg — so entsteht Gegensatz und Streit. Die Familie, bisher die kleinste Zelle des Volkes und des Staates, muß daran zerbrechen. Von nun an sind es nicht mehr die natürlichen Bindungen der Herkunft, welche Gemeinsamkeit schaffen: Nicht die Geburts- sondern die Wahlfamilien werden die Zellen der Großgemeinschaften bilden. „Familie" bedeutet darum im Wassermann-Zeitalter nicht mehr das gleiche wie bisher, weder im Sinne des Zweckhaften noch des Gefühlshaften. Sie ist nicht mehr eine biologisch-soziale, gefühlshaft durchwirkte unauflösbare Gemeinschaft. Der mit Widderkräften auf schmaler Spur vorwärts strebende Mensch wird die ihm antiquiert erscheinende Familie so schnell als er es vermag verlassen, um sich einer Wahlgemeinschaft anzuschließen, die jene ersetzen wird. Dann wählt der Mensch seine „Familie", d. h. den geschwisterlichen Verband, dem er angehören will. Zur Zerstörung der Familie und zum frühzeitigen Verlassen der Geburtsgemeinschaft durch die „Geschwister" werden die verschiedenartigsten Faktoren beitragen: Die Zurückdrängung des Organischen auf allen Gebieten, die Tendenz des Staates, den Menschen schon an der Wurzel (ja schon möglichst vorgeburtlich) umzubilden, um so gefügige und brauchbare Glieder für die Arbeitsheere zu gewinnen. Auch daß der Mensch nicht mehr in eine Religionsgemeinschaft — die doch bisher mit der Familiengemeinschaft identisch war — hineingeboren wird, sondern daß er durch Wahl Glied einer geistigen Familie im Gegensatz zur natürlichen wird, ist einer der trennenden Faktoren. Auch diese Entwicklung ist bisher in den USA am weitesten vorangetrieben worden.

Nicht nur die bisher so heilsamen Begrenzungen der Familie, sondern auch die des Dorfes, der Stadt, der Provinz, des Kleinstaates werden durch den ungeheuren Elan der Widderkräfte verschwinden. In dem Maße als sich größere, durch die Arbeitsmethoden und die Notwendigkeiten der staatlichen Planung hervorgerufene „absolute" Gruppenbildungen ergeben, werden die natürlich gewachsenen kleinen Gemeinschaften in jenen aufgehen, in ihnen verschwinden wie Dörfer auf dem Grund eines Stausees. Im Zuge dieser Entwicklung wird sich auch die Organisation der Bürokratie vereinfachen, da es wahrscheinlich ist, daß mit der Niederlegung der Grenzen auch die Verwaltungsbezirke erweitert werden.

Das Zerbrechen der bisherigen Kleinformen der Gesellung und der aus ihnen hervorgegangenen Formen des Umganges und des Kontaktes (denen der vom Einzelnen nicht willkürlich veränderbare Kanon der Künste, vor allem der Literatur entspricht) ist nicht nur „fischehafte" Auflösungserscheinung. Denn die entgrenzten und zerstörten Gebilde und Kraftfelder der „kleinen Gemeinschaften" werden stets sogleich zu größeren, energetisch geladenen Verbänden zusammengeschlossen. So entstehen nun die großen Kohle- und Stahl-Unionen und Kombinate, die Öltrusts, die Kraftsammlung durch Denaturierung des Stoffes (Vernichtung der Materie, um sie in widderhafte Energie zu verwandeln), die Massenparteien und ihre energiegeladenen Programme, Paneuropa (das aus der Entmachtung und Entgrenzung der europäischen Kernländer hervorwächst) oder die Weltunionen (Uno, Russisches Reich), die Sammlung der Arbeiterheere aus Städten und Dörfern, die faszinierten Menschen beim Schausport, oder die amorphen „Band-Städte" in USA[27]).

Dies alles und ähnliches, gewonnen aus der Zertrümmerung des in sich Ruhenden, des Kleinen und Begrenzten, steht in Zusammenhang mit der Wirkung des Widder-Zeichens im 3. Feld. Dieser Prozeß jedoch, der pionierhafte Strebekraft in die Weite und Zukunft freisetzt, geht auf Kosten des „Kleinen" und des Bergenden, der klaren, festen und heilsamen Bindung an Form und Gesetz und an das Gewachsene. Die kleine Welt, das Bereich der festen Formen als das vorgegebene und tragende Gerüst der Gemeinsamkeit und jeder Ursprungsgemeinschaft, wird dadurch fragwürdig. Nur auf einem Umwege — durch eine Drehung um 180 Grad — kann dann echte Gemeinschaft wieder erlangt werden: Durch die Konstellation des 9. Feldes, des ergänzenden Gegenfeldes zum 3. Dort wirkt im Rahmen des Wassermann-Horoskopes das Bindung und Harmonisierung bewirkende Waage-Zeichen. Die in ihm versammelten Kräfte vermögen es, die ins Grenzenlose triebhaft vorstoßenden Energien aufzufangen und wieder zu binden. Doch diese erneute Bindung des durch „Formzertrümmerung" Entbundenen kann nicht mehr im materiellen, sondern nur im geistigen Bereich vollzogen werden: Im Wassermann-Zeitalter werden die zerfallenden natürlichen Bindungen durch geistige ersetzt.

Die unruhig drängenden Widderkräfte werden den Menschen dazu anreizen, immer wieder etwas Neues zu beginnen, sich vorwärts zu bewegen. Nicht das Ankommen, sondern das Unterwegssein wird ihm wichtig. Vieles, was er so begonnen hat, wird er aber gar nicht praktisch durchführen. Es genügt, den Mond erreicht zu haben, der Mond selber bleibt uninteressant. Aber immerhin weist das Widder-Zeichen im 3. Feld auf eine ständige Reiselust und den Wunsch nach Ortsveränderungen. Und zwar werden diese nicht so sehr wie heute dem Vergnügen dienen. Denn wenn die Erde gänzlich durchforscht und katalogisiert sein wird — wie sollten da Reisen noch Abenteuer und Traumerfüllung bringen können! Das Reisen steht dann nicht mehr im Dienst pionierhafter Unternehmungen. Eine Vielzahl von Menschen wird, sofern sie nicht durch den strengen Dienst im Arbeitsheer (welches das Kriegsheer ersetzt) gebunden sein wird, unaufhörlich unterwegs sein, um die Welt zu ändern, die Entwicklung vorwärts zu treiben, Verbindungen herzustellen, neue Mittel zu finden. Dieses Reisen „im Auftrag" ist schon darum als eine neue Form des Kriegsdienstes zu werten, weil die belebte und unbelebte Welt unter ständiger Kontrolle gehalten werden muß, falls sie nicht „explodieren" soll. Denn um zu verhindern, daß sich das totalmobilisierte Leben und seine Elemente wieder selbständig machen, was infolge der künstlichen Entgrenzung der „Natur" zu einer Totalkatastrophe führen müßte, bedarf es unaufhörlicher Wachsamkeit.

Aus dem 3. Feld ist die Art und das Schicksal der großen Vertragswerke ablesbar. Als im Fische-Zeitalter das erdige, form- und formenliebende Stier-Zeichen dieses Feld prägte, wurden „ewige Verträge" geschlossen, wurden Gesetzeswerke und Verfassungen geschaffen, die über Jahrhunderte oder gar Jahrtausende ihre Gültigkeit behielten und zudem noch Muster für immer neue Konstitutionen ähnlicher Art wurden. Aber das Widder-Zeichen im 3. Feld wird eine solch kontinuierliche Haltung in Bezug auf Verträge und Verfassungen verunmöglichen. Verträge werden schnell und oft geändert; meist sind sie schon gebrochen, wenn sie geschlossen werden. Ebenso wird es den Verfassungen der Völker und den Regierungssystemen — soweit sie systematischer Art sind— ergehen. Situationsverfassungen und -gesetze werden für das Wassermann-Zeitalter typisch sein, weil weder „geheiligte Rechte" anerkannt werden, noch Ehrfurcht vor der Überlieferung gefordert oder geübt wird. Während sich die Weisen in Verborgenheit und Einsamkeit gemäß den Konstellationen des 9. und 11. Feldes immer erneut in die Traditionen vertiefen und sie befragen werden, wird für die Menge das „Neue" die messianische Fahne sein, der sie nachläuft; da diese aber, weil ständig Farbe und Symbole wechselnd, kein dauerndes Ziel sein kann, führt sie sie ins Grenzenlose und Unbestimmte, schließlich in den Abgrund.

An der Konstellation des 3. Feldes ist jeweils auch die Bedeutung, die Art und Weise der Sprache in einem Zeitalter abzulesen. Als im eben verklungenen Fische-Zeitalter das 3. Feld durch das Stier-Zeichen mit seinen sinnenhaften, beharrlichen Venuskräften geprägt war, hatte die Sprache und die durch sie ausgeformte Literatur einen geradezu architektonischen Charakter angenommen; zugleich aber wurde damals die höchste bisher ausgebildete Musikalität der Sprache erreicht. Aber diese Höhenlage der Menschensprache — ihre Klassik — wird im Wassermann-Zeitalter nicht weitergeführt werden. Wie die kleinen natürlichen Gemeinschaften wird auch die gewachsene Sprache „zerbrochen" und zugleich primitiviert werden. Der Mensch wird — wie die Atomenergie aus dem Mutterstoff (Materie) — die im Sprachleib eingekörperten seelischen und geistigen Energien freizusetzen verstehen, als Energiequelle seiner totalen Weltdurchdringung. Dadurch wird ein für die Liebhaber der Sprache bedrückender Umschlag vom Kunstvollen zum Kunstlosen erfolgen. Ein Symptom hiefür ist z. B. die Abkürzungssucht unserer Zeit, der groteske Drang zur substanzlosen, willkürlich gesetzten Formel. Die Sprache wird darum künftig nicht mehr der Ausdruck des Einvernehmens, des Einklanges mit der Welt oder der Erhebung des durch den Menschen Vorgefundenen ins Geistige sein, sondern eher der Ausdruck des Mißklanges in der Weltbeziehung des Menschen. Die künftige Sprache ist zwar von erregender Dynamik, aber zugleich formlos; der Ruf, der antreibende Schrei, der mobilisierende Befehl, der durch nervöse Überspannung hervorgerufene Brunstschrei — kurzum, die Mittel direkter Energieübertragung werden in ihr vorherrschen.

Im Gegensatz zur Vergangenheit wird die Sprache einem ebenso steten und raschen Wandel unterworfen sein wie die künftigen Formen der Gemeinschaft. Sie wird nicht mehr, wie eine These der heutigen Restaurations-Philosophie lautet, das bergende „Haus des Menschen" bilden. Man könnte sie höchstens noch als das bewegliche Zelt betrachten, das auf den Wanderungen des künftigen Menschen immer neu aufgebaut und abgebrochen wird. Die Sprache ist kein bergendes Haus mehr, in dem der Mensch zu sich selber kommt, sondern eher ein Jagd-Speer, mit dem er das „Tier Wirklichkeit" durchbohrt, oder ein Rammbock, mit dem das Tor des Geistes aufgesplittert wird. Mit der Sprache, die einen geradezu unmenschlich schrillen, weil maßlosen Charakter annehmen wird, wird die Schöpfung durchgraben, durchforscht, aufgespießt werden; mit ihr als Instrument wird sie erbarmungslos analysiert. Eine solche Verfassung der künftigen Sprache muß sie als Mittel der Offenbarung ungeeignet erscheinen lassen. Einmal war die Sprache Medium, Werkzeug des Göttlichen. Gott selber inkarnierte sich im Wort — er wurde in ihm vernehmlich. Was der Sprache in heiligen Zeiten eingeprägt wurde, bleibt für immer in ihrem Grunde bewahrt. Will man daher Gott aus dem „Wort" vernehmen, so wird man sich „auf Weltzeit" in das am Beginn der Fischezeit geoffenbarte Wort vertiefen müssen. Denn das göttlich Wahre ist in den künftigen „modernen" Kunst- und Nutzsprachen nicht aussagbar.

Die Besetzung des 3. Feldes wird sich in folgenschwerer Weise auf die Gestaltung der Literatur auswirken, deren jeweilige Art und Weise in diesem Abschnitt des Lebensrades deutlich wird. Einst sind im Fische-Zeitalter durch den Einfluß des venushaften, die Schönheit ausgestaltenden Stier-Zeichens in diesem Feld mit seinen reichen Bildekräften die geistigen „Dome" der Menschheit entstanden, die großen Sprach- und Literaturbauten: Das Corpus juris, der Talmud, die gewaltigen Hymnendichtungen, das Nibelungenlied und die Gralsdichtung, der buddhistische Kanon, die großen Summen der Scholastik, die Göttliche Komödie, die abendländischen (und indischen) Dramen, die epischen und lyrischen Dichtungen und die überreiche Spätkunst der Romane. All diese Werke werden durch ihre tief gegründete, nach strengen Baugesetzen ausgeformte Sprachkunst die Jahrtausende — auch die künftigen — überdauern. Es erscheint aus der Gesamtkonstellation jedoch als unwahrscheinlich, daß die Menschheit in Zukunft diesen Werken literarisch auch nur entfernt etwas ebenso Substanzielles und Ausgeformtes an die Seite setzen kann. Was von der unmittelbar auf die Sinne wirkenden, der bildenden Kunst (im 5. Feld), gesagt werden muß, gilt auch für die „große" Literatur. Das Klima des Wassermann-Zeitalters ist für deren Ausblühen ungemein ungünstig. In einer Zeit, die vor dem Heute schon das Morgen bedenkt und die das Erzeugte wieder schnell vernichtet, können die Werke des Menschen nicht mehr organisch — und dies besagt langsam — wachsen. Eine solche Zeit, die nicht mehr bereit und fähig ist, die Gegenwart „stierhaft breit" auszukosten, ist auch nicht imstande, die aus dem Grunde des Geistes und der Seele aufsteigenden Visionen über das Bedürfen des Tages hinaus in bleibender Weise auszugestalten. War die Sprache in den beiden letzten Weltjahren Trägerin und Gefäß formschaffender, hochdifferenzierter Energien und dadurch Medium der Schönheit, Spiegel der Weisheit, so wird sie von nun an notgedrungen zur Trägerin undifferenzierter, bewegungerregender Energien werden. Sie wird dann einen zwar unmittelbaren, aber schreienden Charakter annehmen, zugleich aber seltsam erregende Klänge hörbar machen können.

Noch Goethe vernahm das Tönen der Sonne und der Geschöpfe mit innerlichen „Geistesohren". Aber in Zukunft wird der „tönende Stoff" und der „tönende Geist" in objektiver Weise vernehmbar werden. Eichendorff ahnte, daß ein „Lied", ein Wesensklang in allen Dingen schlafe. Dieser wird nun als Ton entbunden, aber damit wird die

Substanz der zum Tönen gebrachten Erscheinung auch verbraucht werden. Die von Kepler mathematisch „gehörte" Sphärenmusik wird nun auch sinnenhaft vernehmbar werden — das Weltall tönt in das Menschenleben herein. Die Vorherrschaft des „sehenden" Menschentypus der beiden letzten Weltjahre (Widder und Fische) wird abgelöst werden durch den „hörenden" Menschen. Der „Klang der Welt" ist auf diesen Typus zugeordnet. Auf diese Wandlung hat bereits Hans Kayser in seinen Werken (eine Zusammenfassung derselben ist als „Akroasis" erschienen) nachdrücklich hingewiesen. Vielfach werden sich die Menschen mit den hochpotenzierten Energiequanten der Töne unmittelbar verständigen.

Dieses nun kann als die positive Seite der Auflösung der Sprache als Kunstform bewertet werden. Der in ihr geborgene und gebundene Energiegehalt wird durch „Formzertrümmerung" herausgelöst und freigesetzt und wird so dem Menschen für seine neue dynamische Weltgestaltung zur Verfügung stehen. Wenn aber in diesem Prozeß die geistige und technische Steuerung versagt, wenn die Transponierung des Tönens in Kraft sich verselbständigt, dann wird freilich die „tönende Welt" zu einer schreienden, brüllenden, kreischenden werden, so unerträglich, daß man sich in Gewölbe des Schweigens flüchten oder auf grauenhafte Weise zugrunde gehen muß. Wenn erst die Heilkraft des Schweigens wie die des Tönens völlig erforscht sein wird, wird man mit dem „Ton" zu töten und zu beleben wissen.

Wie aber wird die Entbindung des absoluten Tons, des Wesens- und Energietons aus dem Wort, der Sprache, der Dichtung wieder gebunden und abgeschränkt werden können? Darüber gibt auch in dieser Hinsicht das Gegenfeld des 3., nämlich das 9. Feld Auskunft. Das Wort reicht hinab bis auf den geistigen Grund der Welt, aus dem es aufgestiegen war. Unter dem Stier-Zeichen des Fische-Horoskops wurde es ganz und gar Form, ja „Fleisch". Diese Fleischwerdung wird nun zugunsten der Entbindung der psychischen und geistigen Energien aufgelöst. An welchem Ort könnte das Wort wieder gebunden werden? Die bindende Kraft zeigt sich im Waage-Zeichen des 9. Feldes, das wie das Stier-Zeichen von Venuskräften durchwirkt ist. Das Waage-Zeichen aber repräsentiert nicht mehr die erdhafte Bindekraft des Stierprinzips, sondern die geistige Bindung — gleichsam die höhere Oktave des sinnlich Formhaften und Schönen. Wie schon angedeutet weist die Konstellation des 9. Feldes auf die „neue Gemeinschaft", die aus der Geistwurzel und nicht mehr aus der Naturwurzel hervorwächst. Es handelt sich um durch Wahl und durch die Wirkung der Sympathiekraft zusammengeführte Gruppen, die auf der Wahrung geistiger Maße beruhen. In ihnen wird das Wort in seiner logoshaften wie seiner tönenden Weise wieder eine Stätte und Behütung finden, deren es in der alles aufpflügenden Aktivität des Wassermann-Zeitalters besonders bedarf.

Aber als solche „Hüter des Wortes“ werden nicht staatliche Anstalten, Akademien oder Universitäten wirken, denen höchstens noch eine konservierende Aufgabe zukommt; vielmehr werden die lebendigen Glieder der Gemeinschaften den „Sprachleib“ des Wortes bilden. Die fortschreitende Entstaltung der Sprache und der Dichtung, deren Zeugen wir bereits sind, hat mit zum Anlaß den Mangel an Blutskräften, deren sie zu ihrem Ausblühen bedarf. Denn wo sie nicht durch „Blut“, d. h. durch die Kräfte des Geschlechtes, der Liebe, der echten Macht, der Begierde und des Gefühls, der Gottesliebe genährt wird, da muß sie verdorren. Da aber die bisherigen „natürlichen Gemeinschaften“ eine solche „Ernährung der Sprache“ im Kommenden nicht mehr zu leisten vermögen, wird diese durch die einander wahlverwandten Gottesfreunde (9. Feld) als den Gralshütern der Sprache und des lebendigen Tönens vollzogen werden. Denn im allgemeinen wird nicht nur das menschliche, sondern auch das göttliche Wort durch die künftige Lebensform ausgelaugt, plattgewalzt, als Hilfstechnik versachlicht und dadurch seines sakralen Charakters entkleidet werden. Nur in den Bünden (des 11. Feldes), den religiösen Lebensgemeinschaften (des 9. Feldes) wird das Wort, in umschränkter Geborgenheit, seinen wirklichen sakralen, lebensstiftenden Charakter bewahren können. Hier wird es gespeist von den Blut- und Seelenkräften der Verbündeten und von jener Ehrfurcht getragen und gewirkt, die man im öffentlichen Leben der Wassermannzeit vergebens suchen wird.

Das vierte Feld

Im Gefüge des Lebensrades bildet das 4. Feld den untern Balken des Speichenkreuzes, das stets durch den Aszendenten und Deszendenten durch das immum coeli und das medium coeli oder durch das erste und siebente, das vierte und zehnte Feld gebildet wird. Seinem Ort wie seiner Funktion nach stellt es den Grund des Daseins, die Wurzel des Lebensbaumes dar; auf dic Zeit bezogen: Die Herkunft, die Vergangenheit und die Mitternacht. Ihm gegenüber strebt der „obere Ast“ des Kreuzes als Himmelshöhe empor, als Mittag und zukunftzeugende Gegenwart. Im ursprünglichen Lebensrade wird dies 4. Feld durch das Krebs-Zeichen geprägt, dem Sinnbild für das mütterlich Sammelnde, das Tief-unten, den Wurzelgrund des Lebens, den wässrigen Sumpf der noch ungeschiedenen Kräfte, aus dem in dichtem Miteinander, ohne unterscheidende Wertstufen, alle Formen und Gestalten hervorwuchern. Hier befindet sich — in der ursprünglichen Identität des vierten Feldes mit dem Krebszeichen – das Kraft- und Triebreservoir alles Gestalthaften, das Reich der Mütter, in dem alles mit allem verwandt ist. In diesem herrscht das Fühlen im Gegensatz zum Werten vor (das dem gegenüberliegenden 10. Felde und dem Steinbock-Zeichen eigen ist), das Diffuse und Unbewußte im Gegensatz zum hierarchisch Scheidenden und Aufbauenden, die Herkunfts- und Erbkräfte des Muttergrundes im Gegensatz zur gestalthaften Ausformung des Väterlichen, das widerstandslos sich Einfügende und wuchernd Fruchtbare im Gegensatz zum Steinigen, Plastischen, Festgelegten.

Diese Grundsituation des 4. Feldes wird im Horoskop des Wassermann-Zeitalters durch das Zeichen Stier überlagert. Wie bei allen gesetzmäßigen Verschiebungen der Zeichen im Verlauf der Weltalter schimmert der ursprüngliche Charakter des jeweiligen Feldes durch die neue Besetzung und Prägung hindurch. Die Urqualität geht eine Verbindung mit dem neuen Herrschaftszeichen ein. In diesem Falle eignet dem alten und dem neuen Zeichen ein Gemeinsames (bei allen sonstigen Unterschieden): Die Qualität des Weiblichen.

Jedoch im Stier-Zeichen wirkt das „Weibliche" nicht mehr so hingebungsvoll, geöffnet und empfänglich, so empfindlich und zugleich formlos wie beim Krebszeichen. Es ist erdhafter, umrissener; die Kraft des Krebs-Zeichens sammelt durch den Sog, die des Stier-Zeichens wirkt Beharrung durch unermüdliches Festhalten des Gestalteten. Was unter der Einwirkung des Krebszeichens in den Sumpf niedersinkt, wird im Stier-Zeichen plastisch nach außen getrieben. Hier wird das Wasser (Krebs) zu Blut (Stier), das Allgemeine zum Besondern. Nicht mehr die Sammlung der formlos wuchernden Fruchtbarkeitskräfte, sondern die Sammlung der Blutskräfte zum Gestaltantrieb ist nun im 4. Felde wirksam. Hier wirken jetzt die sexuellen Kräfte im allerdings weitesten Sinn. Nicht mehr die fruchtbare sumpfige Tiefe, sondern die Wurzel, die sich in die dunkle Feuchte senkt und deren Kräfte bis zur Blüte, dem Sexualpunkt hinaufleitet, ist das Bild für das Wirken des Stierprinzips im 4. Felde. Das Ausblühen der Blutkräfte im Fest des Lebens, die Gestaltung der Erde durch die ins Räumliche dringende Liebeskraft, die Ausgestaltung des Stoffes in der Kunst, vor allem in der Plastik und der Musik, wird hier zum Ereignis. Das Leben erscheint nun unter den Aspekten des Unerschütterlichen, selig in sich selber, unproblematisch und fraglos in nie abreißender Gestaltenfülle.

Darum gibt es im Bereich des Stierprinzips keine vergangene Vergangenheit – denn alles, was je gewesen und zur Gestalt gediehen ist, wird der Gegenwart einverleibt. Aus einer solchen Gestimmtheit gilt das Stier-Zeichen als dasjenige der festhaltenden Tradition und Kontinuität. Allerdings kann es, nachdem es im Wassermann-

Horoskop in das ursprünglich „sumpfige", schwammige 4. Feld des Krebses eingerückt ist, nicht mehr seine volle traditionsbildende Kraft entfalten. Sein so festes Gestaltprinzip wird labil, seine Traditionsreihen zerfallen. Das will sagen, daß es anstatt eindeutiger Tradition ein Nebeneinander von Traditionen geben wird, oder auch, daß diese mehr innerlich und ungeschichtlich im krebsartig Weichen und Unfaßbaren der Innenwelt empfunden, bewahrt und gelebt werden. Die in ihren Grenzen fließenden Archetypen der Jung'schen Psychologie stellen eine solche Verbindung von Krebs- und Stierelementen dar.

Dadurch, daß unter dem Einfluß des Stier-Zeichens die dunkle Blutstiefe mit der Höhe der Blütenwelt, die Vergangenheit mit der Gegenwart, das Innere mit seiner Hülle verwoben wird, vermag in diesem Bereich alles auf alles zu wirken. Dies ergibt die erste Voraussetzung zu einer von Blutskräften gespeisten, ursprünglich weder guten noch bösen Magie, die durch Handhabung der flutenden Sympahtiekräfte alles Daseiende auf das Bedürfen des Menschen hinsteuert. Die Tiefendimensionen des Lebens können durch blutsgebundene, seine Höhen durch intellektuelle Magie erreicht werden. In der gleichen Art der Verbundenheit der Lebensebenen wurzelt der Mythos, der aus der Empfindung des Lebensganzen, aus der unmittelbar bildhaften Erfassung der lebendigen Abläufe hervorgegangen ist. Auch wenn anscheinend heute unsere Zeit eine Rückkehr zum Mythos vollzieht, so ist dies nur eine Scheinbewegung. Denn die Bewußtseinshelle und die Überbeweglichkeit der heutigen und künftigen Geisteshaltung steht im Gegensatz zu der mit magischen Kräften geladenen Blutregion und zu den Erdbindungen, die nun einmal unabdingbare Voraussetzung für das Ausblühen des Mythos sind.

Im allgemeinen wird unter dem Vorwalten des Stierprinzips die Erde zur Heimat des Menschen; er umgrenzt sich mit ihr, er wird mit ihren Verhältnissen identisch. Aber im Wassermann-Zeitalter ist die Erdbindung des Menschen gelöst und überwunden; die Erde kann ihm darum trotz des Stier-Zeichens im 4. Feld nicht mehr zur fraglosen Heimat werden. Die Konstellation des 4. Feldes im Wassermann-Horoskop zeigt aber auch an, daß der einzelne Mensch, selbst wenn er durch die Totalmobilisation des Lebens auf Erden keine Stätte der Verwurzelung mehr finden wird, sich immer noch im Bereich der zeugerischen Urkräfte, im innern Lebensgrund, der „Akashachronik" der Tradition zu verwurzeln vermag. Die Heimat ist nun in den Lebensgrund verlegt, in das Reich der Urbilder, der Phantasie, der Erinnerung an die vergangene Größe und Hoheit des Menschen. Aus diesem verborgenen schöpferischen Reservoir wird der ungeheure Verbrauch des wassermannhaften Tat- und Werklebens des Menschen Zufluß erhalten.

Als Folge hiervon wird sich zum ersten Male in der Menschheitsgeschichte eine Summierung der bisherigen Traditionen zur „neuen Wissenschaft" der integralen Tradition ergeben, in der alle religiösen, geistigen und künstlerischen Überlieferungen zu einem Corpus vereinigt werden, der in Analogie zum corpus juris, zum Talmud und zu den scholastischen Summen und Dichtungen verstanden werden kann. Gerade durch eine solche allgemeine Traditionssammlung wird es sich erweisen, daß das Christentum auch in Zukunft nicht nur darum von höchster Bedeutsamkeit sein wird, weil es den Niederschlag des Einbruches Gottes in Zeit und Geschichte, sondern weil es auch die lebendige Synthese der wichtigsten Menschheitstraditionen darstellt. So wird durch diesen Universalismus seine Bedeutung noch weltergreifender, sein Vermögen, alle Kulturen und Entwicklungsstufen des Menschen zu umfassen und zu durchdringen, noch deutlicher hervortreten.

Da es im Wassermann-Zeitalter infolge der Struktur des 5. und 8. Feldes nicht mehr zur Ausbildung großer, transzendierender Kunst kommen kann, wird ein ständiger Rückgriff auf die hohen Kunsttraditionen der Vergangenheit notwendig werden. Die Kräfte des Schöpferischen, bisher vom Bluthaften gespeist und im Dienst des Göttlichen wirkten, die Schönheit des Geschaffenen preisend, werden nun vorwiegend in den Dienst des Nützlichen, der Maschinenwelt gestellt oder als Mittel zur Aufreizung der Sinne in Anspruch genommen. So wird der Mensch nur noch im Wurzelgrund des 4. Feldes durch die Sammlung der Kunsttraditionen in Verbindung mit dem sinnlich Schönen und dessen Gestalten gelangen können. Nur noch im Tief-Innen der Urbilder oder auf umhegten „Inseln der Kunst", welche die heutigen Museen ersetzen werden, wird der Mensch noch mittelbar in Bezug mit den magischen Erd- und Blutkräften und ebenso mit dem Schönen gelangen.

Vielleicht wird die unaufhaltsame Zunahme der menschlichen Geburten in den nächsten Jahrhunderten aus der heimlichen Gegründetheit des „neuen Menschen" in der Tiefe der Blutkräfte und der unbewußten Regionen herrühren. Denn nur noch dort wird der Mensch fähig sein, mit jenem Kraft- und Gestaltbereich der Natur in Verbindung zu treten, das bereits und künftig noch mehr zum Rohstofflieferanten der Kraft- und Nahrungsmittelgewinnung degradiert worden ist. Im Lebenskreis des Wassermann-Zeitalters stellt sich dies durch den Gegensatz und die Verbundenheit des 4. stierbesetzten mit dem 10. skorpionbesetzten Felde dar. Die aufbohrenden, zur Tiefe vorstoßenden Kräfte des Skorpion „entbergen" die ruhenden, verweilenden, „blühenden" Kräfte des Stierbereichs. Einzig in dessen Tiefe wird noch immer die Kraft des Organischen und des architektonisch Bauenden gegenwärtig sein, das aber durch das Skorpionprinzip des

10. Feldes ständig wieder abgebaut wird. Denn durch die beharrlichen Versuche der Menschheit des Wassermann-Zeitalters, zum Kern des Lebens und der Lebenskräfte vorzustoßen, wird der Mutterstoff, die Materie zerlegt, zersetzt und schließlich denaturiert werden.

Würde sich allerdings das Stierprinzip uneingeschränkt auswirken — ohne die aufrührende und abbauende Gegenwirkung des Skorpion-Zeichens im 10. Felde — so würde der Mensch naturhaft im Genuß seiner selbst verharren. Andererseits — könnte das Skorpionhafte sich ungehemmt auswirken, würde das organische Leben zersetzt und der in den Formen inkarnierte Geist entstellt. Vor solcher Zersetzung der Einheit von Gehalt und Form als Wirkung der Skorpionkräfte hat bereits Goethe gewarnt mit dem Wort: „Natur hat weder Kern noch Schale, alles ist sie mit einem Male". Denn wenn es den maßlosen, entgrenzenden Skorpionkräften jemals gelingen sollte, die Gestalten der Sinnenwelt aufzubrechen, in der Hoffnung, so zum Kerne zu gelangen, so würde sich nicht dieser, sondern das reine Nichts enthüllen und die Atomisierung aller Erscheinung angebahnt werden. Der Mensch würde dann der Dämonie des reinen Geistes überantwortet. Gerade in einem Zeitalter, in dem „das menschliche Zusammenleben in höherem Maße als früher einer Planung unterworfen wird" (K. Fr. von Weizsäcker) d. h. in dem der Mensch nicht mehr nach seinen natürlichen Gegegebenheiten gesehen und geordnet wird, ist es von größter Bedeutung, seine Naturwurzel, von der er sich mehr und mehr ablöst, wenigstens innerlich zu erhalten und so seine „Ernährung" aus dem Grunde zu gewährleisten.

So großzügig aber auch die Gesinnung des Wassermann-Zeitalters sich auswirken mag, so sehr die Menschen dieses Zeitraums auf das Neue, Ungewöhnliche, Bizarre, auf ständige Wandlung und Umstürze erpicht sein werden, so zeigt doch das Stier-Zeichen im Felde des Wurzelgrundes und des eignen Hauses an, daß jene Menschen, gerade als Gegenwirkung, in ihrem eigensten „häuslichen" Bereich an traditionellen Umschränkungen, festen Gesetzen, auch moralischer Art festhalten werden. Was sich schon heute in den „fortschrittlichsten, traditionslosesten Ländern der Erde", in den USA und in Rußland, abzeichnet, nämlich das Hervortreten einer neuen kleinbürgerlichen, spießbürgerlichen Gesinnung als Pseudomoralismus, Pseudotradition, hat für das ganze Wassermann-Zeitalter Gültigkeit. Der Mensch wird „draußen" ein traditionsloser, in seinen Wagnissen und seinem Handeln völlig ungehemmter „Arbeiter" sein. „Zu Hause" aber, sei es innerlich oder in seinem privaten Lebensraum, wird er zum Spießbürger, der sich in kleinlichster Weise an Normen und Gesetze hält. Diese an sich als Gegenwirkung notwendige Fixierung, die zu geistiger und seelischer Enge führen kann, birgt aber, wenn sie durchdringt, in sich die Gefahr sturer Fixiertheit.

Die Wirkung des Stier-Zeichens im 4. Feld betrifft aber auch das Alter. Denn hier ist der Bereich der Herkunft und des Alters, der Sammlung des Reichtums der Geschlechterketten. Der alte Mensch wird im Wassermann-Zeitalter nicht als bloßes Überbleibsel gewertet werden, sondern von großer Bedeutung sein, weil sich in ihm – im Gegensatz zum unaufhörlichen Wandel aller Formen und Gesinnungen – die Kontinuität verkörpert. So bildet er als deren Träger die notwendige Gegenposition zur typischen Diskontinuität des Wassermann-Zeitalters, die sich in immer erneuten Kulturbrüchen und -katastrophen auswirkt. Der alte Mensch stellt eine Speicherung von Erfahrungen der vielen sich ablösenden Kulturphasen dar, das Gedächtnis langer Entwicklungen. Das bloße Nacheinander der Abläufe verdichtet sich im Überblick der Erinnerung zum Sinngefüge. So kann das Alter zu einer Quelle der Weisheit werden, zu einer bedeutungsvollen Möglichkeit des Überblickens und Zusammenschauens großer Zeiträume und Zusammenhänge. Vielleicht wird nur noch die gespeicherte Erfahrung der Alten die Aufrechterhaltung der Kontinuität von Kultur und Sitte und der Humanität gewährleisten.

Infolge dieser erhöhten Bedeutung des Alters wird es zur Bildung von Alterssiedelungen kommen, fern von den Städten und den lärmenden Industrien, auf Bergeshöhen oder in Wäldern, den letzten Reservaten der geplanten und planierten Erde. Diese Alterssiedelungen werden mit zu den Ersatzbildungen für die zerstörte Familiengemeinschaft (siehe das 3. Feld) gehören, zugleich mit den Betriebsgemeinschaften und -siedelungen und den Wohngemeinschaften der Freundschaftsbünde (11. Feld). Sie werden nicht nur den alten Menschen zur schützenden Behausung dienen, sondern zugleich Stätten der Stille, der Meditation sein, Wallfahrtsstätten für Ratsuchende, wie einst die Klöster der Starzen. Schon heute zeigt sich, wie bedeutungsvoll die Greise für die Geschicke der Welt sein können und wie sie die Mitwelt weise und heilsam zu lenken verstehen. Nur scheinbar wird sich im Wassermann-Zeitalter ein Kult der Jugend anbahnen. Weil sich die Menschen künftig durch den ungeheuren Verschleiß an Vital- und Nervenkraft in ständiger Suche nach neuen stimulierenden Reizen befinden, wird die Jugend (vom Aspekt des 9. Feldes her) als ein Stimulans des Daseins geschätzt, aber als solches auch verbraucht werden; ein eigener Wert wie den Alten wird ihr jedoch nicht beigemessen werden.

Die Achse der Felder 4–10, den vertikalen Kreuzbalken des Lebensrades, den Stamm des Lebensbaumes bildend, entspricht – wie bereits angedeutet – der Polarität von Unten und Oben, des Unsichtbaren und Sichtbaren oder der unbewußten und bewußten Region. Das Bewußtsein wurzelt im Unbewußten, und letzteres will sich in dieses hinein entfalten. Zwischen diesen beiden Polen vermittelt eine Seelenheilkunde, die in vielfältiger Ausgestaltung ein wichtiges Element der Kunst der Menschenführung bilden wird. Entsprechend der Polarität Stier-Skorpion, die hier miteinander und gegeneinander wirkt, ist ein operatives, die Tiefe des Menschen aufbohrendes, und ein heilendes Element zu unterscheiden. Durch die Plutowirkung im Skorpion-Zeichen des 10. Feldes ergibt sich die Möglichkeit, die Tiefe des Menschen zu eröffnen, in das Verborgene Einsicht zu nehmen, im Zusammenklang mit der Tendenz des Zeitalters den Menschen zu „veröffentlichen".

Im Zeichen Stier erscheint nicht das allumfassende aber auch sumpfige Prinzip eines formlos Weiblichen, wie im Zeichen Krebs, sondern die ausgeformte und damit formgebende Gestalt des Mütterlichen. Das aufbohrende, ins Bewußtsein rufende Skorpionprinzip als „Aufzug" holt – vielleicht wider Willen, aber jedenfalls zu seiner Stillung – die umfassende, heilend ganzmachende Muttergestalt aus der Tiefe des unbewußten Grundes ans Licht empor. Ein gestalthaft Mütterliches wird im Laufe des Zeitalters immer heller aufsteigen, aus der Tiefe, dem Abgrund des Lebens, zur lichten Höhe. Die Kirche hat die Heraufkunft dieser weiblichen Gestalt und Kraft bereits seherisch erschaut und das Ereignis in ihrer tiefsinnigen Symbolsprache als die Himmelfahrt Mariä verkündigt.

So wird – wie immer es auch vor sich gehen mag – nicht das gestaltlose, sondern das gestaltete Weibliche im Wassermann-Zeitalter in neuer Wirksamkeit hervortreten, nicht nur zur Heilung des Mannes von seiner maßlosen Ding- und Werkverliebtheit, sondern auch des Weibes von seiner Sucht nach Zwecken und Rechten, wodurch die Würde der Frau nicht mehr in ihr selber gegründet ist, sondern von der jeweiligen Situation, d. h. von Äußerlichkeiten abhängig gemacht wird. Indem so die Kraft des „Ewig Weiblichen" auf der vertikalen Lebensachse zwischen dem 4. und 10. Feld (im Symbol der „Himmelfahrt") hinansteigt, zieht es auch das ganze Geschlecht – im Doppelsinn des Wortes – mit sich empor, aus dem Grund der Herkunft in die Mittagshöhe der tätigen Ausgestaltung.

Das fünfte Feld

In der Grundsituation des Lebensrades wird das 5. Feld vom Zeichen und von der feurigen, auf das Zentrale gerichteten Mentalität des Löwen geprägt. So wie die Sonne, die im Zeichen Löwe wirksame Potenz, ihre Kräfte unaufhörlich verstrahlt, ohne sich zu erschöpfen, tritt auch der Mensch im 5. Lebensfelde in hemmungsloser Vitalkraft hervor, im Wunsch, die Welt zu umarmen, sie sich als „spielender Mensch" anzueignen, um sich so in seiner Selbstherrlichkeit zu erfahren. Hier entfaltet er sich in allen Arten von Spielen, im Schau- und Lotteriespiel, im Liebesspiel und im großen Wagnis der Kinder. Im Genuß hoher oder niedriger Art will der Mensch der ganzen Spannweite seines Ichs inne werden; löwehaft will er seine Persönlichkeit zur Geltung bringen und in der Welt darstellen.

Im Horoskop des Wassermann-Zeitalters ist nun anstelle des ursprünglichen, so selbstsicheren, leidenschaftlichen und sinnenfrohen Löwe-Zeichens (oder des gefühlshaften Krebs-Zeichens wie in der Fischezeit) dasjenige der Zwillinge getreten, das, vielseitig, allem zugewandt, aber an nichts dauernd haftend, unendlich beweglich, eine kühle, kritische, unverbindliche und zugleich neugierige Gesinnung im Bereich des 5. Feldes ankündigt. Das Luftige, Haltlose, die nervöse Erregbarkeit ohne Gefühlstiefe dieses Zeichens, seine Anpassungsfähigkeit, sein sanguinisches, sorgloses Temperament, seine Neigung zum Relativismus, weist auf eine die Sinnenwelt im Grunde nicht ernstnehmende aber dennoch von ihr ständig gereizte und nach Reizstillung verlangende Menschenart. Denn die Zwillingsgesinnung kennt keine absoluten Werte, sondern nur gleichwertige Gegensätze, deren Pole ohne Wertverlust vertauscht werden können. Sie befaßt sich mit allen Möglichkeiten, ohne sich dauernd für eine zu entscheiden. Die in der Zwillings-Mentalität vorherrschende Gesinnung des „sowohl als auch" läßt ein Verstehen und Ergreifen aller Möglichkeiten zu — aber mit diesem Allesverstehen und -dulden werden die eigentlichen Abgründe des Daseins zugedeckt.

Die Verbindung des zugleich sachlichen und überbeweglichen Zwillings-Zeichens mit dem Spiel-Charakter des 5. Feldes wird sich nicht gerade fruchtbar auswirken. Denn die negativen Eigenschaften von Feld und Zeichen verbinden sich zu einer schnell wechselnden, von sachlichen Gründen gesteuerten oberflächlichen Gesinnung. Was einen neuen Reiz verspricht, wird bejaht und versucht; aber nichts wird über den Augenblick hinaus dauernd festgehalten und ausgestaltet. Der Mensch eilt von Situation zu Situation, in jede sich einfühlend oder eindenkend; er weiß für jede eine nur für den Augenblick geeignete Lösung, aber er wird sich mit keiner schicksalsmäßig verbinden.

Durch eine solche Gesinnung wird auch die Erotik als bloße Reizquelle verselbständigt. Eine Entzweiung von Eros und Sexus, der sinnenhaften und der geistigen Liebe, bahnt sich schon heute an und wird sich im Laufe des Wassermann-Zeitalters weiter ausprägen. Die in der Sexualität inkarnierte Liebe wird desinkarniert. Infolgedessen wird die Erotik nicht mehr — wie in der Vergangenheit — das schöpferische Vermögen des Menschen zutiefst erregen und die ganze Persönlichkeit, den Leib wie den Geist durchwirken. Vielmehr wird sie als eine Funktion neben vielen andern betrachtet werden, die weder mit dem Schleier des Geheimnisses noch mit dem Mantel der Scham geschützt werden muß. Eine solche Entstaltung der Erotik, der Bindekraft zwischen den Geschlechtern, ja, zwischen den Menschen überhaupt, muß eine weitgehende Veränderung aller Bezüge zur Folge haben. Die Spannung zwischen den Geschlechtern, die ein psychisches Kraftgefälle erzeugte, von dessen Auswirkung die Menschheit bisher zum großen Teile lebte, wird sich durch den Einfluß des Zwillingsprinzips wesentlich mindern. Die Geschlechter, Mann und Frau, werden einen sachlicheren, neutraleren Charakter annehmen[28]).

Die Frau wird in geringerem Maße als Frau, der Mann weniger als Mann erscheinen als in der Vergangenheit. Denn der Mensch des Wassermann-Zeitalters muß oder will seine Bindung an den Rhythmus des organischen Lebens so weit als möglich lösen. Die Technik, die „zweite Natur" des Menschen, wird es Mann und Frau ermöglichen, sich von der organischen Basis der Geschlechtlichkeit zu entfernen (durch Veränderung des Hormongefüges, durch Überspielen des Zeitrhythmus des Organischen, durch Geburtenregelung, künstliche Zeugung von geplanten Lebewesen). Andererseits wird die soziale Ordnung (siehe 2. Feld), in der der Mensch des Wassermann-Zeitalters sowohl eingebettet wie gefangen sein wird, ihn bis in seine psychische Struktur hinein verändern. Dadurch, daß der Mann nicht mehr wirklich Herr sein kann, sondern nur noch Arbeiter oder Manager ist, ein Rad in der Großmaschine des sozialen und technischen Lebens, wird das Charisma und darum auch die Kraft zu echter Herrschaft verloren gehen. Er wird nur noch im funktionellen Sinne Mann, aber kaum noch Vater und als solcher ein Abbild und Vertreter Gottes zu sein vermögen. Die Entstaltung des Vaters wird nicht nur zum Verfall der Familie, sondern auch der Hochformen der Erotik führen. Anderseits wird durch die allgemeinen Lebensumstände keine Vermännlichung — wie man fälschlicherweise meint — sondern eine Versachlichung der Frau herbeigeführt werden[29]).

Zwar hat die Frau heute und künftighin an den Rechten des Mannes teil, obwohl ihre Natur es ihr verwehrt, aktiven Anteil an der spezifisch männlichen Lebenslast und am männlichen Schöpfertum zu nehmen. Dadurch, daß die Frau zwar funktionell-sachlich, aber nicht geistig-ursprünglich in den Arbeitsprozeß des Mannes eingeschaltet wird, muß sie sich in einer Maschinerie verfangen, die sie zwar bedienen kann, die sie aber nicht erdacht hat. So wird sie zum Arbeitskameraden, ja zur Teilnehmerin am soldatischen Leben des Mannes (was einerseits den totalen Krieg, andererseits die Totalmobilisierung und periodische Kulturkatastrophen anzeigt). Die Folge davon wird ein schmerzlicher Verlust an weiblicher Substanz sein; die Frau wird einen wesentlichen Teil ihrer Gefühlskräfte einbüßen, durch die sie als „Mutter des Lebendigen" zu wirken vermag. Damit wird ihre Würde, die bisher immer noch ihr bester natürlicher Schutz gewesen ist, gemindert werden. Durch solche Verluste des ihnen jeweils Typischen werden sich die Geschlechter einander annähern, sich, wenn auch nur relativ, verähnlichen. Dieser Vorgang wird aber die Struktur der gesamten kommenden Kultur beeinflussen. Denn durch eine solche Wandlung wird der bisherigen Art der Humanität die eigentliche Wirkkraft entzogen. Es ist nun einmal so, daß die unterste und alles tragende Basis jeder Kultur in der Gestaltung und der Art der Einordnung der Sexualität zu suchen ist. Jede Veränderung in ihren Bezügen führt zu Umbildungen des gesamten Kulturgefüges bis zu seiner Spitze hinauf.

Einst wußten sich Mann und Frau als Repräsentanten der Gottheit, sie erfuhren aneinander leibhaftig das Göttliche. Ein solches Aufleuchten des Göttlichen am Leibe wird von nun an nur noch in Ausnahmefällen möglich sein. Zuletzt hat der Marienkult eine solche Möglichkeit in einer seeleninnigen Weise vermittelt. Auch künftig wird Maria, die Frau schlechthin, als das Bild des auch leiblich geheiligten „vergöttlichten" Menschen heilend auf die sinnentleerte, nur noch als Funktion begriffene Leiblichkeit des Menschen wirken. Aber im allgemeinen wird die Geschlechtlichkeit ihre Kraft des Vereinens einbüßen; dadurch werden Mann und Frau als Geschlechterwesen ihre Transzendenz zum Göttlichen hin verlieren. Die Geschlechtlichkeit wird in unbezogene Triebkraft und sachliche Aktion auseinanderfallen. Bisher wirkte die Geschlechtskraft, sowohl in der Aneignung ihrer natürlichen Sinnenkraft, wie in ihrer Einschränkung und Verdichtung durch die Askese, als Antrieb zur Erhebung ins Göttliche, wie zur Gestaltung des Schöpferischen. Auf diese Möglichkeit wird der Mensch verzichten müssen.

Wenn aber Mann und Frau durch die Denaturierung des Menschen und durch das sinnentleerte, ungehemmte Auskosten der vielfältigen Genußmöglichkeiten immer mehr zu relativ geschlechtsunbetonten Gestalten werden, dann wird die Geschlechtlichkeit — einst Spielbühne des Göttlichen — nur noch als ein im Wesen des Menschen nicht mehr begründeter Reiz empfunden, der auf eine unverbindliche Weise gestillt werden kann. Öffentliche erotische Massenbefriedigungen, wie sich solche heute illusionshaft durch Film, Revue, Illustrierte und Mode anbahnen, werden dann zu den allgemein gebilligten sozialen Verhaltungsweisen gehören. Denn was gefühlsunbetont und nicht im Wesen gebunden ist, bedarf nicht wie ehemals des Mantels der Scham und des Mysteriums. So werden die Liebesspiele des Menschen flüchtigen Charakter haben, die Verbindungen der Geschlechter werden ebenso schnell geschlossen wie gelöst werden. Da der Mensch alle Abläufe des Organischen durch sein Wissen und seine Technik beherrschen wird und diese, wenn auch auf die Dauer nur unter furchtbaren Schädigungen, Wucherungen und Ermüdungen seiner Natur, nach Wunsch wird regulieren können, so wird auch die Regulierung der menschlichen Fruchtbarkeit kein Problem mehr bilden. Man wird sie einerseits nach persönlichem Belieben, anderseits nach den jeweiligen sozialen oder staatlichen Bedürfnissen mindern oder steigern. Die dadurch bedingten Schäden im Organischen und Seelischen wird man ebenso in Kauf nehmen, wie im Mittelalter die rücksichtslose Vernutzung der Frau durch eine Unzahl von Geburten.

Der Art und der Konstellation des 5. Feldes ist auch der jeweilige Bezug zum Kinde zu entnehmen. Die Kinder werden nun weniger ihren Ort im Bereich des persönlichen Lebens, des Stolzes, der Macht, des Gefühls haben als bisher; sie werden einfach eine der vielen Möglichkeiten darstellen, sei es als Spiel, sei es als bloße Tatsache. Zudem wird der „Spielraum" des Kindes ein ungemein sachlicher sein. Das warme Familiennest, aus dem es bisher herauswuchs und in dem es bis zu seiner Reife leben konnte, wird es im Wassermann-Zeitalter kaum mehr geben. Die Familie, wie alle natürlichen Kleinverbände (siehe 3. Feld) wird ihre Bedeutung und bindende Kraft verlieren. So wird den Kindern, die aus den flüchtigen oder längeren eheartigen Verbindungen hervorgegangen sind, großenteils eine natürliche Lebensgrundlage fehlen. Vielleicht wird es einst zum größten Luxus gehören, die persönliche Erziehung seiner Kinder bis zur Lebensreife selber zu gestalten. Im allgemeinen werden die Kinder kollektiv erzogen werden – vielleicht in „Kinderdörfern" – weil die in den unerbittlichen Arbeitsprozeß eingespannten Menschen sich ihren Kindern nur wenig widmen können. Die gefühlsarme Zwillingsmentalität wird auch in den Kindern selbst keine fruchtbare Liebes- und Gefühlskraft aufkommen lassen. Deshalb wird die Kollektiverziehung trotz allem keinen großen Verlust für sie bedeuten, bei allen Schäden, die sich durch diese Methode einstellen müssen.

Da der Mensch sich von seiner Naturgrundlage fort in ein sekundäres und tertiäres System entfernt hat, so hat er von dieser, die ihn bisher ernährte, keine Kraftzuflüsse mehr zu erwarten. Umso mehr wird er darauf angewiesen sein, immer neue Reizquellen zu erschließen. Dies muß notgedrungen zur Heraufkunft eines erschreckend hohen Maßes von Perversionen, zu einer raffinierten Technisierung der Erotik und schließlich zu einer Steigerung der Homosexualität beider Geschlechter führen. Als Folge — die sich heute schon abzeichnet — wird die gleichgeschlechtliche Liebe, soweit sie nicht mit den Sozialdogmen und dem Staatsinteresse in Konflikt kommt, sozial und moralisch sanktioniert werden.

Als geistiger Oberbegriff für die ganze seltsam schwankende Geschlechterbeziehung der Wassermannzeit erweist sich derjenige der Androgynität, deren Symbol das doppelkörperliche Zwillings-Zeichen ist. Dieses Vorzeichen bewirkt sowohl die Verflachung der Geschlechterspannung bis zur Promiskuität, wie ihre Sublimierung im geistigen Eros und in der Freundschaft. Aus der Androgynität des Menschen sind sowohl die hohen Möglichkeiten wie der Tiefstand des Zeitalters herzuleiten. Während ein Großteil der Menschen sich im Funktionieren einer nicht mehr an das Wesen gebundenen Geschlechtlichkeit verspielen wird, um so den ungeheuren Druck einer totalitären Arbeitswelt, einer vermenschlichten Natur, in der der Mensch nur noch sich selber zu begegnen vermag, auszuhalten, wird die Elite zu einer wirklichen Verwandlung und Sublimierung ihrer Natur imstande sein. Dies wird jedoch nicht alleine aus dem Befund des 5. Feldes klar, sondern erst durch die Einbeziehung seines Gegenfeldes, des 11., das — wie jedes Gegenfeld — die Erhöhung, Auflösung, Umwertung und Umpolung seines Gegenübers darstellt. Was sich im 5. Felde als glitzerndes Spiel, als wertfreie Ergreifung aller Möglichkeiten entfaltet, wird im 11. Feld in die höhere Oktave — in diesem Fall sowohl des Eros wie der Bildekräfte — transponiert. Diese höhere Oktave tritt in der allumfassenden Liebeskraft der Freundschaft hervor, in der die durch Reizzustände aufgestachelten Geschlechter, sowohl Mann und Mann wie Mann und Frau, wieder zu einer von gegenseitiger Ehrfurcht durchwalteten Einheit gebunden werden. Erst in der umfassenden Kraft und der Auflösung der Triebwelt im 11. Felde wird etwas von den mystischen Kräften der Liebe — in einer milden, geläuterten Form — zurückgewonnen, wird der der Öffentlichkeit und den dauernden Reizungen ausgelieferte Eros seine Lösung finden.

Daß aber das Wassermann-Zeitalter der Leidenschaft dennoch nicht ermangeln wird, läßt das Löwe-Zeichen im 7. Feld erkennen. Die Leidenschaft wird jedoch Ausnahme bleiben. In der Begegnung starker, eigenwilliger Persönlichkeiten wird sie in einer Verbindung der uranisch-blitzenden mit den sonnenhaft-strahlenden Kräften wie ein Feuer auflodern. Wie Fackeln der Leidenschaft werden solche Liebende verglühen. Aber dauernde Lösungen gibt es für solche nicht. Sie werden die höchste Intensität erfahren und in ihr untergehen —

ein großartiges und schauerliches Schauspiel; die Dramen des Wassermann-Zeitalters werden nicht mehr auf der Bühne, sondern im Leben gespielt werden.

Doch nicht nur der Eros und die Kinder – auch die Kunst hat ihre Wurzeln im 5. Feld und wird darum im Wassermann-Zeitalter durch den Zwillingscharakter dieses Feldes geprägt. Infolgedessen wird ihr – im Gegensatz zur bisherigen – ein heller, ständig wechselnder Charakter eigen sein: Unendlich anpassungsfähig, reizvoll und dekorativ, unaufhörlich Neues hervorbringend, sich aber immer an der Oberfläche bewegend, kühl und unpersönlich, nicht von wirklicher schöpferischer Leidenschaft und Kraft getragen. Im Gegensatz zu jenen Zeiten, in denen Kunst als Passion, als leidensvolle Leidenschaft erlitten wurde und der Künstler, weil unberechenbar, als Außenseiter galt, wird er nun ein Arbeiter und Techniker sein wie andere auch. Alle Kunstformen, die dem Tagesbedürfnis dienen und sich an eine große Menge wenden, um diese im Dienst der Mächtigen zu unterhalten oder zu faszinieren, werden gedeihen – alles, was mit dem Bereich des öffentlichen Schauspiels, mit Kunstgewerbe, Mode, Dekoration, Plakat zusammenhängt, mit Film, Radio, Fernsehen oder wie die noch zu erfindenden Vermittlungstechniken heißen mögen. Da aber der Mensch infolge seiner relativen erotischen Spannungslosigkeit (die das Leben des Alltags zwar reibungsloser, das innere aber dafür reizloser macht) immer neuer und stärkerer Reizmittel bedarf, wird es der Kunst aufgetragen sein, diese durch Farbe, Ton, Duft und Form, durch immer bizarrere Erfindungen hervorzubringen.

Die Künstler werden ungemein schnell und ohne Hemmung, weil innerlich unbeteiligt, produzieren. Zudem werden sie zu solcher Arbeitsweise gezwungen werden, weil ihre Werke schnell altern und vergessen werden – die vielen dem Augenblick dienenden Werke werden anstelle der wenigen zeitüberdauernden treten. Zudem wird die Kunst nicht mehr der Sichtbarmachung des Schönen, Wahren und Bedeutungsvollen, sondern der bloßen Ausschmückung des jeweiligen Heute, der religiösen, politischen und wirtschaftlichen Propaganda und der Unterhaltung dienen. Die Herstellung eines Lebens-„Klang- und Bildteppichs" einer farbig-prächtigen Haut der Welt wird zu ihren Hauptaufgaben gehören.

Zudem wird die Kunst durch die Rationalisierung ihrer Mittel eine enge Verbindung mit der Psychologie und der Technik eingehen. Man wird ohnedies in der Kunst nicht mehr Sammlung und Erhebung suchen, sondern Beruhigung und Reizung der zwischen Hoch- und Unterspannung wechselnden Nervenzustände. So wird sich die Kunst des Wassermann-Zeitalters vorwiegend mit der Erfindung künstlicher Paradiese beschäftigen, die hervorzubringen ihr sozialer Auftrag sein wird. Da aber dem Künstler – als eingeplantem Arbeiter und Techniker – nicht mehr wie einst die Zeit für die Entwicklung eines Werkes gegönnt sein wird und er die Materie, sein Inneres und den Lebensprozeß unaufhörlich nach neuen Reizmotiven abzusuchen gedrängt ist, wird die Kunst ebenso wie Psychologie und Technik dazu beitragen, den Menschen immer weiter zu „veröffentlichen" und das jeweils aktuelle Problem im gegebenen Augenblick für alle verständlich zu machen. Es wird praktische, sachliche und dekorative Kunstarten, aber keinesfalls mehr „hohe Kunst" im bisherigen Sinne geben. Letztere wird als eine vergangene nur noch „erinnert" werden – durch technische Hilfsmittel oder auf den „Kunstinseln", wo ihre Reste bewahrt werden. Der typische Künstler des Wassermann-Zeitalters ist hingegen von äußerster Geschicklichkeit und einfallsreicher Originalität – aber die Einfälle, nicht das Werk und seine Botschaft werden dominieren; er ist mehr ein Zauberer als ein Deuter des Seins.

Das Zwillingsprinzip, das den Menschen nicht zur Entscheidung – zu dem Einen, das nottut – drängt, sondern ihn bestimmt nur noch situationsgemäß zu gestalten, wirkt nicht als ein geeignetes Klima für die Hervorbringung echter Dramatik. So werden durch die relativierenden Tendenzen des Zwillings-Zeichens die dramatischen Gestaltungen eher Revuen oder Reportagen gleichen, ein Zustand der sich bereits heute abzuzeichnen beginnt. Auch im Bereich des Dramas ist das Ende der Kunst erreicht – auch hier wird der heutige Tiefstand (der noch weiter absinken wird) durch keine erhoffte kommende Hochblüte abgelöst werden. Denn in dieser Hinsicht ist der Weg der Menschheit in einem Flachland angelangt. Da ungehemmt alles betastet, ausgesagt, und je nach der schnell wechselnden Tagesmode dargeboten werden kann, wird weder seelenergreifende Dramatik, noch gefühlstiefe und bedeutungsgeladene Liebeslyrik hervorgebracht werden. Die Zeit der „großen Gefühle" ist zu Ende.

Auch die Architektur wird, infolge der Luftigkeit des Zwillings-Zeichens, ihren bisherigen erdigen Charakter abstreifen. Nun wird auch sie leicht, luftig, beweglich, gläsern, rational und zweckhaft werden. Dadurch unfähig geworden geistige Gehalte auszuprägen, wird sie sowohl durch ihre Intention wie durch ihre Mittel ungeeignet sein zum Dienst am Heiligen. Jedoch wird die heutige Kirchenbauproblematik allerdings schon darum „gegenstandslos" werden, weil kaum noch Anlaß bestehen wird, repräsentative Kirchengebäude zu errichten: die künftige Form des Gottesdienstes erfordert nicht mehr Kirchen im traditionellen Sinn (siehe das 9. und das 11. Feld).

Einerseits wird ohnedies der fruchtbare Gegensatz von sakral und profan, der bisher Jahrtausende überdauert hat, dahinfallen, andererseits sind die heutigen in der Hand des Menschen so ungemein bildsamen und gefügigen Baumaterialien ungeeignet zur Errichtung von Sakralbauten. In keiner Zeit war alles zugleich und in gleicher Gültigkeit möglich – als die Kathedrale dominierte, trat das Schloß zurück; als das Schloß dominierend hervortrat, glich sich der Kirchenbau diesem an. In einer Zeit, in der die Bürohäuser, Flugzeughallen und Garagen das architektonische Bild einer Epoche bestimmen und diese zudem auf eine so originelle, wenn auch kalt-sachliche Weise und mit kühn gehandhabten Mitteln gestaltet werden, kann der Kirchenbau, falls überhaupt noch ein Bedürfnis für ihn vorhanden sein wird, nur noch in einer Nachahmung von Garagen und Flugzeughallen bestehen, oder aus einer Kreuzung von Fabrikhalle und Panoptikum.

Das im Wassermann-Zeitalter das 5. Feld des Spieles und der Kunst beherrschende Zwillings-Zeichen weist auf das Ende dessen, was wir bisher Architektur zu nennen gewohnt waren, hin. Gebaut wird zwar weiterhin, aber die Bauweise wird so luftig, so hell und transparent, jedoch nur noch funktionell bedingt sein, daß man die so entstandenen Gebilde nicht mehr im bisherigen Sinn als Architektur wird bezeichnen können. Durch das Zwillings-Zeichen im 5. Feld ist zudem eine virtuose Handhabung des „berechneten Zufalls", der bewußten Veröffentlichung des Unbewußten, die unbekümmerte, wie Theaterkulissen wechselnde Ausschmückung der Welt als „Haus des Menschen" möglich geworden. Mit bizarrer Farbigkeit und raffiniert berechneten Wirkungen werden herzbeklemmende, die Triebe oder gehirnliche Raserei entfesselnde Effekte hervorgerufen werden. Nicht mehr die Harmonie und die den Menschen ordnende Symmetrie, sondern die Dissonanz und die Asymmetrie werden als Reizmittel für die durch Überbeanspruchung ermüdeten Sinne eingesetzt werden. Das sinnenhaft formende Vermögen des Menschen, bisher in der hohen Kunst am innigsten gesammelt, wird sich auf eine so unmittelbare Weise dem Leben verbinden, daß von Kunst im bisherigen Sinne, die immer in einer Distanz zum Leben, obwohl ihm dienend und es erhöhend, stand, nicht mehr gesprochen werden kann. Es ist gewiß heute noch unvorstellbar, daß es eine große Menschheitperiode ohne hohe Kunst geben wird. Es entspringt jedoch nur einer Denkgewohnheit anzunehmen, daß alle Jahrtausende gleicherweise von Kunst durchwirkt sein müßten. Einige wenige Weltalter erfüllt von hoher und herrlicher Kunst liegen hinter uns – nun hat es den Anschein, als ob die Impulse und Formkräfte, die bisher der Kunst zugeflossen sind, anderen Lebensfeldern zuströmen.

Einst wurden Kunst und Leben in strenger, fast asketischer Weise unterschieden – Kunst diente der Erhöhung und Verklärung des Lebens, der Transparentmachung des Stoffes auf das Ewige hin. Sie hatte nicht nur die Aufgabe, sondern auch die Gabe, das Göttliche als das Sinngebende sichtbar zu machen. Aber nun wird die Schranke zwischen Kunst und Leben niedergelegt werden, ebenso wie jede Sonderung; das Gefälle von der Kunst zum Leben – eine Antriebskraft zur Gestaltung – wird verschwinden. So wird die Kunst zu einer Art von Lebenskosmetik oder Psychotechnik werden. Schließlich wird auch noch das Gefälle vom Künstler zum Nichtkünstler verschwinden, da es allgemein üblich werden wird, zur Entspannung oder Selbstbesinnung spielerisch Formen hervorzubringen. So wird man künftig unter „Kunst" etwas ganz anderes verstehen als bisher – etwas viel Leichteres, Flüchtigeres, Vergnüglicheres, Spielerischeres und undogmatisch Individuelles. Das formbildende Vermögen des Menschen, das bisher der Kunst dienstbar war, wird nun der Technik dienen, schon um deren präzise funktionierenden Maschinen eine ästhetische Haut zu verleihen. Auch die Vergnügungsindustrie, welcher die Kunst ebenso dienstbar sein wird, ist auf die technische Welt bezogen. Denn sie ist ein systematischer Versuch, die Mensch-Maschine durch Ablenkung und Aufreizung, durch Erregung der Phantasiekräfte (was allerdings auch auf chemischem Wege erreichbar ist) aktionsfähig zu halten.

So gehört die wassermannische Kunst der Zukunft im Grunde einem völlig andern Bereich an als diejenige der bisherigen Menschheitsvergangenheit, so daß es angebracht ist, diese Art „Kunstübung" nicht mehr mit dem alten, unzutreffend gewordenen Namen zu bezeichnen. Aber die künftige witzige, spritzige, einfallsreiche, bewegliche und zweckgebundene Weise des Formens findet, entsprechend dem zwillingshaften Eros des 5. Feldes, im 11. Gegenfelde der Freundschaft, der freien Geistigkeit und Brüderlichkeit, Bindung und Gegengewicht, die Auflösung ihrer Problematik. Ihr „abstrakter" durch die Zersetzung und Ausscheidung der Naturformen zeichenhaft gewordener Charakter, der keine Allgemeinverständlichkeit mehr anstrebt – im Gegensatz zu aller bisherigen Kunst des Menschen – wird seine Bedeutung erst im Bereich des 11. Feldes enthüllen. Einst war Kunst Sprache, Sichtbarmachung des Unsichtbaren, Mitteilung von Geheimnissen. Da aber die Kunst künftig als „Haut der Welt" dieser Aufgabe enthoben ist, wird ihre „geistige" Seite in der Öffentlichkeit kein Wirkungsfeld finden. Aber gerade diese wird durch die religiös gestimmten Freundschaftsbünde, die zudem eine Sammlung der „Wissenden" darstellen (siehe 11. Feld), in Anspruch genommen werden. Kunst als Träger und als Mittler von Geheimnissen ist nur dort gerechtfertigt, wo es Geheimnisse gibt, die eines Organs bedürfen. Der zeichenhafte Charakter der „neuen Kunst" wird den nach Ausdruck verlangenden Geheimnissen der „neuen Bünde" entsprechen. Das „Geistige in der Kunst", das Kandinsky am Beginn des Wassermann-Zeitalters entdeckt und verkündet hat, kann nur durch die Geist-Träger Substanz erlangen. Vielleicht nimmt in dieser Hinsicht die Kunst wieder wie Jahrtausende lang, hieroglyphenhaften Charakter an, verständlich und im tiefsten Sinne aufschlußreich für die Wissenden, jedoch belang- und bedeutungslos für die Außenstehenden, die nur noch auf die schrillen Reize von Farbe, Ton und Form zu antworten verstehen. Der Entbundenheit und Wurzellosigkeit der wassermannhaften Kunstübung, steht dann in kleinen, dem Geist verpflichteten Kreisen (den Bünden) eine erneut an Sinn gebundene und der wesentlichen Aussage verpflichtete Kunst gegenüber.

Das sechste Feld

Im ständigen Wechsel von aktiven und passiven, männlichen und weiblichen Zeichen und Feldern folgt auf das Feld der Selbstdarstellung, des Spieles und der Lustsuche das dieser Wesensart entgegengesetzte sechste, der Bereich des Alltags, der Dienstbarkeit, des sich Mühens und Beugens. Hier hat der Mensch weder Gestalt noch Schöne. Hier muß er illusionslos sein Kreuz tragen und die Last und Bedrückung des Werkens, der Krankheit erleiden als Folge seiner Gebundenheit an den Leib und die Verhältnisse. Andererseits wird in diesem Feld auch die Art der Hilfen und der Heilungsmöglichkeiten ablesbar, die Art des Dienstes, sowohl die Krankheit wie ihre Therapie. Die optimistische Spielfreudigkeit und Selbstherrlichkeit des 5. Feldes weicht hier der Selbstbeschränkung im „Kleinen". Als „Ort" des 6. Feldes erscheint der Arbeitsplatz, das Krankenhaus oder das Sprechzimmer des Arztes. In der Grundsituation des Lebensrades war es durch das ordnende, rational planende, dienende Jungfrau-Zeichen bestimmt. Inzwischen aber ist das weiche, ohne Wertung sammelnde, im Gefühl alles umfassende Krebs-Zeichen beherrschend ins 6. Feld gewandert. Ursprünglich dem 4. Felde zugehörig, bringt es nun seine mütterlichen Kräfte, seine Verbindung zur Erdentiefe, zur Vergangenheit, die Kraft seines Beruhens dem 6. Feld als Mitgift zu.

Die Krebsbesetzung des 6. Feldes weist darauf hin, daß der Mensch die Last des Alltags in weiblich fügsamer Weise zu tragen bereit ist, daß er die damit verbundenen Leiden widerstandslos hinnehmen wird. Durch eine solche Haltung scheint er befähigt zu sein, die Maßlosigkeiten und die Diskontinuität des Lebensrhythmus im Wassermann-Zeitalter durchzustehen. Diese Krebsgesinnung mit ihrer unermüdlichen Duldekraft, ihrer Fähigkeit sich hinzugeben ohne sich zu verlieren, mit der Möglichkeit eines Rückzugs nach Innen (sei es als Relaxing oder als Meditation) ist die Voraussetzung für das Wirken heilender, regenerierender Kräfte in der Zukunft. Gerade durch seine Bereitschaft zum Dienen, zur Selbstentäußerung, gelangt der an die Welt und ihren Betrieb verlorene Mensch wieder zu seiner Wurzel und zum mütterlich nährenden Grunde. Denn das Krebs-Zeichen stimmt sowohl weich und aufnahmefähig, wie auch treu und beharrlich. In der Krebsgestimmtheit wird alles seelisch oder leiblich Empfangene bewahrt und bis zur Reife ausgetragen. Aus diesem Grund bleibt im 6. vom Krebs-Zeichen bestimmten Feld noch der Rhythmus des organischen Lebens, sein Wachstumsgesetz bewahrt. Im Bereich dieses Lebensfeldes kann kein Lebens- oder Arbeitsvorgang beschleunigt werden — hier gibt es keinen Sprung. Darum wird in der hier wirkenden Gesinnung das in dem sprunghaften Lebensrhythmus „Übersprungene" gewissermaßen nachgeholt. Der Mensch des Wassermann-Zeitalters denkt großartig und ins Weite, in Kontinenten oder in kosmischen Dimensionen. Aber im Bereich des 6. Feldes wird das Kleine, das Wehrlose und Nahe wirklich. Die Haltung, die dem entspricht ist die einer wertfreien, unpathetischen allgemeinen Nächstenliebe. Inmitten der strahlenden, aber maßlosen Geistigkeit des Zeitalters, für die es keine durch das Lebendige und Organische bedingte Grenze gibt, bleibt ein Bereich des Seelischen und der Innerlichkeit bewahrt, eine „Insel des Weiblichen", eine dementsprechende Kraft, deren Wirksamkeit allerdings nicht nur an die empirische Frau gebunden ist. Es gibt also auch im Wassermann-Zeitalter eine Möglichkeit, sich nicht nur männlich-geistig zu verstrahlen, sondern auch, sich nach innen wendend, „weiblich" zu sammeln.

So wird auch im Atomzeitalter, wie man allerdings nur die Anfangs-Jahrzehnte des Wassermann-Weltalters nennen wird, eine Beseelung im Bereich des Kleinen, jenseits aller gefühlsseligen mütterlichen Betulichkeit möglich sein. Es ist durchaus ein Sinn-Zeichen, daß gerade die „Heilige des Kleinen", des „kleinen Weges", der einfachen, unbedachten Hingabe, die „kleine" heilige Theresia, am feuerwerkartig durchfunkten Beginn des Wassermann-Zeitalters hervorgetreten ist, gleichsam als Gegengewicht zur zeit- und raumraffenden Totalmobilisierung des Lebens und zum Gigantismus der Zeit. Solche Kräfte des 6. Feldes — die Zurückführung des Menschen zum Kleinen, Gewachsenen, Lebenswarmen — weisen auf Heilungsmöglichkeiten der tiefen Verwundungen und „Zerreißungen" (Schizophrenie) hin und der so schwer faßbaren Störungen des vegetativen Nervensystems, der Disharmonien der Organfunktionen, welche die Menschen im Zeitalter der Kernspaltungen und Kernneurosen erleiden werden. Sich inmitten der uranischen Entgrenzung in seine Grenzen wieder bescheiden zu lernen, das wird zur heilsamen Weisheit, zum wirksamen Mittel gerade der uranischen Heilkunst gehören.

Durchaus der Mentalität des Wassermann-Zeitalters entsprechend trat wenige „Minuten" vor seinem Anbruch eine neue umfassende Seelenheilkunde hervor, deren künftige Entwicklung noch unabsehbar ist. Innerhalb dieser sind bisher und künftig zwei Grundarten zu unterscheiden: Einerseits eine analytisch-chirurgische Psychotherapie, bestimmt durch die sezierenden, aufbohrenden Tendenzen des Skorpionprinzips im 10. Feld. Es handelt sich hierbei um „operative" Eingriffe in die Funktionen der Psyche durch das Wort und um die Lenkung des Bewußtseins, wozu am Rande auch die Gehirn- und Nervenchirurgie gehört. Andererseits wird die eigentliche „Wundbehandlung" der Seele durch die Entbindung heilender Kräfte in der Seele selber und durch die Förderung ihrer Wachstumskräfte vollzogen werden. Hierbei wirkt sich die Sammlung der Gefühlskräfte durch die Krebs-Mentalität als Aufbau einer Heilatmosphäre aus. Wahrscheinlich wird künftig über die analytische, chirurgische Seelenheilkunde hinaus eine synthetische, umgreifende wirksam werden. Schon heute weisen Formulierungen wie „der Arzt als Medizin", Psychosynthese, personale Psychologie, Daseinsanalyse, Psychosomatik u. a. auf eine künftige, den ganzen Menschen betreffende Heilkunst hin, innerhalb derer der durch sein ganzes Dasein und nicht nur durch sein Wissen heilmächtige Mensch wirksam sein wird.

Die große charismatische Heilbewegung im 19. Jahrhundert, deren Spur durch Namen wie Wolf von Rippertschwand, J. Chr. Blumhardt und andere gezeichnet ist[30]), muß als Auftakt der Heilungen von leib-seelischer Zerrissenheit im Wassermann-Zeitalter verstanden werden. Es handelt sich aber künftig um eine aus dem Wissen um den ganzen Menschen geborene Einwirkung aller Elementarmächte auf die Zentren seiner Lebenskraft durch Farbe und Musik, durch Meditation und durch den Rückzug in die innersten Zellen des Wesens, auch durch Übertragung heilender Menschenstrahlung. Dem Gebet als Weg der Verbindung zum Göttlichen und seinen unmittelbaren Kraftwirkungen wird hierbei erneut eine hohe Bedeutung zukommen. Denn wie man künftig die sakrale und prophane Sphäre nicht scheiden wird, so auch nicht die der göttlichen und menschlichen Heilungen, die zwar zwei Quellen entsprungen, sich in einer Wirkung äußern. So werden die bisher nur von medialen Menschen wahrgenommenen Strahlungen des Göttlichen wie des Kosmischen allgemein in die Therapie einbezogen werden. Diese sublimen Heilmethoden werden in unzähligen „Häusern der Heilung" ausgeübt werden. Das „Haus" selber, das

Bergende, wird zum Heilmittel. Denn das Krebs-Zeichen gilt in jedem Sinn als Häuslichkeit bewirkendes. Der durch dies Zeichen umschriebene Kräftekomplex vermag sich eben nur in der Begrenzung, in umschränkter Umgebung auszuwirken. Der Begriff der Sanatorien wird darum eine außerordentliche Erweiterung erfahren. In solchen Heilstätten, den letzten Zufluchtsorten des „natürlichen" Lebens, werden alle Heilkräfte der Natur: Licht, Farbe, Duft, Klang und der harmonische Bewegungsrhythmus zugunsten des Menschen und zur Heilung seiner Zerrissenheit mobilisiert werden.

In diesen Heilhäusern werden jene als „Heilkünstler" wirken, die man als Wissende um die Zusammenhänge des Lebendigen und der verschiedenen, bis dahin dann genau erforschten „Leiber" des Menschen bezeichnen kann — sie werden sich sowohl physischer, wie psychischer und geistiger Heilmethoden bedienen. Diese in sich ruhenden, warmherzigen, aber unsentimentalen Priester-Ärzte, weder Ärzte noch Priester oder Psychotherapeuten im heutigen Sinne, werden sowohl durch ihre innere Anteilnahme und Menschenliebe, wie durch ihre wassermannhaft-intuitiven diagnostischen Fähigkeiten und durch ihre Rückverbundenheit nach unten wie nach oben, den uranisch entwurzelten Menschen wieder zu seiner organischen Lebenswurzel zurückzuführen verstehen. Man könnte diese künftigen Ärzte-Priester am angemessensten als „natürliche Heilige" umschreiben — als Eingeweihte sowohl in das Wirken der natürlichen Heilkräfte, wie in die Wirkung des Göttlichen. Diese „Heiligen" (man wird sich daran gewöhnen müssen, daß die Grenzen dieses Begriffes anders und weiter gezogen werden als bisher), in denen sich die Strahlkraft des Uranischen mit dem Fühlsamen des Organischen vereint, werden es vermögen durch ihre lebensverbundene Intelligenz, durch ihr schauendes Denken, durch die Kraftströme, die von ihnen ausgehen, durch die Beherrschung des Feinstofflichen, das sie zu regulieren verstehen, eine Heilatmosphäre zu erzeugen. Eine solche wird für den vorherrschenden Krankheitskomplex des Wassermann-Zeitalters, die Störungen im vegetativen Nervensystem, von besonderer Bedeutung sein. Denn die Diastonie des vegetativen Nervensystems, die ohne ersichtliche Ursache durch Unordnung der Leitwerke zu Fehlfunktionen der Organe, zu ihrer Erkrankung führt, kann nur auf mittelbare Weise geheilt werden.

In Wirklichkeit handelt es sich bei diesen im Wassermann-Zeitalter alltäglichen Störungen nicht um solche des stofflichen Leibes, sondern des Ätherleibes, der feinstofflichen Leiblichkeit des Menschen. Durch die kultischen und sakramentalen Gemeinschaftsformen der Fischezeit wurden der Geist- und Ätherleib des Menschen in heilsamer

Weise immer neu an seinen Sinnenleib gebunden. Die ungeheuren seelischen Energieentladungen der Wassermannzeit und deren uranische Zerreißungs-Tendenzen werden aber in Zukunft die Verbindung der „Leiber" mehr als jemals gefährden. Als typisches Krankheitsbild wird sich bei manchen Menschen der Ätherleib vom Sinnenleib lösen, was zu Spaltungserscheinungen auf jeder Ebene des Menschseins und zu rätselhaften, durch kein äußerliches Heilmittel zu behebenden Krankheiten führen wird. Diese Entbindung des Ätherleibes durch seelische oder leibliche Erschütterung (so z. B. durch die im Wassermann-Zeitalter übliche organfeindliche Schnelligkeit ausgelöst) wird eine ungeheure Vermehrung des Phänomens der Besessenheit nach sich ziehen. Denn die Lockerung des Ätherleibes bewirkt nicht nur Mangelerscheinungen in der Physis des Menschen, sondern auch Mediumismus und Trancezustände. Der ungeschützte und entbundene ätherische Stoff des Menschen wird allzuleicht von dämonischen — vielleicht auch von hellen — Machtwesen usurpiert und „besetzt" werden. Darum werden die „Meister des Heilens" unmittelbar sowohl auf das somatische Gefüge des Menschen wie auch auf die Psyche (unter der etwas Umfassenderes als heute verstanden wird) und auf das Feinstoffliche zu wirken vermögen.

Schon heute zeigt es sich, daß die Krankheit und ihre Heilung von weittragender Bedeutung für die Gemeinschaft sind, daß die Funktion des sozialen Organismus von dem genauen Ineinanderwirken der Schwächen und Stärken des menschlichen Daseins abhängig ist. Diese Bedeutung wird im Wassermann-Zeitalter noch in vermehrter Weise hervortreten, sodaß das rechte Funktionieren der Arbeits- und Lebensgemeinschaften vom Wirken der Heilmeister mitbestimmt sein wird. Sie lenken ohne äußere Macht und Gewalt aus dem Hintergrund das Zusammenspiel der Kräfte der Gemeinschaft. Denn sie sorgen ebenso für die Vertreibung und Entmächtigung der Dämonen wie der Viren, für die Entgiftung des Leibes wie der Seele, für die Regenerierung des Leitwerkes der Nervenbahnen wie für die Sammlung der seelischen und geistigen Kräfte, wodurch sie den ausgelaugten Menschen der Wassermannzeit überhaupt erst wieder menschlich kontaktfähig und dadurch auch „gottfähig" machen werden.

Gewiß ist das Krebs-Zeichen von typisch weiblicher Artung, wirkt doch in seinem Bereich der Mond mit seinen wechselnden Fühlungs- und Wachstumskräften. Dies bedeutet aber nicht, daß nur Frauen die Tätigkeit des „Heilmeisters" in den Heilhäusern auszuüben imstande wären. Gerade die positive Androgynität, die nicht zur Verflachung, sondern zur Sublimierung der Geschlechterspannung führt — durch die Mann und Frau über ihre angeborene Männlichkeit und Weiblichkeit hinaus auch den jeweils „andern Pol" in sich zu aktivieren vermögen — weist darauf hin, daß der Mann auch mit den weiblichen Kräften zu wirken vermag.

Die meisten Heilhäuser (die weder mit katholischen Exerzitienhäusern noch mit modernen, perfekten Krankenhäusern vergleichbar sind) werden in Auswirkung der „innerlichen" und sammelnden Kräfte des Krebs-Zeichens eine weitere Bedeutung als Stätten der Meditation haben. Denn die Meditation — bisher geistliche Übung der Hochreligionen, als Weg der „Einübung" des Heilsweges und -zieles — wird zu den ganz allgemeinen Heilmitteln des Wassermann-Zeitalters gehören. Die maßlose Intensität, das ständige Vorwärtsdringen, die Ausbeutung des ganzen Menschen (nicht nur seiner Muskelkraft), die durch das uranische Sprungvermögen entstehenden Zerrungen des Organischen und Seelischen verlangen nach einer heilenden, sammelnden Gegenwirkung. Eine solche stellt die Meditation dar, in deren Praxis weltliche und religiöse Erfahrungen zusammenwirken. Gewiß wird es auch noch — wie bisher — in einem besondern Sinne religiöse Meditation geben, als Sammlung der Sinne und des Geistes auf Gott hin und als Vorbereitung zur Begegnung mit ihm. Aber die aus den bisherigen religiösen Formen herausgewachsene „neue Meditation" ist ihrer Intention nach nicht auf Gott, sondern auf die Heilung des Menschen ausgerichtet, als Mittel, ihn von seinem Außersichsein zu sich selber und zu seiner eigenen Wurzel zurückzuführen. Gewiß wird man für die Ausgestaltung dieser therapeutischen Meditation die ältern Erfahrungen des Christentums und der asiatischen Religionen einbeziehen. Was aber dabei angestrebt wird, weist in eine andere Richtung als die bisherigen religiösen Zielsetzungen. Gewiß kann eine solche „Meditation des Menschen" auch zu einer Vorbereitung zur Begegnung mit Gott werden. Nur wird dies nicht von vornherein angestrebt. Nur eine Minderheit wird über solche „Meditation zur Menschwerdung" hinaus noch ein höheres Ziel anstreben.

Solch regelmäßige, von Meistern oder ihren Gehilfen geleitete Meditationsübungen könnten verhindern, daß der Mensch sich in Zukunft unter dem ungeheuren Druck des Leistungszwanges nur mit der Ausbildung eines Teilaspektes des Menschlichen begnügt. Darum werden wohl viele sich der sammelnden Wirkung der Meditation bedienen um nicht durch die ungeheure Betriebsamkeit des Wassermann-Zeitalters einen Zerfall ihrer Persönlichkeit zu erleiden.

Einerseits werden sich die Meditationshäuser, die letzten Zufluchtsstätten des natürlichen Lebens, in relativer Stille befinden, andererseits auch inmitten von Wohnsiedlungen, um die Übenden gegen den sie ständig umgebenden Lärm „abzuhärten“ und sie anzuleiten, auch unter den gewöhnlichen, aufzehrenden Lebensumständen die Sammlung zu erlangen. Jeder öffentliche oder private Häuserblock, jedes Haus wird mit einem Meditationsraum ausgestattet sein, weil die Meditation zu einem Mittel der Selbsterhaltung und zur Erhaltung der seelischen und leiblichen Gesundheit werden wird. Es wird dem Menschen ein Bedürfnis sein, morgens vor dem Gang zur Arbeit und abends, wenn er von dieser heimkommt, zuerst eine gewisse Zeit im Meditationsraum zu verbringen. Denn der Übergang vom Arbeitsleben zur Privatsphäre wird eine ständige, krankheitserregende Problematik hervorrufen, die erst durch die regelmäßige Meditation, vor allem in den Übergangszeiten, vor und nach der Arbeit, aufgelöst werden kann. Durch eine solche seelische Hygiene, die derjenigen des Leibes an die Seite treten wird, kann verhindert werden, daß die Folgen des unorganischen, künstlichen Arbeitsrhythmus, wie er im Wassermann-Zeitalter vorwiegend sein wird, sich zerstörerisch in der persönlichen Lebenssphäre des Menschen auswirk.en

Das siebente Feld

Zwei Grundachsen bilden die Struktur des Lebensrades: die vertikale, die von der Erdtiefe zur Himmelshöhe, vom Tiefunten des 4. Feldes zur Sonnenhöhe des 10. führt, und die horizontale, die das 1. Feld, den Anfangspunkt (Aszendent) mit dem 7., dem Deszendenten verbindet. Letzterer ist nun für den Zusammenhang von Bedeutung, in den das 7. Feld gestellt ist. Denn dieses — als Bereich des Du — steht über die horizontale Achse in Opposition zum 1. Felde, dem Ich, das es ergänzt. Die Art der Bezogenheit von Ich und Du, vom bloßen So-Sein zu dem zu erstrebenden Ideal, bildet die Problemstellung der Achse 1—7. Die Konstellation des 7. Feldes enthüllt die Zielsetzung, die der Mensch auf jeder Ebene anstrebt: Das Du — sei es positiv als Partner oder negativ als Feind. Hier werden die Projektionen offenbar, die das Ich in die Welt schickt. Das Du kann sich aber auch in einer Vielzahl von Menschen darstellen — dann handelt es sich nicht nur um den persönlichen Partner, vor allem den Ehepartner, sondern um die Gemeinschaft, die Gruppe, die Gesellschaft und die Weise der Auseinandersetzung mit ihr. In der ursprünglichen Ordnung des Lebensrades war das 1. Feld durch das motorisch antreibende Widder-Zeichen und das 7. durch das ausgleichende, zusammenstimmende Zeichen der Waage besetzt.

Im Horoskop des Wassermann-Zeitalters ist nun anstelle des Zeichens Waage dasjenige des Löwen getreten — anstelle des harmonisierenden Prinzips das der Selbstdarstellung. Die Kräfte des wie die

Sonne machtvoll strahlenden Zeichens Löwe bewirken keinen Ausgleich, sondern die Heraufkunft glanzvoll-herrscherlicher Persönlichkeiten, von denen die Lösung der Probleme des Zeitalters erhofft wird. Ein Zeitalter wie das des Wassermann, das eigentlich durch das Symbol des „Bundes“ bestimmt ist, in dem nicht Einzelne vorherrschen, sondern eine Vielheit zusammenwirkt, sehnt sich im Grunde nach dem Einen, Starken. Der unruhige intellektuelle Machttypus Wassermann mit seinem unsinnlichen Charakter fordert einen Typus heraus, in dem Sinnenfülle, Zentralität, überlegene Ruhe und unerschütterliche Festigkeit vereint sind. Denn unter der Vorherrschaft des Wassermannprinzips wird der Mensch durch sein Verlangen, alles Sinnliche an seiner geistigen Wurzel zu fassen, in Gefahr geraten, den Bezug zum Organischen zu verlieren. Darum muß die machtvolle, bannende Zentralität des Löweprinzips als die Erfüllung der uranischen Sprunghaftigkeit erscheinen. Auf der horizontalen Achse des 1. und 7. Feldes stehen zwei Machttypen im Gegensatz und in Verbindung: Der alle Ebenen des Daseins mit seinem Wissen umgreifende Typ des Wassermann und der die Vielheit wie in einem Brennpunkt zusammenfassende und in seinen Dienst nötigende des Löwen.

Hiezu kommt, daß die Eroskraft der Wassermann-Mentalität weniger auf den Einzelnen, als auf eine Vielheit gerichtet ist; sie ist strahlenartig durchdringend, ohne das Vermögen, festzuhalten. Die im Löwe-Zeichen wirkende Eroskraft ist im Gegensatz hiezu im Höchstmaß persönlich geprägt, in unbedenklicher Leidenschaft zugreifend, und – weil aus der Zentralität heraus wirkend – auch auf das Eine gerichtet. Die Duldsamkeit des Wassermanns kommt aus seinem Alles-Verstehenkönnen und aus seiner innern Unbeteiligtheit, das Wartenkönnen des Löwen aber aus seiner wachen Sprungbereitschaft, aus der er schließlich das ihm begehrlich Erscheinende mit unwiderstehlicher Gewalt an sich reißt. So muß eine Lebensgestaltung aus dem Löweprinzip, aus der Fülle der Vitalität, aus dem leidenschaftlichen und unreflektierten Erfassen der Welt der allen Ursachen nachforschenden Wassermann-Mentalität als anzustrebender Idealzustand des Daseins erscheinen.

Der hohe mystische Aufschwung, zu dem die Menschheit im Fische-Weltjahr fähig gewesen ist, schlug in seiner 2. Halbzeit mehr und mehr in gierige Weltergreifung um. In Parallele hiezu wird die Geistigkeit des Wassermann-Zeichens, seine ätherische Weltferne, seine kühl-klare Abstraktion, seine überpersönliche Brüderlichkeit, in der strahlenden und unreflektierten Weltergreifung, in dem unbekümmerten sich Durchsetzen persönlicher Interessen und in den gewaltigen Leidenschaften des Löweprinzips enden. Das Wassermann-Zeitalter, das mit utopischen Träumen von uneingeschränkter Demokratie, mit

Völkerbünden, mit der „Sklavenbefreiung" der Frau und des Arbeiters, mit der utopischen Gleichberechtigung aller Menschen beginnt, wird einen Zustand heraufbeschwören, in dem die jeweils stärkste Persönlichkeit zur unumschränkten Macht gelangt, die — sonnenhaft strahlend — die Welt zum Spielfeld eines glanzvollen Schauspiels machen wird. Diese sonnenhaften Herrscher, die ihrer Herkunft nichts, ihrer eigenen Kraft aber alles verdanken, werden die Völker oder Völkerbünde beherrschen. Sie werden mit ihrem Glanz und Prunk den Ameisen- und Uniformstaat überstrahlen und seine Emsigkeit und Nüchternheit vergessen machen. In der Folge wird sich allenthalben ein Kult der starken Persönlichkeit ausbilden.

Für die Ehe ist das Löwe-Zeichen im 7. Feld — dem eigentlichen der Ehe und Partnerschaft — kein klassischer Aspekt. Hat im Fische-Zeitalter hier das sachliche Jungfrauprinzip gewaltet, durch das die Ehe mehr als eine Angelegenheit der Sippe, der sozialen Ordnung, ja der Lebenstechnik, denn als die innerste Angelegenheit der freien Persönlichkeit verstanden und gelebt wurde, so wird nun die gerade entgegengesetzte Haltung vorherrschend. Partnerschaft wird zum persönlichsten Problem, als Hinordnung der Gemeinschaft auf die sonnenhafte Führergestalt, welche die Gruppe fasziniert. In der Ehe wird Partnerschaft die Verbindung unabhängiger und starker Persönlichkeiten bedeuten, die durch glühende Leidenschaft zusammengeführt und gehalten werden. In der Fischezeit wurde die Ehe trotz ihres religiös gebundenen, sakramentalen Charakters wesentlich unter dem Vorzeichen der sozialen und biologischen Funktion gelebt und geprägt. Aber unter der Wirksamkeit des Löwe-Zeichens wird die eheliche Gemeinschaft aus der Kraft der Leidenschaft zu einem triumphierenden Bekenntnis vor der Welt, als breites und anspruchsvolles Ausleben der Persönlichkeit — aber ohne Transzendenz, ganz im Hiesigen befangen: die stolze und unbekümmerte Gemeinschaft zweier starker Persönlichkeiten.

Begreiflicherweise wird solche Art von Ehe, in der das Persönliche des Menschen bis zum letzten herausgefordert wird und die eine Höchstform lusthafter Weltergreifung darstellt, eine aristokratische Angelegenheit sein. Der königliche Aspekt der löwehaften Ehe im Wassermann-Zeitalter wird für den Durchschnitt der Menschen nicht zu fassen sein. Denn das Gesellungsprinzip der Allgemeinheit ist dann ein labiles; es kommt zu schnellen Begegnungen und Trennungen ohne Verpflichtung, zum Zweck der persönlichen Reizstillung (siehe 5. Feld). Die Mehrzahl der Menschen wird im Wassermann-Zeitalter gar nicht ehefähig sein — die meisten werden sich mit niedrigeren, schnell wechselnden Gesellungsformen begnügen.

Aber auch die seltene, wenn auch glanzvolle Möglichkeit der Partnerschaft des löwebesetzten 7. Feldes hat ihre Schattenseiten. Denn Gemeinschaft, die nicht auf einem überpersönlichen Prinzip, sondern nur auf der persönlichen Willens- und Strahlungskraft gegründet ist, muß sich auflösen, sobald diese geschwächt wird. Dies gilt ebenso für die Führerschaft in der Gemeinschaft wie für die Partnerschaft der Ehe. Aus diesem Zusammenhang geht hervor, daß im Wassermann-Zeitalter kein gutes Klima für die Gestaltung der Ehe vorhanden sein wird. Da sie – wie die Partnerschaft – nur auf die Kraft des Einzelnen gestellt ist, wird beiden keine wirkliche Legitimität zukommen. Was Glanz hat, wird hell aufscheinen, sobald aber der Glanz, die Leidenschaft oder die Faszinierungskraft verblaßt, werden sowohl Macht und Herrschaft wie auch jede Gemeinschaft schnell dahinschwinden.

Die auf sich selber gestellten königlichen Sonnenhelden, die Idole des Wassermann-Zeitalters, die vor allem in dessen zweiter Halbzeit hervortreten werden – wie die Sonne aus der Nacht der Ohnmacht und der Bedeutungslosigkeit aufsteigend und wieder in sie zurücksinkend – werden das Gepränge, die glanzvolle Schaustellung, den handfesten Sinnengenuß lieben und die Massen damit faszinieren. Da aber ihre Macht nicht durch das Amt, sondern einzig durch die Kraft ihrer Persönlichkeit getragen sein wird, wird jenes auch nicht mehr transzendieren. Es gibt keinen Herrscher von „Gottes Gnaden" mehr. Macht wird auf den beiden Pfeilern von Lust und nützlicher Verwaltung ruhen, wird jedoch in jedem Augenblick behauptet, ja sogar überboten werden müssen. Da aber Macht unter diesen Voraussetzungen nicht mehr repräsentiert werden kann, und da jede äußere Form, wenn sie nicht mehr Ausdruck eines Sinngehaltes ist, zur Farce wird, wird das Zeremoniell dahinfallen. Darum wird der Glanz dieser Machthaber und Idole ohne Herkunft und Zukunft, sich nicht wie einst im Mythos auskristallisieren. Als Spiegelung der Wirklichkeit ist dieser ohnedies an sein Ende gelangt und privatisiert worden – das Leben ist entmythologisiert. Nur von der innern Welt kann man dann noch in mythischer Weise sprechen, von der äußern jedoch nur in wissenschaftlichen Formeln.

Aus der Konstellation des 7. Feldes ist jedoch nur zu ersehen, wie der mächtige Mensch – sei er Führer oder Bonze – in der Öffentlichkeit erscheint: Sein Auftreten ist glanzvoll, herrscherlich, unbeirrbar, Glücksgefühle ausstrahlend. Aber vieles an solchen Erscheinungen ist nur Persona und nicht Persönlichkeit. Denn die Art der eigentlichen Leistung des in der Öffentlichkeit führenden und sie bestimmenden Menschen ist erst der Konstellation des 10. Feldes abzulesen – und hier herrscht kein königlicher, berauschender Glanz, sondern Aufgewühltheit bis zur Erbitterung und von allem Glanz entblößter Leistungswille. Der strukturmäßige Bezug des 7. Feldes der Partnerschaft zum 1. Feld des Ichs und der noch spannungsreichere zum 10. Feld der sozialen Leistung zeigt an, daß die Macht- und Arbeitsverhältnisse nicht so ideal und befriedigend sind, wie sie nach außen erscheinen.

Darum sind die „Herren" des Wassermann-Zeitalters keine repräsentativen Gestalten. Sie sind weder Ausdruck der wirklichen Verhältnisse noch einer übergeordneten Idee, da nicht wie bisher das Amt, sondern die Kraft ihrer Persönlichkeit ihren jeweiligen Rang bestimmt. Das gleiche ist hinsichtlich der Bedeutung der Ehe im Wassermann-Zeitalter zu sagen: Mann und Frau finden sich — wenn überhaupt — nicht in der Einung zum Bild Gottes oder zum Dienst an der Gemeinschaft zusammen, sondern als individuelle Repräsentanten des Geschlechtes und als auf Lebensgenuß und Machtübung ausgerichtete Persönlichkeiten, die die Sympathiekräfte vieler an sich zu ziehen wissen.

Die Löwebesetzung des 7. Feldes weist allerdings auch auf das Hervortreten von Rettergestalten hin, die es vermögen, die übergroße Vielheit der Tendenzen, die grenzenlose Strahlung des Wassermann-Zeitalters in sich wie in einem Brennspiegel zusammenzufassen. Denn die sich selbst keine Grenzen setzende Mentalität des Zeitalters wird nicht nur von den Kräften hoher Erkenntnis, sondern auch von zerstörerischen, ja selbstzerstörerischen Strömungen durchwirkt sein, die geistige und physische Fehlsteuerungen und dadurch riesige Katastrophen auslösen werden. Die Menschheit wäre in den rasch aufeinanderfolgenden Krisen verloren, wenn nicht löwehafte Helden immer wieder den Sturz des rasenden Gefährtes in den Abgrund aufhalten würden.

Das 7. Feld repräsentiert aber nicht nur das Bereich der hilfreichen und ergänzenden Partner, sondern auch dasjenige der Gegner, jener beharrlichen, unerschütterlichen Persönlichkeiten, die sich mit ihren Ansprüchen und ihrer Objektivität der sprühenden Unruhe der Zeit entgegensetzen. Gewiß kann ihre strahlende aber kalte Selbstherrlichkeit ins Dämonische umschlagen, als Selbstverschließung in die Immanenz, als Verabsolutierung des eigenen Willens. Dann wird der hohe Machttypus des Löwefeldes zum erbarmungslosen Tyrannen und zum Feind des maßlosen Erkenntnisstrebens und der aufsprengenden Kraft der Wassermann-Mentalität. Auch darin wird er Zwingherr sein, daß er die alle Grenzen durchstoßenden und überstrahlenden Kräfte des Wassermann zum Verweilen im Hiesigen und innerhalb der gesetzten Grenzen zu nötigen sucht. Dennoch suchen die Vertreter der Wassermann-Mentalität uneingestanden die „stärkste Macht", durch die sie bezwungen werden. Das Alles-Wissen, Alles-Übersteigen,

Alles-Durchstrahlen-Können bedarf des Widerstandes einer objektiven Zielsetzung. Solange diese nicht gefunden wird, wird in der Spannung der Lebensachse vom 1. zum 7. Feld alles zertrümmert und atomisiert, was nicht stark genug ist, den explosiven Wassermann-Tendenzen Widerstand zu leisten. Was auf natürliche Weise als schwach und begrenzt erscheint, wird kalt und erbarmungslos zerrissen, aufgespalten oder getötet. Gerade weil die Wassermannkräfte alles Sinnliche entsinnlichen und durch Entbergung seines Geistgehaltes und seiner Kraft zu entstalten suchen, bedürfen sie der Zentralität des Löweprinzips.

Das achte Feld

Das achte Feld zeigt den jeweiligen Bezug des Menschen „zum Grunde", zur Tiefe des Lebens, aus der die schöpferischen Kräfte aufsteigen, und zu jener andern Tiefe, dem Tod, in die der Mensch hinabsteigt. Hier ist der Bereich der Vorbehaltenheit des Menschen — seine letzte Zuflucht, die kein anderer als er selber zu betreten, zu erforschen und zu erleiden vermag. Es ist der Ort seines Stirb und Werde, seines ständigen Sterbens und Geborenwerdens, seiner Verwandlung durch den Tod, durch alle Tode hindurch. Im Horoskop des Fische-Zeitalters war das 8. Feld durch das Waagezeichen bestimmt. Aus seiner venushaften, die Welt durch Harmonie und Schönheit ausgestaltenden Wirkkraft wurde das Schöpfertum jenes Zeitalters gespeist, das sich vor allem in den immateriellen Künsten der Malerei und der Musik vollendete. Das Waage-Zeichen als das der ausgleichenden Partnerschaft bewirkte eine persönliche Beziehung zum Tode. Im Bewußtsein der Fischezeit vollendete sich die Persönlichkeit im Tode; der Tod war als ihre andere Hälfte in das Leben miteinbezogen.

Im Horoskop des Wassermann-Zeitalters ist nun das Jungfrau-Zeichen an die Stelle der Waage gerückt. Durch seine ordnende Kraft wird das Schöpferische unter dem Vorzeichen des sachlich Zweckhaften ausgestaltet werden. Ebenso wird das Todesproblem weniger gefühlshaft und persönlich, als sachlich verarbeitet werden. Das Hauptanliegen des schöpferischen Menschen im Wassermann-Zeitalter ist nun nicht mehr die Herbeiführung des harmonisch Maßvollen, sondern die Konzentration auf das rational Notwendige und Sachliche. In einem so „trockenen" unkünstlerischen Zeichen wie dem der Jungfrau wird sich das Wirken des Schöpferischen nicht mehr auf das hohe, dem Leben Glanz verleihende Spiel der Kunst, sondern auf die gewissenhafte Pflege des Nützlichen und die Ausbildung hiefür geeigneter Methoden erstrecken. Die Zeit der „großen Pause" für das künstlerische Schaffen des Menschen ist gekommen. Es muß begreiflich erscheinen, daß die überreiche Fruchtbarkeit der schöpferischen Kraft im Bereich der Kunst während der letzten drei Weltjahre durch eine Periode der Erschöpfung abgelöst wird.

Die Menschheit wird jedoch ein riesiges Erbe zu verwalten haben. Der gewaltige, die Grenzen des Zweckmäßigen überbordende Schöpferrausch der letzten Jahrtausende wird durch nüchterne Systemhaftigkeit, ein sorgfältiges Planen abgelöst, durch welches erst das große Erbe gemäß und treu verwaltet werden kann. Denn die künftigen Museen und „Kunstinseln" — ganze Gebiete, Landschaften und Städte, die vom allgemeinen Betrieb ausgespart und in denen alte Lebenszustände und Kunst „gesammelt" werden — werden von unendlich viel größerer Ausdehnung sein als bisher. Man wird alte Städte wieder aufbauen, sie mit altem Hausrat, Bildern etc. ausstatten, sie mit Menschen in alten Trachten bevölkern, als große, immer wieder Entzücken auslösende Schaustücke der Wassermann-Zeit. So wird das Erbe — und seine Art ist im 8. Felde ablesbar — zwar nicht weitergeführt, aber doch verständnisvoll verwaltet werden. Auf diese Weise wird die Erbschaft der menschlichen Vergangenheit aus dem Bereich des täglichen Lebens herausgesondert und an Stätten aufgehoben und dargeboten, zu denen man — wie früher zu den Heiligtümern — wallfahrten wird.

Die aktuelle schöpferische Kraft aber wird im Wassermann-Zeitalter vorwiegend der wissenschaftlichen Forschung und der Technik, durch die alleine noch die kommende Menschheit zu leben vermag, zufließen. Denn es wird eines ungeheuren Aufwandes an neuen Kraftstoffen, Massengütern, neuen Organisationsweisen bedürfen, um die ins Übermäßige angewachsene Erdbevölkerung zu ernähren und zu kleiden, sie vor Krankheit und Elend zu bewahren. Die Notwendigkeit der Konzentrierung auf das Hervorbringen lebenserhaltender Mittel wird die Intelligenz und formschaffende Kraft der tätigen Menschheit gänzlich in Anspruch nehmen. Der volle Einsatz der menschlichen Schöpferkraft wird vonnöten sein, um im Rahmen des denaturierten Lebenssystems die rasch wechselnden Bedürfnisse der Menschen zu befriedigen, immer neue Maschinen zu erfinden und sie in Gang zu halten. Die unerschöpfliche intuitive Denkkraft des Wassermann-Zeitalters wird sich vor allem auf dies Ziel konzentrieren.

Das Übermaß von Aufgaben wird allerdings den Zusammenschluß großer Macht- und Produktionsgruppen als Staaten im Staat erzwingen. Denn es wird sich bei dieser Forschungsarbeit, die neue Nahrung und Lebensraum für die geplagte Menschheit erschließen soll, nicht, wie in der Frühzeit der modernen Wissenschaft und Technik, um die kühnen Entdeckungen intuitiver Einzelgänger handeln, sondern um „geplante Forschung", deren Richtung immer wieder neu von den Bedürfnissen der Allgemeinheit vorgeschrieben sein wird. Aber die Menschen werden sich dieser ihre Kräfte maßlos verschleißenden Arbeit immer wieder zur Verfügung stellen, weil von ihr eine zumindest ebensogroße Faszination ausgehen wird wie bisher von den Werken der Künstler und den Riten der Religionen.

Die Erde aber wird in diesem Zeitalter einem Kriegslager gleichen, wobei die „Kriege", denen es dient, weniger an der äußern als an der innern Front ausgetragen werden: Materialschlachten in einem neuen Sinn des Wortes, vielleicht auch Kriege um einzelne hochgezüchtete Gehirne, die sich die großen Produktionszentren mit nicht weniger marsischen Mitteln streitig machen werden, als sie bisher im Kriegshandwerk üblich waren. Das Ziel und die Krönung dieses – im sachlich-nützlichen Sinne des Jungfrau-Zeichens schöpferischen Werkens – wird die totale Planung des Erdraums sein, die im Wassermann-Zeitalter nur noch durch dessen Aufteilung in wenige große Teilreiche beschränkt wird. Nur in den labilen und stets gefährdeten Grenzzonen dieser Riesenreiche wird es noch eine letzte Möglichkeit für äußere Kriege im bisherigen Sinne geben. So wie in den letzten Jahrhunderten der sich nicht in die Regeln des sozialen Zusammenspiels einfügende, starke, wilde und abenteuerlich gesinnte Teil der europäischen Menschheit nach Amerika, dem Niemandsland jenseits des Meeres zog, so werden nun die letzten „freien Menschen", die noch nicht der totalen Domestizierung erlegen sind, in das gefährliche Niemandsland, in die Grenzbezirke der Großreiche ziehen, um dort durch Kampf und Gefahr, Fülle und Steigerung des Lebens zu erfahren.

Nur unter solch außergewöhnlichen und „asozialen" Umständen wird der Mensch – wenn auch nur noch eingeschränkt – den ursprünglichen Gestalten der Natur und den durch sie heraufbeschworenen Urbildern des Lebens begegnen können, die ihn bisher zu seinem schöpferischen Tun aufriefen. Denn durch die völlige Humanisierung des Lebens – dadurch, daß der Mensch die Schöpfungswelt nach seinem innern oder äußern Bedürfen umgestaltet – wird er ständig auf seine eigenen Spuren zurückgeleitet und so sich selber bis zum Überdruß ins Gesicht sehen müssen. Die Reste des einst so fruchtbaren Naturbezuges, in dem die Mythen und die Kunst des Menschen gründeten, wird er nur noch im Wurzelbereich des 4. Feldes, das will sagen, ganz in sich selber, in seiner Tiefe, finden können. Aber hier im Bereich des 8. Feldes – des persönlich Unbewußten – wird nicht mehr die bildnerische Kraft, sondern das Rationale zur Wurzel des Schöpferischen werden. Obwohl streng geplant und rational bedacht wird die Schöpferkraft kontinuierlich dem weltordnenden Schaffen, der Erfindung der – die unmittelbare menschliche Arbeit ablösenden — Maschinen zufließen. Und diese werden es sein, die von nun an eine Faszinationskraft auf den Menschen, ihren Schöpfer, ausüben werden.

Das Jungfrau-Zeichen im 8. Feld weist aber nicht nur auf eine Richtungsänderung der schöpferischen Kraft auf die sachliche Dingwelt hin, sondern auch auf die Möglichkeit der Wiederherstellung und Heilung der durch einseitige Zweckhaftigkeit und durch den unorganischen, übersetzten Arbeitsrhythmus „vernutzten" Produktionsgesellschaft. Was durch eine das Lebendige auslaugende Rationalisierung entstaltet und beschädigt worden ist, kann durch eine nüchtern-weise Planung auch wieder zum Ganzen gefügt und das will sagen geheilt werden. Denn im Wassermann-Zeitalter wird sich eine Fülle von bisher wenig aktuellen Weisen der Verwundung ergeben: Die Wirkung des Grundzeichens läßt den Menschen unrastig zwischen den entferntesten und gegensätzlichsten Polen hin- und herpendeln, das Widder-Zeichen im 3. Feld bewirkt eine Zerreißung der organisch gewachsenen „kleinen Gemeinschaften"; durch das Zwillings-Zeichen im 5. Feld wird der Mensch in ständige Reizzustände versetzt, durch das Skorpion-Zeichen im 10. Feld wird er bis in die Tiefe aufgewühlt und in Unruhe versetzt. Aber neben den weiblichen Kräften der Sammlung des Krebses im 6. Feld wird durch die Heilkräfte des Jungfrau-Zeichens der aufgesprengte Lebenskreis wieder zusammengefügt. Dadurch daß der Mensch sich im Wassermann-Zeitalter so leidenschaftlich und ohne je zu Ende zu kommen der Umgestaltung der Welt widmet, wird er in den verschiedensten Formen immer wieder durch Überreizung und Erschöpfung erkranken. Die besorgte und besonnene Mentalität des Jungfrau-Zeichens wird jedoch imstande sein, die einander befehdenden Gegensätze in treuem Dienst wieder zu versöhnen und die jetzt zersprengte Lebenseinheit, aus deren Harmonie die Gesundheit gewirkt wird, wieder zum heilen Lebenskreis zu fügen. Die durch Zusammenordnung heilenden Jungfraukräfte werden darum manche der durch die Exaltation und Unruhe des Wassermann-Zeichens erregten Verstörungen wieder auszugleichen vermögen. Die Heilkunst wird deshalb im Wassermann-Zeitalter einer hohen Blütezeit entgegengehen. Es werden — gemäß dem Jungfrau-Zeichen im 8. Feld — vor allem neue Methoden erdacht und ausgebildet werden, die in den Häusern der Heilung und durch die Heil-Meister zur Anwendung gelangen.

Das 8. Feld gilt aber auch als das „Haus des Todes", an seiner Konstellation kann die jeweilige Beziehung des Menschen zum Tode abgeleitet werden. Die Fischezeit hat ihn als ein Mysterium, als das Tor zu einem größeren Leben verstanden — zu einem Leben der Einheit, Fülle und Harmonie. Sie hat dementsprechend einen reichen und tiefsinnigen Totenkult ausgebildet als Hilfe für die Lebenden und Toten. Im Widder-Zeitalter war der Tod von Angst und Ungewißheit verschattet[31]). Der griechische Hades und die hebräische Scheol galten als Totenorte trübseligen Fortlebens. Aber die Hilflosigkeit dem Tode gegenüber in der Widderzeit, wie auch die Todessehnsucht der Fischezeit werden beide in der Periode des Wassermann-Zeitalters überwunden sein. Unter der Jungfrau als Vorzeichen wird man den Tod sachlicher, unpersönlicher und unaffektiver als Schicksal des Menschen betrachten. Der künftige Mensch wird es als „Heilung" empfinden, aus der unentrinnbaren allgemeinen Lebensunrast im Tode endlich zur Ruhe zu kommen — die Hoffnung auf ein zweites künftiges Leben wird ihn nicht mehr so wichtig dünken wie bisher. Was er wünscht, ist, von seinen Werken zu ruhen. Nun wird der Mensch es anstreben und es vermögen, den Tod in das Ganze des Lebens einzuordnen. Wegen dieser Versachlichung des Todes und der Verhaltenheit des Gefühls ihm gegenüber wird das Sterben nicht mehr die aufwühlende und herzergreifende Wirkung hervorrufen wie in der Fischezeit. Eine Einsicht wie: „Das Leben kreist um Liebe und Tod" wird man weder begreifen noch sich zu eigen machen können. Der Mensch wird sich im Leben wie im Tode auf rationelle Weise in den Gesamtprozeß des Lebens eingeordnet wissen. So werden die Toten nicht wie bisher von großen Gefühlswallungen umgeben sein. Sie führen in der Sicht der Wassermannzeit kein trübseliges Leben wie in den Hadesvorstellungen der Griechen, noch ein so freudevolles wie in der christlichen Jenseitsschau. Die Sehnsucht des totalmobilisierten Wassermann-Zeitalters verlangt nur, im Tode endlich zur Ruhe zu kommen. Da dieser Wunsch, infolge der großen Spannung des allgemeinen Lebens, weit verbreitet sein wird, werden die Verantwortlichen und Führer um die Ruhe der Toten in nachdrücklicher Weise bemüht sein müssen. Möglicherweise wird es wegen der Wichtigkeit dieses Problems hierfür eigene Toten-Ministerien geben.

Aus der Jungfraubesetzung des 8. Feldes ergibt sich noch ein weiteres: Nämlich die hohe Bewertung des im Dienst erlittenen Todes, des Todes in der Arbeit oder in den mit dieser verbundenen Katastrophen. Der Mensch wird, durch die Forderung nach äußerster Leistung aufgestachelt, vielfach „in den Sielen" sterben. Der Arbeitstod wird als der ehrenvollste gelten, als eine Art von Opfertod (dies geht durch den Bezug des 8. Feldes zum gegenüberliegenden 2. hervor, das Opfercharakter trägt). So wird die merkurial rechnende Gesinnung des Jungfrau-Zeichens im Todeshaus durch die alles gnädig einbeziehende Jupiterwirkung des 2. Feldes verklärt werden können.

Die Ungestörtheit der Totenruhe wird jedoch durchaus nicht selbstverständlich sein — sie wird vielmehr durch immer erneute Bemühungen geschützt werden müssen. Die Menschheit wußte seit ältesten

Zeiten, daß die im Leibesleben gebundenen Kräfte, geistiger oder feinstofflicher Art, im Tode frei werden und sich neu formieren. Gerade eine sachliche Einschätzung des Todes, die zu einer wissenschaftlichen Erforschung des Totenreiches und der Zwischenwelt führen muß, wird die alten Menschheitserfahrungen erneut bestätigen, so daß aus diesen neue praktische Schlüsse gezogen werden können. Im Wassermann-Zeitalter werden alle „Stoffe" der Schöpfung ohne sachliche oder gefühlshafte Hemmung vernutzt werden, ob sie nun dem untern, rein physischen oder dem oberen feinstofflichen Naturbereich angehören. Darum werden die Stoffsucher, die unermüdlich unterwegs sind, neue Kraftquellen zu entdecken — denn Besitz von Stoff bringt Macht und Reichtum — auf die unerschöpfliche Menge der im Tode freiwerdenden Energien aufmerksam werden und versuchen, diese mit neuen Methoden einzufangen, um sie zum Nutzen der Lebenden zu verwenden. Zehrt doch die Menschheit heute weitgehend von einer, aus den Resten untergegangener Lebewelten gewonnenen Energie, nämlich vom Erdöl. Ebenso wird versucht werden, sich der Toten als Energiequelle zu bemächtigen. So könnte sich eine subtile Weise der Leichenräuberei entwickeln, gegen die erst allmählich und kaum je genügend Gesetze geschaffen werden können. So merkwürdig es uns Heutigen auch klingen mag: Da alle Lebensreserven des Menschen und der Schöpfung angebohrt werden, so wird auch das Kraftreservoir des Totenreiches — wie alle sonstigen Kraftbereiche — durch Magier und „Jenseitswissenschaftler" genützt werden. Die Wissenschaftler und Techniker der Magie werden versuchen, sich der freigesetzten Kräfte der Toten zu bemächtigen, um sie zu bannen und zu sammeln, um mit ihnen im Reich der Lebenden zu wirken und Macht zu gewinnen. Die Mittel hiezu wird die heute noch in den Anfängen steckende Wissenschaft vom Okkulten, die Parapsychologie liefern, durch die Erforschung der Kräfte des feinstofflichen Zwischenreiches und des Ätherischen, der nach dem Tode sich ereignenden Prozesse und der Art des Hereinragens der Geisterwelt in die unsere, der Wirkweise der Engel und Dämonen. Was aber heute noch wissenschaftliche Versuche zur Erforschung der „Reichweite des Geistes" und der Grenzgebiete ist, das wird einst von Magiern (oder Magier-Tyrannen) zu einer dämonischen Technik entwickelt werden. Durch solche Eingriffe in die Toten- und Zwischenwelt kann es zu einer für das allgemeine Wohl verhängnisvollen Störung — auch im Kraftbereich der Lebenden — kommen, in Analogie zur maßlosen Anbohrung des Grundwassers und deren Folge, der Versteppung weiter Landschaften. Denn das sichtbare Bereich der Lebenden kommuniziert ständig mit dem unsichtbaren Reich der Toten. Störungen in einem der beiden wirken sich notgedrungen auch auf das andere aus.

Um die Ruhe der Toten zu sichern und sie in dem Zustand, in dem sie sich nach dem Sterben bis zur endgültigen Verklärung befinden, in den Wandlungen und Wanderungen des Zwischenreiches zu schützen, wird es zur Ausbildung neuartiger „Fachleute" kommen müssen. Bisher hat die auf einer tiefen Weisheit und Einsicht beruhende Totenseelsorge der Kirche die Toten zu ihrem letzten Ziele, der Seligkeit in Gott, der Verklärung und Gottesschau geleitet. Hierbei hatte die Kirche vor allem den Zwischenzustand der Seele vor ihrem endgültigen Aufstieg zu Gott im Stande der Ätherleiblichkeit, in ihre Seelsorge einbezogen.

Der wirklich mit Gott verbundene Sterbende wird durch die Verheißungen Christi und die Sakramente der Kirche zweifellos auch künftig ungefährdet und heil zum Ziele gelangen; er wird „in Gott ruhen". Diese Voraussetzung wird aber in Zukunft nur bei einer Minderzahl von Menschen zutreffen. Die Folge wird sein, daß die Seele im Zwischenreich, in dem ihr weder die bisherigen irdischen Hilfsmittel, noch die erst zu erwerbenden geistigen Kräfte zur Verfügung stehen, dem Zugriff der „Toten-Magier" mehr als jemals ausgesetzt sein wird.

Hieraus ergibt sich die Notwendigkeit, das Zwischenreich und seine Verhältnisse gründlicher als bisher zu erforschen. Die Parapsychologie, die sich heute damit befaßt, ist bis jetzt noch eine theoretische und vielen Mißdeutungen und Mißbräuchen ausgesetzte Wissenschaft. Sie wird aber in Zukunft einen sehr praktischen Charakter annehmen. Durch eine solche Wissenschaft vom Zwischenbereich und vom Feinstofflichen, die heute schon von verschiedenen Ebenen aus vorbereitet wird, könnten die im Tode freiwerdenden und neue Form suchenden Fluidalkräfte der Gestorbenen vor Ausbeutung und Mißbrauch durch die Toten-Magier geschützt werden.

Das neunte Feld

Im Horoskop des Wassermann-Zeitalters wird das 9. Feld des Religiösen, des religiösen Denkens und der Verehrung des Göttlichen durch das Zeichen Waage bestimmt, das nun das Skorpion-Zeichen des Fische-Zeitalters am gleichen Ort ablöst. Durch die Wirkkraft des letzteren hatte die religiöse Gesinnung und Übung der eben abgelaufenen Großperiode den Charakter von schroffer Unbedingtheit angenommen. Die vorherrschende Menschenart war überzeugt, daß sie einerseits den Menschen auf Gott hin von allem Verstellenden befreien und entblößen, ihn nackt machen (Hochschätzung der Askese, Armutsbewegung, Überbewertung des Gehorsams) und andererseits den Glauben in zuchtvollen Formeln als die „unbedingte Wahrheit" festlegen könne. Im Dienste solch „zugespitzter Wahrheit" glaubte sich die religiöse Skorpionmentalität befugt, diese mit Feuer und Schwert durchzusetzen. Religionskriege gibt es in der Menschheit erst in der Fischezeit.

Dem entgegen ist der nun durch das Waageprinzip bestimmten Religiosität der Wassermannzeit die Einsicht zugänglich, daß die Wahrheit nicht habbar ist, daß sie, weil außermenschlicher Herkunft, nicht in beständige und zulängliche Formeln eingefangen werden kann: Die Wahrheit ist einfältig in ihrem Ursprung, aber vielfältig in ihrer Ausprägung. Dennoch kann die Wahrheit, die reiner Geist ist, nur im Kleid der Formeln und Formen wahrgenommen werden. Es handelt sich um ein paradoxales Verhältnis von Gehalt und Form, die zwar einander widersprechen, aber ebensowenig voneinander lösbar sind. Der ewige Schatz bietet sich nur in irdenen Gefäßen dar. Sie sind zwar zur Fassung des Ewigen unentbehrlich, aber es ist ihr Schicksal, daß sie infolge ihres „Materials" immer wieder zerschlagen werden müssen.

Das durch harmonisierende, bildsame Venuskräfte bestimmte Waage-Zeichen, das nun den Charakter der künftigen Religiosität prägen wird, weist auf eine Tendenz zur Ausgestaltung und lebensvollen Darstellung des im Fische-Zeitalter so leidenschaftlich Erkämpften, auf eine Über- und Zusammenschau des bisher so sorgfältig Unterschiedenen. Nach der Reinigung kommt die Einigung; eine verstehende Haltung wird die urteilende ablösen. Dies heißt aber durchaus nicht, daß nun eine Zeit des religiösen Synkretismus anbrechen wird — ein solcher wird sich, wie auch sonst in Übergangszeiten, insbesondere im letzten (Widder)-Monat des Fische-Zeitalters und im ersten (Fische)-Monat des Wassermann-Zeitalters ausbilden. Aber die ineinandergeronnenen, buntfarbig schillernden Abwässer der alten Religionen werden im zweiten (Wassermann)-Monat des neuen Zeitalters (also etwa ab 2155) eine erneute Klärung, wenn auch eine vielgestaltige Ausprägung finden.

Das Waage-Zeichen bedingt nicht nur eine harmonisch-lebendige Ausformung, sondern auch eine umgreifende, klärende Bewußtheit. Die Wandlung des Religiösen in der Menschheit des Wassermann-Zeitalters bedeutet darum keine bloße Entgrenzung als Versuch, den Wahrheitsgehalt aller Religionen in falscher Harmonisierung gleichzusetzen. Vielmehr handelt es sich, vor allem zu Beginn des Wassermann-Zeitalters, um eine klärende „Unterscheidung des Wahren". Im engeren Sinn bedeutet dies für das Abendland eine grundlegende „Unterscheidung des Christlichen" von allen andern Erkenntnissen und geistigen Formungen. Das Goethe'sche „Erst unterscheiden, dann verbinden" umschreibt das Wirken der Waage-Mentalität im Bereich des Religiösen.

Die innern Reformbewegungen nicht nur des Christentums, sondern aller Religionen und die Versuche zum gegenseitigen Verständnis (protestantische Oekumene, Una Sancta-Bewegung, Gespräch zwischen Judentum und Christentum, Begegnung von Ost und West) sind bereits kennzeichnend für die erste Periode der neuen Zeit. Es handelt sich hierbei künftig nicht um bloße Toleranz, um das Dulden des Andersgearteten, sondern um ein Verstehen des Wesentlichen des andern, ohne daß man sich daurch genötigt wird, einer andern als der erkannten und erwählten Wahrheit verpflichtet zu sein. Man wird auf Erden miteinander so nahe leben, daß sich die verschiedenen geistigen Entwicklungsstufen und Prägungen der Wahrheit ins Gesichtsfeld rükken und berühren werden. Aber die innere Freiheit, als Spiegelbild der äußern Großräumigkeit, wird es ermöglichen, mehr der eigenen Wahrheit zu leben als sie andern aufzudrängen. Davon wird aber der Auftrag des Herrn an seine Kirche zur Mission nicht berührt — nur wird die Missionsarbeit weniger aktivistisch-doktrinäre Züge aufweisen als bisher. Überhaupt wird im Gesamtbereich des Religiösen das Du auf den verschiedenartigsten Ebenen mehr berücksichtigt werden als in der Vergangenheit. Denn das Waage-Zeichen ist das Symbol der Du-Sphäre, des Partners, dessen, mit dem man sich zu vereinigen wünscht.

Die skorpionbestimmte Religiosität der Fischezeit war beunruhigt durch ein übersteigertes Sündenbewußtsein; die Sündenangst und die Empfindung existenzieller Unreinheit waren ein Grund-Leiden des Mittelalters. Durch die drangvollen Versuche, dieses willensmäßig durch Absagen und Verneinungen zu überwinden, entstand eine schmerzhafte Spannung zwischen fordernder Idealität und naturhafter Wirklichkeit, was zu einem Schwanken zwischen dem als Gesetz formulierten Sollen und dem mystischen Zerfließen in die übermenschlichen Regionen des Göttlichen führte. Aber die vom harmonisierenden, Partnerschaft und Vereinigung wirkenden Waage-Zeichen bestimmte Religiosität des Wassermann-Zeitalters wird der bisherigen Sündenproblematik, dem Starren auf den negativen Pol des Erlösungsprozesses wenig Raum mehr lassen. Nicht die Angst vor dem geistlichen Tode, nicht die Frage: Wie erlange ich einen gnädigen Gott, oder wie werde ich Gottes würdig, sondern die Transmutation durch die ständige Wirksamkeit Gottes im Menschen, sein Durchdrungensein von göttlichen Kräften (wie dies der ostchristliche Hesychasmus geahnt[32]) wird zum Kern des religiösen Verhaltens. Gewiß kann auch dieser Aspekt der Verwirklichung „Gottes in uns" wieder vereinseitigt werden; die Erfahrung der Verklärung kann zur Illusion werden, unter der der natürliche Mensch weiterwuchert (in diese Gefahr gerieten die Spiritualisten des Mittelalters und heute gewisse gnostische Sekten).

Diese Gefahr aber wird dadurch gebannt, daß die waagehafte Weise des Religiösen einen abstrakten, vom Leben abgezogenen, an sich wahren Glauben gar nicht mehr zuläßt. Denn durch die Waage, dem Partnerschaftszeichen, ist im Glauben, im Gottesbezug immer das Du miteingeschlossen. Es wird weniger die Frage vordringlich sein: Was ist wahr?, als vielmehr diese: Wie realisiert sich das Wahre, wie wird Gott — zwischen mir und dir — gegenwärtig? Was an sich wahr ist, das ist durch die Selbstoffenbarung Gottes in Jesus Christus unwiderruflich erwiesen. Darum wird die Wahrheit zu leben und nicht nur zu erörtern, zur Aufgabe des künftigen Zeitalters werden. Die Voraussetzung hiefür ist, daß der Mensch selber zum Repräsentanten Gottes wird, daß man also Gott — dies besagt das Vorzeichen Waage — in Gemeinschaft mit dem Nächsten oder mit den einander zugeordneten Brüdern wird realisieren und gegenwärtig erfahren können. Die Personalität des Menschen und seine personale Beziehung zu Gott, zugleich aber auch zum Nächsten, und eines nicht ohne das andere, wird die Grundlage der Religiosität des Wassermann-Zeitalters bilden[33]).

Gewiß könnte die Harmonisierungstendenz des Waage-Zeichens auch zu einem spannungslosen, freundlichen Miteinander führen. Dies ist aber nicht die positive schöpferische Kraft, die durch dieses Lebensurbild gewirkt werden kann. Es handelt sich um ein Zu- und Miteinander um Gottes Willen, nicht um eine willensmäßige, sondern um eine seinsmäßige Hinwendung zu Gott. Diese aber kann kein Mensch „für sich alleine" vollziehen; hiezu bedarf es der Gemeinschaft, der Bruderschaft. Für deren Bildung ist im Wassermann-Zeitalter umso eher Raum, als Menschen- und Gottesliebe in der universalen geistigen Liebeskraft des uranischen Eros ineinander übergehen. Die Trennung der einen, in Wirklichkeit unteilbaren Liebe in Eros und Agape, wie dies im Denken und durch die Sprache des Hellenismus herbeigeführt wurde[34]), wird in der zentralen, himmlische und irdische Liebe zugleich umfassenden uranischen Liebe wieder überwunden.

Im ursprünglichen Lebensrad, das zugleich das Horoskop des Widder-Zeitalters darstellt, prägt das Waage-Zeichen das 7. Feld der Partnerschaft, des erstrebten Ideals, der Gemeinschaft, in der das widdergeprägte Ich des 1. Feldes seine Erfüllung und seinen Ausgleich findet. Solche, die Ichsucht überwindende Partnerschaft, ist zwar als Möglichkeit vorgegeben, realisiert aber wird sie durch freie Wahl. Nicht die in der Sippe oder in Berufsständen Vereinten finden sich hier nochmals zusammen, sondern jene, die ein wesenhaftes Gefälle zueinander haben. Was sich im Bereich des sinnenhaft Konkreten ereignet, wenn — wie ursprünglich — das Waage-Zeichen das 7. Feld bestimmt, das ereignet sich in einem das Sinnenhafte übersteigenden Bereich, wenn

— wie im Horoskop des Wassermann-Zeitalters — das Lebensurbild Waage in das 9. Feld der Religion einrückt. Das bedeutet: Der Bezug zu Gott, die Erfahrung seiner Wirklichkeit wird durch die Gemeinschaft der Verbündeten, Verbrüderten, durch die einander Befreundeten realisiert. „Laß mich Gott auf deinem Antlitz schauen" (Claudel). Ähnliches wird sich in den Bünden der Gottesfreunde ereignen. Die in ihnen Vereinigten werden aneinander und durcheinander Gott schauen: Im Wassermann-Zeitalter wird der Mensch zum Repräsentanten Gottes. Auf diese Weise wird sich durch eine religiös-existentielle Haltung — der Intellektualismus der Theologie überwunden.

Dreierlei scheint in diesen „Religionsgemeinschaften", die im Gegensatz zu den bisherigen Kirchgemeinden echte Gemeinschaften sind, zusammenzuklingen: 1. Das Familienmotiv. Dadurch, daß die Familie (siehe 3. Feld) ihre organisch bindende Kraft verlieren und zu einem bloßen Zweckverband herabsinken wird, den die Angehörigen verlassen, sobald sie seiner nicht mehr bedürfen, wird die „Religions-Gemeinschaft" — nicht die Großkirche, sondern der Bund — dem zur Entscheidung fähigen Menschen zur geistigen, praktisch aber auch zur irdischen Familie werden. 2. Das Waage-Zeichen, in dem die Gegensätze verbunden und ausgeglichen sind, zeigt unter anderem auch die Überwindung des Gegensatzes von sakral und profan an. Das Sakrale und der Alltag werden nicht mehr als zwei voneinander gesonderte Weisen gestaltet werden, sondern sich gegenseitig durchwirken. Was der Gestaltwerdung des Religiösen, des Gottesbezuges, bisher eher im Wege stand, die Unruhe und die Spannungen des Alltags, dies eben wird nun zum „Ort" des Göttlichen werden. Das Gewöhnliche, der Alltag, wird nun der Bereich sein, in dem sich das Ungewöhnliche ereignen wird. 3. Es werden die in Gott Verbundenen irdisch durch die Kraft der Freundschaft zusammengeführt und -gehalten. Sie wird ein wichtiges Element in der Verbindung und Verbündung der Gottesfreunde sein. Insofern besteht eine innere Verbindung zwischen dem 9. Feld des Religiösen und dem 11. der Freundschaft, denn das ursprüngliche Zeichen des 9. Feldes beherrscht und prägt im Horoskop des Wassermann-Zeitalters das 11. Feld.

Dies ist die Ursache, warum es nicht mehr wie bisher ein selbständiges religiöses Leben als Bereich neben andern, gesondert von den Tätigkeiten, dem Arbeitsleben und den Spielen geben wird als „Religion", die von Funktionären oder Amtsträgern verwaltet werden muß. Gewiß werden auch künftig die göttlichen Sakramente als Heilmittel und Stärkungen ohnegleichen die Mitte nicht nur des religiösen, sondern des Lebens schlechthin bilden (für diejenigen, die sich davon nähren). Aber jene Verfeierlichung derselben, die so großartigen Kulturformen den Weg bahnte (Kirchenbau, Dichtung, Musik) wird dahinfallen. Denn die Sakramente, als Weg der Vereinigung mit Gott, werden in ihrem Insgesamt, Elemente eines umfassenden Lebenssakramentes oder wie man es nennen könnte, eines „Sakramentes des Alltags" bilden. Eine solche Formulierung ist nur der Ausdruck dafür, daß künftig die Scheidung zwischen All- und Feiertag, zwischen dem abgesonderten Heiligen (im templum) und dem wechselvollen Weltleben aufgehoben sein wird. Denn indem alles Tun der Menschen zugleich auf Gott und den Nächsten (nicht als ideale Forderung, sondern als unausweichliche Lebenshaltung) bezogen ist, verschränkt sich ständig das Obere und das Untere in allen Stunden und Handlungen[35]).

So wird sich eine geschichtsnahe Frömmigkeit ausbilden, die zu ihrer Verwirklichung keiner großen Taten bedarf, sondern einzig der Identität des Menschen mit jedem Augenblick, seiner anspruchslosen Gegenwärtigkeit. Eine solche Haltung führt freilich nicht zu einem besondern mystischen Aufschwung zu Gott (auch wenn dies einzelnen Begnadeten vergönnt sein wird), aber sie verunmöglicht auch ein sich selbst genügendes Weltleben. Denn das Umwälzende und doch auch wieder unfaßbar Einfache der uranischen Geisteshaltung ist das Transparentwerden aller Lebensvorgänge, der Menschen- wie der Dingwelt auf das Geistige und auf den göttlichen Welthintergrund hin. Der der Welt eingestiftete und einwohnende Geist wird nun auf eine unmittelbare Weise erfahren werden können — denn in der Mentalität des Wassermann-Zeitalters wird zugleich die Erscheinung und die sie bewirkende Kraft wahrgenommen. Als Folge davon wird das gesamte Leben, nicht nur gewisse Bezirke, Handlungen oder Stunden, als sakramental, als vom Heiligen durchwirkt, erfahren werden können. Dann wird der Lebensvollzug selber zu einer Einübung in Gott und zu einem universalen Sakrament. Nicht gesonderte Frömmigkeitsformen, wie sie seit dem Mittelalter angestrebt wurden, sondern der Vollzug des Alltags als Sakrament, wozu die Menschen durch das Transparentwerden der Schöpfung, als der einzig wirklichen „neuen Sicht", befähigt sein werden.

Es mag merkwürdig erscheinen, daß in diesem Zusammenhang auch die Problematik des Geschlechtes auftaucht. Im Fische-Zeitalter hatte es den Anschein, als ob die Geschlechtlichkeit des Menschen den äußersten Gegenpol zum Göttlichen bilde. Eine Abwertung der Geschlechtlichkeit war die verhängnisvolle Folge davon. Aber in einer Lebenshaltung und -sicht der Transparenz wird auch das Geschlecht auf Gott hin transparent werden und Gott auch in den Vollzügen des leiblichen Eros als gegenwärtig und wirkend erfahren werden. Der gegenseitigen Bezogenheit von Mann und Frau hat am Beginn des großen Umschwunges ein uranischer Künstler und Seher, nämlich

Mozart in seiner „Zauberflöte", dem Mysterienspiel vom menschlichen Menschen Ausdruck verliehen: „Mann und Weib, Weib und Mann, reichen an die Gottheit an"[34]).

Wenn aber der Gegensatz zwischen dem Sinnenhaften und dem Geistigen, zwischen dem Profanen und dem Sakralen dahinschwinden wird und der Lebensvollzug selber, weil der Alltag als Ort des Göttlichen erfahren wird, einen liturgischen Charakter annimmt, dann werden die großen liturgischen Begehungen, diese erhabenen göttlichen Schauspiele, das große Gesamtkunstwerk des Abendlandes keineswegs mehr die gleiche Bedeutung wie in der Vergangenheit behalten können. Sie rücken aus der Mitte an den Rand. Die hohe Zeit der kunstvollen Liturgie ist vorüber — daran kann auch der sorgfältige Versuch einer liturgischen Erneuerung des christlichen Gottesdienstes, so wohltätig er sich auch im Augenblick auswirken mag, nichts ändern. Auch aus dem Gottesdienst schwindet, wie überall im Leben des Wassermann-Zeitalters, das Künstlerische, das hohe Formelement dahin. Die Konstellation des 5. und des 8. Feldes zeigt an, daß die Zeit der hohen Kunst, die in 6000 Jahren eine Blüte ohnegleichen entfaltet hat, zu Ende gegangen ist. Das Wassermann-Zeitalter wird trotz einer Fülle origineller Erfindungen ein kunstloses Zeitalter sein. Seine Lebendigkeit wird sich in hohen Schwingungen oder rasch wechselnden Bewegungen, aber kaum in überlieferbaren Formen auswirken. Die glanzvollen öffentlichen Schauspiele, die durch das Löwe-Zeichen im 7. Felde angezeigt sind, haben keinen Bestand in sich, da sie der Verherrlichung der großen Persönlichkeit oder des Stars dienen — sie verweisen nicht auf Gott. So wird die gemeinsame Verehrung Gottes aus der Öffentlichkeit schwinden (oder die Sekten werden sie usurpieren) — nicht aus Not, sondern weil die religiöse Gesinnung eine grundlegend andere geworden ist. Es ist wahrscheinlich, daß sich statt dessen Hausliturgien ausbilden werden, ähnlich wie im nachexilischen Judentum. Denn das Haus wird, gerade durch die allgemeine Unbehaustheit und die Zeltartigkeit des üblichen Wohnhauses, in der Form des Gemeinschaftshauses (als Wohn-, Arbeits- und Bethaus zugleich) zum Zentrum des religiösen Lebens werden.

Wenn sich in Zukunft die abendländische Menschheit einerseits in großen Arbeitskollektiven organisieren, andererseits in zahllose Gruppen und Bünde, die Behälter der vom Geistigen und Religiösen bestimmten Lebensformen, ausgliedern wird, dann wird sich auch die bisherige zentralistisch gesteuerte Gestalt der religiösen Gemeinschaftskörper in einer diffuseren Weise darstellen. Von Anfang an hat der Leib der Kirche aus Zellen bestanden. Diese werden sich nun ins Zahllose vermehren. Durch ein über alle Länder und Staatsgruppen sich erstreckendes Netz von Bünden wird die Kirche weniger wie bisher einer Architektur (mit ihrer notwendigen steinernen Härte) als einem labilen Netze gleichen. Die Knoten in diesem Netze werden die „Bünde" bilden. Wenn auch die Verbindungsfäden zwischen ihnen scheinbar dünn und schwach sind, so wird eben in solch netzartiger Labilität die unwiderstehliche Wirkweise dieser geistigen Lebensform liegen.

Wenn aber die Großgemeinden zerfallen werden, weil sie unfähig wurden, dem religiösen Leben als Sammelbecken zu dienen, dann werden die ehrwürdigen alten Kirchen musealen Charakter annehmen. Daß die Entwicklung des gestalthaften religiösen Lebens nicht mehr in der Richtung der Großkirchen und der von ihnen ausgebildeten feierlichen Liturgie fortschreitet, zeigt schon heute die auffallende Unsicherheit im modernen Kirchenbau, die mehr von uranischer, das Bizarre suchender Experimentierfreude als von geistlicher Gesinnung zeugt. Aus dem gleichen Zusammenhang wird auch die schwere Rüstung des religiösen Lehrgebäudes dem so beweglich gewordenen innern und äußern Leben des Menschen kaum mehr entsprechen. Für den Vollzug des „Sakraments des Alltags" bedarf es keiner großartiger und komplizierter theologischer Systeme und Dome. Der Mensch hat zu allen Zeiten nur nach der Art von Nahrung verlangt, deren er zum Aufbau und zur Ausgestaltung seines äußern und innern Lebens bedurfte. Die intellektuelle Auskristallisierung der Gotteserfahrung aber wird nicht zu den künftig notwendigen geistigen Nahrungsmitteln gehören.

Da die Scheidung zwischen sakral und profan dahinschwinden, man Gott aus der Welt erfahren und die Welt aus Gott verstehen wird, kündigt sich eine neue sophianische Gnosis an (ohne Bezug zum spätantiken Gnostizismus), eine biblisch begründete Gesamtschau von Gott und Welt. Auch diese tritt als Wirkung des Harmonieprinzips des Waage-Zeichens hervor, dessen hohe Bewußtheit eine größere Breite der Erkenntnis sowohl der Welt wie des Heiligen ermöglichen wird.

Die auf Begegnung, Gemeinschaft, Ausgleich gerichteten Tendenzen des Waage-Zeichens im 9. Feld weisen — bereits heute wahrnehmbar — auf die unaufhaltsam herannahende Begegnung der großen Religionen hin, vor allem auf das Hereinfluten der asiatischen Religionen ins Abendland, aber auch auf das Übergreifen der religiösen Erfahrungen und Haltungen Europas nach Asien. Vorerst wird Asien, durch die expansive Schöpferkraft Europas aus seiner überlebten alten Ordnung aufgescheucht, den Westen mit seinen faszinierenden, einer archaischen Erkenntnisstufe angehörigen Wandermysterien (ähnlich wie in der spätrepublikanischen und kaiserlichen Zeit Roms) überschwemmen. Aber so bannend auch der magische Spiritualismus Asiens auf die dem Zweckdenken verfallenen Europäer wirken mag, so ist doch wohl einzig der sich heute zur Weltmission anschickende Buddhismus, sowohl der wirkliche Partner wie Gegner des Christentums. Der Buddhismus ist das konsequenteste in Begriffe gefaßte religiöse System der Menschheit. Er bewältigt die paradoxale, unauflösbare Lebensproblematik, indem er alles Sinnliche abstrahiert. Seine Verneinung der Schöpfung und sein nüchterner, logischer Psychologismus werden einen Großteil der künftigen Menschen faszinieren. Denn seine Lehre von der Nicht-Wirklichkeit der Erscheinungen und Empfindungen wird vielen Menschen den beständigen Wechsel aller Formen und Lebensweisen, die rasch aufeinander folgenden Umstürze, durch die alles Erscheinende und zu Schaffende immer mehr des Eigenwertes entblößt wird, verständlich und erträglich machen[35]).

Die große Gefahr des Wassermann-Zeitalters wird immer wieder der Nihilismus sein — herrührend aus der Erschließung aller Möglichkeiten, ohne daß auf die Dauer eine von ihnen die vorherrschende und bestimmende wird. Wenn aber alle Formen nur Schein sind und im ständigen Wechsel verwehend, wenn auch die höchsten Strebungen des Menschen aus Wahn und Nichtwissen herrühren, dann wird dadurch die unaufhörliche und schnelle Veränderung des Lebens im Wassermann-Zeitalter gerechtfertigt. Was nur vorübergehender Schatten und nicht Wirklichkeit ist, wird den Menschen auch nicht bedrükken. Der christliche Glaube, dem die Schöpfung als Gottes Werk geoffenbart wurde, und der darum, unter Annahme von Leiden und Spannungen, die Personalität des Menschen wahrt (der also synthetisch, d. h. die Gegensätze wahrnehmend, sie bewußt erleidend und dadurch umfassend, und nicht spiritualistisch gesinnt ist), verfügt über kein so einheitliches System wie der Buddhismus — auch wenn sich die christlichen Theologen bemüht haben, ein solches aufzubauen. Das Christentum bedarf zu seiner heilsamen Wirkung auch keines Systems, da es die Verklärung und nicht die Auflösung der Welt verkündet.

Dennoch ist nicht zu erwarten, daß eine Großzahl der Menschen zu Buddhisten wird, denn der Buddhismus erfordert eine zu hohe Zucht, als daß viele sich solch harter geistiger Askese unterziehen möchten. Aber es ist wahrscheinlich, daß er zum Ferment einer Allerweltsreligion werden wird, die es dem Menschen ermöglicht sich reibungslos funktionierend, wenn auch mit abgeschalteter Personalität, dem vorgeplanten Leben einzupassen. So könnte der buddhistische Nihilismus am ehesten der Entwertung der Welt durch ihre Erforschung und der dadurch ermöglichten Ausbeutung derselben entsprechen. Aber eine solche psychotechnisch unterbaute Allerweltsreligion, deren Anfänge schon heute zu beobachten sind, wird keineswegs das Ende des Weges der Menschheit zu Gott oder ihrer eigenen Vergöttlichung sein. Denn, wenn auch nicht in breiter Öffentlichkeit, so wird doch in den Bünden das wahre „göttliche Leben" überdauern. In ihrem mit „Mauern aus Spinnweb" geschützten Bereich wird das personhafte Wesen des Menschen weiterblühen: Dort wird Gott, von Angesicht zu Angesicht und inmitten von Brüdern, auch in der neuen Weltzeit Ereignis werden.

Das zehnte Feld

Das 10. Feld der äußeren Wirklichkeit, der sozialen Verhältnisse, in dem alles vom Menschen Gewollte oder in ihm Angelegte als Tat, Gestalt und Werk hervortritt, und dessen Vorzeichen jeweils die höchsten und unüberschreitbaren Möglichkeiten eines Zeitalters ankündigen, zugleich mit der Art der sichtbaren Herrschaft und der Staatlichkeit, war im eben abgelaufenen Fische-Zeitalter von dem jupiterhaften, königlichen Schütze-Zeichen geprägt. Das äußere Leben war demnach von relativ harmonischen Rhythmen durchwirkt, der Arbeitsrhythmus stand im Einklang mit dem Organrhythmus. Königliche Gestalten, zuhöchst Kaiser und Papst, leiteten die Völkerwelt — und wer von den kleineren Machthabern in Art und Gesinnung nicht königlich war, schlüpfte wenigstens, der Tendenz der Zeit entsprechend, in die Königsmaske. Denn nicht die Person, sondern das Amt wirkte faszinierend: Vom Amt ging die Autorität aus, der Amtsinhaber in seiner Stärke oder Schwäche verschwand hinter der Persona des Amtsträgers.

Durch das Skorpion-Zeichen im 10. Feld des Wassermann-Horoskopes wird jedoch dessen Charakter grundlegend verändert. Nicht mehr das königlich freie Gewährenlassen im Rahmen der gegebenen Natur- und Gesellschaftsordnung wie bisher, nicht mehr die Repräsentation der Herrschaft, des Besitzes, der Kraft und des Wissens wird nun angestrebt oder auch nur zugelassen. Vielmehr wird nun der Arbeitsrhythmus, ohne jeden Zusammenhang mit den Vorgegebenheiten der Physis und der Psyche, vom Naturrhythmus völlig abgelöst werden. Gewiß fordert das Löwe-Zeichen im 7. Feld zu prächtigen Schaustellungen heraus, zur Befriedigung der Spielfreudigkeit der Massen und ihrer Führer. Doch diese sind nur Verherrlichungen des Augenblicks und nicht mehr sinnfällige Repräsentation des größeren Lebens wie einst.

Das äußere Leben wird nun nicht mehr durch erhabene Leitbilder vom Geistigen her gesteuert werden — das Vertrauen in die Macht und die Machthaber schwankt ständig oder schlägt in offenes oder heimliches Mißtrauen um.

Die Machthaber werden das soziale Leben und den Arbeitsprozeß bis zum äußersten stimulieren, aber sie werden auch ihre Macht, die weder durch Erbgang noch durch eine überzeitliche Idee legitimiert sein wird, bei Anzeichen der Schwäche verlieren. Der Mord am geschwächten Machthaber wird zu den Selbstverständlichkeiten des politischen und sozialen Verhaltens gehören. Denn da dem „veröffentlichten" Menschen des Wassermann-Zeitalters kaum mehr ein geschütztes Privatleben zugebilligt ist, kann sich ein abgedankter Machthaber nur noch in Ausnahmefällen dahin zurückziehen. So werden die Machthaber eher Stierkämpfern als Königsgestalten gleichen: Entweder sie besiegen den „Stier", die zu beherrschende Masse, oder sie werden von ihr oder von ihren Konkurrenten getötet. Begreiflicherweise kann in einem solchen Verhältnis von Führer und Geführten der Ritus der Macht, als darstellende Handlung nicht mehr zur Wirkung kommen. Denn beide werden nur noch so viel gelten, als sie zu leisten vermögen, und ein jeder wird täglich unbarmherzig nach seiner Leistung befragt werden. Weder die Kraft adeligen Blutes, noch die Macht ererbten Reichtums wird den Einzelnen auf die Dauer vor solch peinlicher Befragung schützen. Ein lückenloses psycho-mechanisches System von Testverfahren, hervorgegangen aus der wissenschaftlichen Aufklärung des Menschen, seiner Strukturen und Verhaltungsweisen, wird jederzeit eine vollkommene Durchleuchtung jedes Einzelnen ermöglichen.

Durch die unheimlich drängenden kriegerischen, den untersten Grund des Menschen und des Lebens aufwühlenden Kräfte des Mars und des Pluto, beide Wirkmächte des Skorpion-Zeichens, wird notgedrungen das öffentliche Leben des Wassermann-Zeitalters mit unaufhörlichen Spannungen und Unruhen erfüllt sein. Durch die dann wirksamen plutonischen Tiefenkräfte werden immer wieder Situationen heraufbeschworen, durch die der Mensch infolge der Art seines Handelns an die Grenze des Todes gerät. Solche Plutowirkungen werden immer neue „Explosionen" sowohl im Bereich der Materie wie im sozialen Gefüge hervorrufen. Soziale Bedrückung und als Antwort soziale Revolutionen werden während des ganzen Wassermann-Zeitalters (siehe 2. Feld) die Bereiche des arbeitenden Menschen in Spannung halten.

Die typischen Vertreter der Skorpion-Mentalität waren in der Vergangenheit meist religiös-soziale, die Massen aufrührende und führende Persönlichkeiten — so z. B. Moses, Mohammed, Savonarola, Luther, Ignatius von Loyola. Nun werden ähnliche Typen als die Gestalter des Arbeitslebens, als die Führergestalten des öffentlichen Lebens heraufkommen: Rücksichtslose Gewerkschaftsführer, Industriekapitäne, Religionstechniker (wie heute z. B. Billy Graham), Weltraumeroberer, die auf fernen Planeten Wirtschaftskolonien gründen, die Beherrscher der großen Kraftzentralen und die Forscher, die als „Fürsten der Materie" immer tiefer in ihr Inneres eindringen. Jedoch nicht das Wohl der Menschen ist das Anliegen dieser leidenschaftlich-kalten Herren oder das Mitleiden mit den Menschen, das in der Fischezeit so ausgeprägt war und die schließlich zur Heraufkunft der Frühstadien des Sozialismus führte, wird in den Hintergrund treten. Es kommt diesen äußerst intensiv wirkenden Machtgestalten darauf an die Kräfte der Menschen aufzustacheln, sie zu konzentrieren, um ihnen die höchsten Leistungen abzunötigen und um mit ihrer Hilfe übermenschliche Ziele anzusteuern. Fasziniert von dem Ungeheuerlichen das so dem Menschen sowohl zugemutet wie ermöglicht wird, werden sich die Menschen in mit wissenschaftlicher Systematik erzeugten psychischen Rauschzuständen ohne Widerstand zum Opfer bringen. Denn was die neuen Herren von den Menschen als Leistung fordern, wird diese immer wieder an die Todesgrenze führen.

Als Folge wird das öffentliche Leben von einem Leistungswillen ohnegleichen bestimmt. Es werden Menschen als Führer am Werke sein, denen es mit einer vor nichts zurückschreckenden Willensmacht gelingen wird, das Tor zu neuen Erkenntnissen und Lebensformen aufzusprengen und in höchster schöpferischer Intensität zum Geistgrund des Menschen wie der Materie vorzustoßen. Sie werden es vermögen, ihre sexuellen Kräfte zu konzentrieren, als ein unerschöpfliches, durch Askese zu erschließendes Kräftereservoir. Wie grollende Gewitter werden sich solche, mehr aus der Spannung als aus dem sichern Verfügen mächtige Menschen, über der Gemeinschaft entladen, mit einer magischen Kraft, die zugleich faszinieren und Furcht erregen wird. So wird sich eine unerhört kühne, ebenso hartherzige wie den feinsten und entlegensten Gefühlen zugängliche, dann wieder rücksichtslos grausame Herrscherschicht bilden, die, mit ungeheuerlichen Energien ausgestattet, die Welt unaufhörlich umpflügen und umgestalten wird.

Die Mehrzahl der Werkenden wird jedoch — wenn der Unterschied von privater und staatlicher, von politischer und technischer Arbeit verschwindet — durch solche Aufstachelung der Energien und durch die ständige Überforderung, die für den skorpionhaften Führertypus einen Anreiz zum Leben bedeutet, allmählich ausgelaugt werden. Der schöpferisch sich auswirkenden Überspannung bei der Führerschicht steht darum eine entsprechende Unterspannung bei den Genötigten gegenüber, die dazu führen wird, daß die so Überreizten zu immer grelleren Stimulierungsmitteln — von der Reiz- und Vergnügungsindustrie (siehe 5. Feld) geliefert — Zuflucht nehmen werden. Aber schließlich wird die ständige Überreizung immer wieder sinnlose soziale Katastrophen auslösen.

Allerdings steht dem drängenden, unheimlichen Skorpionprinzip, das immer bis zum letzten vorstoßen möchte, eine geradezu unerschöpfliche Kraftquelle zur Verfügung. Denn dem vom Skorpion geprägten 10. Felde liegt das 4. vom Stier-Zeichen bestimmte Feld gegenüber, als sein Gegen — aber auch als sein Ergänzungsfeld. Dort werden die aus der Tiefe wirkenden Blut- und Generationskräfte, ebenso die Erinnerung an die Gesamterfahrung der Menschheit gesammelt und so für die maßlosen Aktionen des 10. Feldes als Kraftquelle zur Verfügung gestellt. Nur durch die Ausschöpfung eines solchen bis auf den Grund des physischen und geschichtlichen Daseins der Menschheit reichenden Reservoirs kann die rasende Beschleunigung aller Lebensabläufe, die Hochpotenzierung jedes Augenblicks ohne eine völlige Erschöpfung ermöglicht werden.

Das im 10. Feld wirksame Skorpionprinzip drängt zur ständigen Verwandlung, zu einem „Stirb und Werde" durch die Todessphäre hindurch. Keine Maske wird geduldet, der Mensch soll nackt werden, sei es um seines unvergänglichen Kernes willen, sei es, um ihn zu entwürdigen und zu ver-nichten. Wohl kommen auch im öffentlichen Leben des Wassermann-Zeitalters die großen Spieler und Gaukler herauf, die Völker durch ihre Ideologien verführend. Aber auch sie werden durch das übermäßige Drängen des Skorpions nach Wahrhaftigkeit und Nacktheit nach relativ kurzer Zeit entlarvt und demaskiert. Andererseits drängt die Plutokraft des Skorpion-Zeichens zur „Flucht zum Grunde", das heißt zum Grundlegenden und Überindividuellen, die Grenzen des personal Menschlichen als Möglichkeit sowohl zum Tierreich wie zur Götter- oder Engelwelt hin überschreitend. Denn die Wirkung des Plutonischen ist charakterisiert „durch ein Abweichen von der Normalität in Richtung des Über- oder Untermenschlichen" (Th. Ring). Der Mensch wird dadurch aus den kleinen Verhältnissen, aber auch aus Schutz und Geborgenheit herausgeführt. Er selber und all seine Angelegenheiten liegen nun grell im Licht. Allerdings werden die starken Naturen — doch nur sie — gerade durch den ungeheuren Druck, der auf dem Leben lastet, zur Ausbildung einer ungewöhnlich starken Individualität geführt. Individuum, Persönlichkeit zu sein, wird zum kostbaren Luxus des Zeitalters gehören. Andererseits werden gerade dadurch die Menschen, sei es in niedriger (Kollektiv) oder hoher Art (Freundschaftsbund) zur Gemeinschaft gedrängt. Nur göttergleiche oder engelhafte Naturen vermögen in der eisigen Luft der Einsamkeit, die im Wassermann-Zeitalter außerhalb der Kollektive oder Bünde wehen wird, zu atmen und zu bestehen.

Was sich von jetzt ab durch 2000 Jahre in sich rhythmisch wandelnder Gestalt und Ausdruckskraft fortzeugen wird, das hat im Grunde schon heute begonnen. Mit Recht sagt darum Thomas Ring darüber: „Es scheint, daß wir in einer besonders plutonischen Zeit leben. Die Zerstörung alter Kulturstätten, das Zerschlagen sozialer und familiärer Bindungen, die drastischen Methoden kollektiver Menschenvernichtung sind die eine Seite, Ansätze einer globalen Gesellschaftsordnung und vielleicht ein neues Menschenbild die andere Seite der geschichtlichen Metamorphose. Neben offen oder verkleidet umhegenden Atavismen gewahren wir ein Wiederaufleben urtümlicher Leitbilder, beschäftigen wir uns mit Verschüttetem und nochmals Entdecktem, neu aufgegriffen strebt es in höherwertige Gestalt." Zu diesem uralten und wiederentdeckten Wissen wird u. a. auch die Astrologie, die älteste überlieferte Wissenschaft, gehören, die nach einer Umwandlung aus dem Geist uranisch-paradoxalen Denkens erst ihre eigentliche Hochblüte erfahren wird. Dann wird sich ihre mythisch-magische Weisheitslehre vom Wirken der Urmächte und -bilder mit den tiefbohrenden Einsichten einer neuen plutonisch bestimmten Wissenschaft vereinen. Denn das Wassermann-Zeitalter ist weder rationalistisch noch mystisch gesinnt, sondern durch die Diesseitstranszendenz bestimmt. Freilich wird das Durchdringen der plutonischen Tendenzen im Lebensganzen auch zur rücksichts- und pietätlosen Vernichtung alles Ausgelebten führen. Städte und Werke, vielleicht sogar Menschen, deren man nicht mehr bedarf, werden vernichtet werden. Ganze Völker werden umgesiedelt, künstlich gezeugt oder auch unfruchtbar gemacht. Da der Mensch, bereits heute schon, in das Bereich der transbiologischen Antriebsmächte der Zeugung sowohl wie der Psyche, eingedrungen ist und er von diesen Zentren her die Gestaltbildung zu steuern vermag, wird er nach seinem Belieben Menschenarten mit gewünschten Eigenschaften entstehen lassen. Er vermag es freilich nur so lange, als die von ihm maßlos gekränkte Natur nicht durch millionenfache Mißgeburten, die unter Umständen dem „natürlichen Menschen" den Platz auf Erden streitig machen könnten, in seine Schranken gewiesen wird.

Die sich im 10. Feld auswirkenden Plutokräfte müssen als die Ursache der im Wassermann-Zeitalter so häufigen Katastrophen angesehen werden. Obwohl der Mensch ihnen mit seinen ungeheuren Machtmitteln wird zu begegnen wissen, werden durch sie Millionen über Millionen in den Tod gerissen. Dennoch wird die Todesfurcht eher ab- als zunehmen. Gemäß der Aspektierung des 8. Feldes wird der Mensch das Phänomen des Todes in sachlicher Weise bewältigen. Andererseits ist der künftige Mensch, obwohl kühler Gemütsart, derart begierig nach den Erregungen des Spiels (das sich auf allen Gebieten auswirkt:

als Leistungstrieb, Abenteuer, Forschung, neuen Lustmöglichkeiten), daß er trotz des ständig drohenden Todes nicht davon ablassen kann mit der Gefahr zu spielen. „Denn der Tod ist Gebot, das versteht sich nun einmal." Der Tod wird schon darum nicht gescheut, weil der künftige Mensch es vermag das Jenseits in das Diesseits einzubeziehen, die Grenze zwischen beiden Bereichen, wenn auch in relativer Weise, aufzuheben. So wird der Tod weder als Schrecken, noch als Tor zu einem neuen Leben erfahren werden.

Auf völlige Öffentlichkeit, Entblößung, Nacktheit des Menschen drängen die plutonischen Kräfte des Skorpionprinzips. Alles „was im Menschen ist" wird unverhüllt erscheinen, sei es freiwillig oder erzwungen. So wird auch das Böse, die Bösen und ihre Werke nicht mehr im Dunkeln wuchern, sondern schamlos unverhüllt hervortreten. Die vielen heimlichen Verbrechen und die verborgenen Mißstände des Zeitalters werden gerade durch die häufigen Katastrophen aufgedeckt werden.

So ist eine Führerschicht zu erwarten, die ihre gewaltige Energiestrahlung durch magische Mittel zu steigern und auszuwirken vermag, von ungewöhnlicher Schärfe und Tiefe des Verstandes und ebenso großer, das Grausame nicht scheuender Leidenschaftlichkeit, mit instinkthaft sicheren Reaktionen und intuitivem Erfassen der Gegebenheiten, die aber andererseits durch Maßlosigkeit, Verbissenheit und Haßfähigkeit sich und andern den Untergang bereiten wird. Zweierlei Führertypen sind so zu unterscheiden: Solche, die durch ihre ungeheure Triebhaftigkeit und ungehemmte Vitalität die Herrschaft an sich reißen, und andere, die, scheinbar ohnmächtig, dennoch durch ihr abgründiges Wissen Macht besitzen. Es handelt sich um die „Diener der Weisheit" und die Magier des Wissens. Die einen versenken sich in „frommem Erkennen" in die Abgründe des Stoffes und des Menschenwesens — sie sind als die Weisen des „neuen Zeitalters" heilsame Lebenstechniker. Ihnen stehen aber jene magischen Intellektuellen entgegen, die entsprechend der keine Grenze achtenden Maßlosigkeit des Skorpionprinzips, sich zur Realisierung ihrer bizarren Träume der in der Natur und im Menschen gebunden wirkenden Geistkräfte bemächtigen werden.

Die Macht wird künftig aus praktischen, nicht aus ideologischen Gründen, durchaus nicht vom Volke ausgeübt werden können. Denn dadurch, daß die Menschheit in einem künstlichen, von der primären Natur abgelösten System zu leben gezwungen ist, das unaufhörlich geregelt und erweitert werden muß, wird es unmöglich werden das Volk über das, wessen es bedarf zu befragen. Ein kleiner Kreis von Wissenden wird alle Bereiche des Lebens steuern. Eine Formaldemokratie im heutigen Sinn ist künftig unmöglich, weil das Volk in seiner

Gesamtheit nicht mehr Einblick gewinnen kann in die komplizierte Lebenstechnik, auf deren Beherrschung das Leben der Menschheit in jenem Aeon beruht. Nur die in den Bünden vereinten „Meister des Wissens" werden die Fähigkeit besitzen, diese zum Wohl und zum Bestand des Ganzen einzusetzen.

Aus dem gleichen Grunde kann es in Zukunft keine repräsentative Monarchie mehr geben. Die Völker bedürfen keiner sichtbaren Spitze mehr, da die wirkliche Führung aus dem Unsichtbaren der Wissenszentren erfolgen wird. Darum muß derjenige, der zur Führung berufen ist, eine wirkliche Übersicht über die Zusammenhänge und Mächte besitzen, die der Menschheit überhaupt erst zu leben erlauben. Nur ein universaler Geist, und sogar dieser nur in Gemeinschaft mit Gleichartigen, vermag — ständig an die Todesgrenze gerückt — Herrschaft auszuüben[36]).

Wenn nun in Zukunft alle großen repräsentativen Ämter dahinfallen — kann dann noch das Amt des Papstes bestehen? Das Amt des pontifex maximus, des Hohepriesters, des Repräsentanten der Menschheit Gott gegenüber, ist wohl eines der ältesten — es läßt sich mit Sicherheit bis in die Stierzeit zurückverfolgen. Durch die Menschwerdung Gottes in Jesus Christus ist es aber keinesfalls aufgehoben, sondern vielmehr in neuer Weise in den Heilsprozeß integriert worden — es verweist nun nachdrücklich, daß Gott für alle Zeiten in die Geschichte eingegangen ist und aus ihr heraus wirkt. Daß die Päpste lange Zeit über weltliche Macht verfügten, war ein zeitbedingter Notstand, der die wirkliche Bedeutung dieses Amtes nur verdunkeln konnte. Darum ist der Verlust dieser weltlichen Macht der Päpste als ein geistlicher Fortschritt zu begrüßen. Erst jetzt wird der eigentliche Auftrag und das Überdauernde des Papstamtes, als Führungsspitze der Menschheit, als Aufruf zu einem letzten Ziele der Menschwerdung, sichtbar werden. Auch im Wassermann-Zeitalter wird es darum dieses Amt, wenn auch in einer gewandelten Weise geben müssen, auch wenn die Repräsentation desselben dahinfallen wird. Ein neuer, aktiver, mit hochgespannten Energien geladener Papsttypus, nicht der „alte Vater", sondern ein leidenschaftlicher rücksichtsloser Täter und Forderer, berufen und befähigt „auf Schlangen und Skorpione zu treten" und damit die dunklen, maßlosen Seiten der Skorpion-Mentalität ins Helle und Maßvolle wendend, wird nunmehr heraufkommen — dem zürnenden Moses des Michelangelo ähnlich. Wie die meisten Führergestalten der Zukunft werden auch die Päpste oft ihr Amt und ihr herausforderndes Wirken mit dem Leben bezahlen müssen.

Dies hängt auch damit zusammen, daß im Wassermann-Zeitalter der Typus des Heiligen hinter dem des Märtyrers zurücktreten wird.

„Heilige gehen in die Hölle" – ein solcher Buchtitel weist bereits auf diesen Wandel hin: Die Preisgegebenheit des Gott in sich tragenden, Gott dienenden Menschen, der Gang in den Abgrund. Der Heilige geht in die Welt und wird dort notgedrungen, da er ihr entgegentritt, zum Märtyrer – nicht durch große Taten und Zeugnisse, sondern eher dadurch, daß er sich in nichts von ihrer Heillosigkeit ausschließt. Das Ringen um das eigene Heil, das so manche bisher mit Verzweiflung oder Beseligung erfüllte, ist nun nicht mehr die eigentliche Stimulanz zur „Heiligung". Ebensowenig werden der Rückzug in ein kontemplatives Leben im Schutze der Mauern oder das Willenstraining der Askese, noch Mittel auf dem Weg zur Heiligung sein. So wird auch der Heilige einbezogen in die Spannungen einer aufgewühlten Zeit und mitbeteiligt an deren unaufhörlicher Umgestaltung. Er kann nicht mehr in mystischen Entzückungen verweilen, sondern ist berufen, das Sakrament des Alltags zu wirken. Darum ist es durchaus möglich, daß manche „Heilige" mit zu den großen Wissenden der neuen Zeit gehören, daß sie aus Liebe und Einsicht mitwirken werden, die „künstliche Natur", aus deren Kraftwirkung die Menschheit leben wird, in Gang zu halten. Ohne sich selber zu meinen, oft unsichtbar tätig sich für das Ganze verbrauchend, ständig gefährdet durch die unaufhörlichen Umstürze, durch den Zusammenprall der hellen und dunklen Mächte, der Weisen und der Magier – so werden sie, oft genug als die Unterlegenen namen- und verdienstlos untergehen, wie der Sauerteig im Mehle.

Das elfte Feld

An sich sind alle Felder des Lebensrades gleicherweise bedeutsam und zur Fügung des Ganzen unentbehrlich. Ein Horoskop ist wie das Leben selber und wie die Geschichte ein Gewebe, in dem jeder „Faden" notwendig ist, wenn nicht ein „Loch", eine tote Stelle entstehen soll. Die besondere Bedeutung des 11. Feldes im Wassermann-Horoskop liegt nun darin, daß dieses im idealen, ursprünglichen Lebensrad durch das Zeichen des Wassermann geprägt ist und auch insgeheim diese Prägung beibehält, wenn es nun vom Zeichen und Lebensurbild Schütze besetzt wird. Ist auch das Zeichen Wassermann gesetzmäßig in dem nach ihm benannten Zeitalter als die Prägekraft des 1. Feldes an die „Spitze" des Lebensrades gerückt, so verbleibt sein Charakter dennoch als Grundtendenz des 11. Feldes erhalten. Das will sagen: Das ursprünglich wassermannhafte 11. Feld bildet ein heimliches Schwergewicht im Horoskop des Zeitalters. Wenn auch die beiden zum Kreuz verbundenen Achsen zwischen dem 1. und 7. Felde und dem 4. und 10. Felde die Grund-Struktur des Wassermann-Horoskopes bilden, so findet doch die Grundgestimmtheit wie die Sehnsucht des Zeitalters im Lebensbereich des 11. Feldes, nämlich in der frei waltenden, durch keine sozialen Bindungen eingeschränkten Freundschaft ihre Erfüllung.

Mit dem 10. Feld wurde die lichte Mittagshöhe des Lebenskreises erreicht. In ihm ist alles gesammelt und verbunden, was im Laufe einer großen Lebensbewegung herangewachsen ist. Hier wird alles Gewordene sichtbar und tritt als das verwirklichte „Gesetz, nach dem du angetreten" hervor; das Leben objektiviert sich im lauteren Gesetz. Aber mit dem 11. Lebensfeld wird der Bereich der sichtbaren Außenwelt und des alle gleicherweise verpflichtenden Gesetzes überschritten. Hier eröffnet sich der Bereich des abgeernteten Feldes, des kühlen Mittwinters mit seiner hellen Atmosphäre und dem weiten, uneingeschränktem Horizonte. In diesem Bereich herrscht nicht mehr zwingende Notwendigkeit, sondern ergibt sich die Möglichkeit der freien Hinwendung nach allen Seiten. Das Gewöhnliche wie das Ungewöhnliche, das Nahe wie das Ferne, die Ordnung wie ihre Perversion ist nun gleicherweise möglich. Die Eingrenzungen sind nun weit ins Unsichtbare hinausgeschoben, wenn nicht völlig aufgehoben. So vermag nun hervorzutreten, was bisher in der Hülle des „allzufesten Fleisches" verborgen war: die geistige Struktur des Daseins. Der Mensch wird im Bereich des 11. Lebensfeldes nicht mehr von außen genötigt, sondern durch das ihm Wesensgemäße bestimmt. Über alle Grenzen hinweg ziehen sich die im Wesen und in der Struktur gleichartigen Menschen an. Nicht das zwingende Gesetz, sondern die Sympathie, die in Freiheit sich auswirkende Gleichgestimmtheit wird hier zur verbindenden Kraft. Hier finden sich darum „jene, die schon im Paradies nebeneinandergesessen", die im Wesen einander Benachbarten durch die universale Sympathiekraft der Freundschaft zum Bunde zusammen. Ein geistiger Eros, der weniger die sinnenhafte Existenz des Du, als über diese hinaus den geistigen Hintergrund, aus dem es hervorgewachsen, mitzuumfassen und zu durchdringen sucht, ist das Bindende. Die Freundschaft als geistige Lebenspartnerschaft findet im 11. Feld den Bereich ihrer Verwirklichung.

Aber im Gegensatz zur dualen, leibgebundenen Partnerschaft der Ehe ist die wassermannhafte Freundschaft unendlich erweiterungsfähig. In solch allgemeine Brüderlichkeit als Weise universaler Freundschaft, können ganze Menschengruppen einbezogen werden. Dennoch sind dem Ausmaß der Freundschaftsbündnisse Grenzen gesetzt. Mögen sie auch grundsätzlich nicht durch die Bedingnisse von Volk und Rasse, von Stand, Bildung, Herkunft und Besitz eingeschränkt sein — so werden sie doch ihre Fruchtbarkeit verlieren, wenn sie den Kreis des noch Überschaubaren überschreiten. Es gibt eine Morphologie und ein „freies Gesetz" der Freundschaft. Darum sind die im 11. Feld sich sammelnden Freundschaftsbünde niemals organisierte Kollektive, sondern gerade im Gegensatz dazu kleine Gruppen, Beispiele jener „kleinen Schar", wie sie Jesus, der Künder der Gottes- und Menschenfreundschaft, umschrieben hat[37]).

Freundschaftsbünde hat es immer gegeben; im vergangenen Fische-Zeitalter in der Form der Ritter- und Mönchsorden und in deren Verbindungen, sowie in den vielfachen kirchlichen Brüderschaften. Aber diese waren meist von unpersönlicher Artung und standen zudem im Banne zwingender Regeln und Gesetze — während in den künftigen, weniger organisierten als organisch gewachsenen kleinen Freundschaftsbünden sich die schöpferische Gestaltung in Freiheit auswirken wird, ohne daß sie von staatlicher oder kirchlicher Führung abhängen. Durch die Freundschaft, die höchste und edelste Form der männlichen Gesellung, wird der sich zwischen Männern als Steigerung der Lebensempfindung auswirkende natürliche Kampftrieb in gegenseitige liebevolle Verpflichtung gewandelt werden. Dies ist zwar grundsätzlich nichts Neues, denn die menschliche Gesellschaft wäre längst zerstört und an der Entfaltung ihrer Geist- und Liebeskräfte gehindert, wenn die Kampflust des männlichen Menschen nicht durch die Macht der Freundschaft in Freiheit gebunden würde. Jedoch im Wassermann-Zeitalter wird das Gewicht und die Wirkung der Freundschaftskraft, gerade weil die meisten der bisherigen sozialen Eingrenzungen dahinfallen werden, von erhöhter Bedeutung sein. Zudem hat es den Anschein, als ob auch die Frau, die bisher von den konkreten Formen der Freundschaft, durch die Wirkung der Spannung zwischen den Geschlechtern ausgeschlossen war, in den Kreis der Freunde einbezogen würde. So werden neben den männlichen Freundschaftsbünden auch weibliche hervortreten, oder solche, in denen sich beide Geschlechter begegnen[38]).

Die Ursache der Ausweitung des Freundschaftsprinzips auch auf die Frau ist in dem zur Vorherrschaft gelangenden Zustand der Androgynität der Geschlechter zu suchen. Diese wird sich auf verschiedene Weise, sei es negativ als geschlechtliche Unterspannung oder positiv als Sublimation des Geschlechtlichen auswirken. Die Geschlechter nähern sich in ihrem Wesen und in ihren Ausdrucksformen einander an. Mann und Frau werden im mann-weiblichen Sinn komplexer oder durch Versachlichung spannungsloser und neutraler. Es handelt sich, im höheren Sinne um die Realisation eines ganzheitlichen Lebenszustandes, im niedrigen Sinne um die Funktionalisierung der Geschlechterspannung, um ihre geistig ungebundene Auswirkung (siehe 5. Feld).

Im Horoskop des Wassermann-Zeitalters wird das ursprünglich wassermanngeprägte 11. Feld durch das Zeichen und das Lebensurbild des Schützen besetzt und mit diesem gewissermaßen überblendet. Schütze ist ein Feuerzeichen, von dem eine hinreißende Kraft der Begeisterung (die allerdings nicht immer der sachlichen Wirklichkeit entspricht) und ein hoher, optimistisch in die Welt drängender Idealismus ausgeht. Der Schütze richtet seine Intentionen (seine Pfeile) auf überpersönliche, ideale Ziele; dies Lebensurbild wirkt sich aus im Bereich des Religiösen, des religiösen Vertrauens, des hohen Denkens, der Philosophie und der ethischen Gesinnung. Sein ursprünglicher Ort im Lebensrade ist das 9. Feld der Religion, der Ort jenes feurigen Optimismus, der das Göttliche auch in einer leidvollen oder verderbten Welt zu finden und zu verkünden weiß. Durch die im Kraftfeld Schütze freigesetzten Kräfte und Gesinnungen wird die vorgefundene „schlechte Endlichkeit" keinesfalls hingenommen — sie wird vielmehr in einem buchstäblich hinreißenden, d. h. nach oben reißenden neuen Sehen und Werten unter den Aspekten des Übernatürlichen und des menschlich Hohen und Ritterlichen umgebildet. Damit ist die Voraussetzung für den Gottes-Dienst wie für den adeligen Königs-Dienst und die freiwillige Unterordnung unter die verehrungswürdige höchste himmlische oder irdische Macht geschaffen. Alles Adelige, aus der Anerkennung einer hierarchischen Ordnung Dienstwillige, ist durch das Schütze-Zeichen bestimmt. Der Kaiser von Gottes Gnaden, der dem Reiche und Gott dienende Ritter, der Heil und Heilung spendende und sich um seines Auftrages willen verleugnende Priester sind durch die Schütze-Idealität geprägte menschliche Seinsformen.

Im Horoskop des Wassermann-Zeitalters verbinden sich im 11. Feld die wassermannhaften mit den sie überlagernden schützehaften Eigenschaften und Gesinnungsweisen: Der sublimierte aber kühle Eros, das grenzenlose Freiheitsbedürfnis und die aus der Freiheit gewonnene Möglichkeit der Wahl, die Kraft der Freundschaft und die dadurch gewirkten Bündnisse quer durch alle Verhältnisse hindurch — all dies geht nun eine Verbindung ein mit der adeligen und hierarchischen Gesinnung, mit dem hohen Idealismus, mit der „Ritterlichkeit" und der Religiosität der Schütze-Mentalität. Als Folge wird sich eine geradezu religiöse Verklärung der Freundschaft und der Freundschaftsbündnisse ausbilden. Gerade weil im allgemeinen und im öffentlichen Leben das im Fische-Zeitalter vorherrschende hierarchische Ordnungsprinzip unwirksam wird und die Überbetonung des nur Funktionellen eine Nivellierung aller Werte und Ränge herbeiführt, werden sich die adelig gesinnten oder die durch hohes technisches und geistiges Wissen ausgezeichneten Menschen als Freunde in den Bünden zusammenfinden. Allerdings ist die freie hierarchische Ordnung in diesen Bünden nicht durch ein vorgegebenes System, durch Ränge oder Ämter bestimmt, sondern allein durch den Wert und das innere Gewicht der

Einzelnen. Bisher konnte die hierarchische Ordnung im Staat und in der Kirche nur durch die Forderung strengen Gehorsams, durch Gesetzbücher und drohende Strafen aufrecht gehalten werden. Der Mensch empfing die Würde durch das Amt, dessen Träger er war. Von dieser Weltsicht und Denkweise aus muß die „freie Hierarchie", die sich bilden wird durch die Wirkung der verschiedenartigen Strahlkraft des Geistes im Menschen — ohne Gesetz und strenge Gelübde wie bisher — unvorstellbar sein. Und doch handelt es sich hierbei nicht um eine Utopie; denn schon heute zeigt es sich, daß die Menschenwelt durch solche nach außen kaum in Erscheinung tretende Freundeskreise der Wissenden oder der Mächtigen unsichtbar geleitet wird. Sind nicht z. B. ein großer Teil der Atomphysiker, die heute das Geschick der Erde wesentlich mitbestimmen, durch Freundschaft mehr oder minder zu gemeinsamem Handeln verbunden?

Die bisher verpflichtenden und die geistige Struktur des sozialen und staatlichen Lebens bildenden religiösen Ordnungen werden durch den Wandel der Lebensverhältnisse und der Bewußtseinsstufe im Wassermann-Zeitalter abgebaut werden. Im Verlaufe dieser Entwicklung werden die Großgemeinschaften der Kirchen durch eine Vielzahl von kleinen Gruppen und Bünden abgelöst werden. Dies hängt auch damit zusammen, daß künftig das religiöse Leben, insoweit es gestaltbildend wirken wird, durch die personale Hinwendung und Verpflichtung und nicht wie weithin bisher durch die objektive, gesetzliche Norm bestimmt sein wird. Als Folge dieser Wendung wird sich eine Wirkungslosigkeit der bisherigen religiösen Formeln ergeben — denn nicht ein abstrakter, an sich wahrer Glaube wird Grundlage und Träger des religiösen Lebens sein, sondern das Zeugnis, des bildlosen, im Menschen eingefleischten und aus ihm strahlenden Gottes. Denn so wie die Auferstehung Jesu Christi (des Erstlings von vielen Brüdern) die Auferstehung aller anbahnt und ankündet, so die Inkarnation Gottes in Jesus Christus die fortdauernde Inkarnation Gottes im Menschen. Gott wird bildlos werden— umso mehr wird dann der Mensch als Bild Gottes dessen Repräsentant sein. Da aber der Mensch niemals für sich alleine sein Menschsein erfahren und vollenden kann und sich nach der Weisung Christi Gott auf das angemessenste in der Gemeinschaft manifestiert (wenn zwei oder drei in meinem Namen beisammen sein werden, werde ich unter ihnen sein), wird die Gemeinschaft, die „neuen Bünde", nicht aber mehr die gemeinschaftslose Kirchgemeinde, zu den „Orten" der Gottesepiphanie.

Die wassermannhaften Freundschaftsbünde, die „neuen Orden", repräsentieren auch die eigentliche Aristokratie des Zeitalters, deren Glieder weder durch Herkunft noch durch Blutskräfte bestimmt, sondern als „sprossen eignen ranges" (George) durch sich selbst bedingt sind. Realisiert wird dieser sozial und blutsmäßig nicht herleitbare „neue Adel" dadurch, daß der aus der bloßen Menschenfunktion herausgerufene Einzelne mit Gleichartigen durch das freie Gesetz der Freundschaft zusammengeführt wird und dadurch in den Kreis der Verantwortlichen und der zur Steuerung des Ganzen Berufenen eintritt. Da diese freie Aristokratie „stammlos" aufwächst, ist sie wohl dem Dienst, aber nicht den Vorurteilen ihrer Zeit verpflichtet – sie vermag mit ihrem Wirken aus dem Hintergrunde alle menschlichen Bereiche zu durchdringen. So bildet sie, trotz der öffentlichen Herrschaft der mit Geißelschlägen antreibenden Manager und der spezialisierten Großorganisationen, die eigentliche Dominante der menschlichen Gesellschaft im Wassermann-Zeitalter. Im Gegensatz zur ideologisch und demagogisch gesinnten Parteidemokratie, diesem Zerrbild des wassermannhaften Gemeinschaftsprinzips, wird sich in den Bünden ein Adel der Gesinnung mit einem neuen „Adel der Erkenntnis" in einer religiös-universalistischen Haltung zusammenfinden.

Diese Bünde, ob sie nun nach außen in Erscheinung treten oder aus dem Verborgenen wirken, sind die Zellen der wahrhaft Wissenden des neuen Zeitalters. Denn es wird unmöglich sein, als Einzelner die Last und Verantwortung eines gefährlich übergroß gewordenen, zudem der Allgemeinheit nicht mehr mitteilbaren Wissens um das Wesen der Materie, des Kosmos, des Menschen zu tragen. Wird doch das Schicksal der Erde und des Menschen von den Aktionen dieser „Wissenden" abhängen. Sie werden die für den Fortbestand der Menschheit immer erneut notwendigen Kraftquellen zu erschließen vermögen, Volks- und Arbeitsgruppen psychisch und sozial zu lenken, die kosmischen Strahlen, deren Bereich man anbohren wird, zu „entschärfen" und die unaufhörlich drohenden psychischen Seuchen und Kollektivdepressionen zu heilen verstehen.

Aber gerade weil die Bünde der Wissenden ganz und gar in Dienst genommen sind mit der lebenswichtigen Steuerung des Ganzen, werden sie nicht, wie es bisher üblich war, Macht und Wissen nach außen zu repräsentieren vermögen. Andererseits sind auch diese Bünde, infolge des von ihnen verwalteten und gar nicht mitteilbaren „Geheimwissens", durch keinerlei Instanzen von außerhalb kontrollierbar. Allerdings könnte eine solche Unkontrollierbarkeit, falls je in der Gesinnung der Bünde, ihre verpflichtende religiöse Gesinnung dahinschwinden würde, zu einem satanischen Mißbrauch der Wissensmacht durch die Wissenden selber führen. Da die Geisteskrankheiten eine der größten Bedrohungen des Zeitalters darstellen werden, könnten diese auch im Organismus der Bünde zerstörerisch wirken.

Andererseits wird sich notgedrungen eine „innere Kontrolle" ergeben und zwar durch eine Art „Beichte" durch gegenseitige Selbstmitteilung der Freunde, was ja schon in der schicksalhaften Verbundenheit derselben begründet ist. So werden die Menschen in den Bünden, wie im Wassermann-Zeitalter überhaupt, vor einander – wenn auch auf eine sublime Weise – unverhüllt sein.

Allerdings werden (wie dies dem 10. Felde zu entnehmen ist), von Zeit zu Zeit immer wieder Tyrannen von faszinierender Verführungskraft heraufkommen, die versuchen werden sich der Wissenden zu bemächtigen. Doch solch gewaltsame Eingriffe, die das Martyrium vieler Wissenden (die keineswegs mit den aus einem abgespaltenen Bewußtsein lebenden und werkenden „Wissenschaftlern" der letzten Jahrhunderte zu verwechseln sind) auslösen, können keine dauernde Wirkung haben, da die künstliche Lebensorganisation der künftigen Menschheit außerordentlich leicht verletzlich ist. Ein Aufstand der Wissenden gegen ihren zeitweisen Zwingherrn würde furchtbare wirtschaftliche, soziale und technische Katastrophen zur Folge haben.

Hingegen ist anzunehmen, daß aus den Bünden selber von Zeit zu Zeit ein „Herr" hervorwachsen wird – ein Meister, der es vermag, das Teilwissen der Freunde in einer Überschau zusammenzufassen. Doch ein solcher „Fürst" der Zukunft kann weder gewählt werden noch durch Usurpation zur Macht kommen. Er verdankt seine Stellung einzig dem geistigen Gewicht, über das er verfügt, das ihm weder geraubt noch von außen zugebilligt werden kann. Möglicherweise wird ein solcher Mensch, gerade infolge seiner umfassenden Einsicht in das Lebensgefüge der Wassermannzeit durch seine geistige Überlegenheit zum Einsiedler inmitten der Gemeinschaft der Bünde werden.

Man kann jedoch die neuen, ordensartigen Bünde nicht nur als solche der „Wissenden" umschreiben, denn es wird eine fast unübersehbare Vielgestaltigkeit von Bünden geben. Doch eines wird allen gemeinsam sein: Die Hochschätzung des schöpferischen Spiels, die Ausbildung einer umfassenden und nicht auf dem bisherigen ethischen Humanismus beruhenden Menschlichkeit, die Kühnheit des Denkens und des Handelns, die keinen auch noch so ungewöhnlichen Weg des Handelns wie des Ausdrucks scheuen wird, die geradezu religiöse Verehrung des „Menschen" und die sakramentale Bewertung der Brüderlichkeit. Es ist zudem zu erwarten, daß diese Bünde und neuen Orden die Geburtsstätten eines kosmogonischen Eros sein werden, der zugleich im Personalen wie im Überindividuellen seine Wurzel hat. In jedem Teil des Lebendigen werden die Brüder zugleich das Ganze, im Sinnenhaften zugleich die Geistnatur, im Geschöpf die ganze

Schöpfung, im Menschen den Gesandten Gottes lieben. So wird die Kraft der wassermannhaften Freundschaft nicht nur von bindender, sondern auch befreiender Wirkung sein — befreiend von Angst und Enge, von der Beschränktheit nur sinnenhafter, besitzsüchtiger Liebe, vom Brand der Geschlechtskraft und von der Tyrannis verselbständigter intellektueller oder religiöser Systeme. Aufs Ganze gesehen wird sich im Schoße der Freundschaftsbünde ein neues höheres Menschentum ausbilden, geboren aus Geist und Liebe, aus Weisheit und Sehnsucht, aus der Kraft herrscherlichen Handelns und liebevollen Dienstes. So wird es begreiflich, daß sich die Glieder dieser Bünde — sei es in Hybris oder wirklichem Vollzug — oft genug als die Vorläufer oder als die schon Angekommenen eines künftigen, aus der Kraft des Geistes und der höheren Liebe lebenden Menschengeschlechtes, eines johannäischen Menschentums empfinden werden. Gerade durch ihre typisch wassermannhafte universale Brüderlichkeit, werden die Freundschaftsbünde gleichsam als Kraftstationen des Göttlichen in der Welt wirken.

Aus dem erstrebten und vielfältig realisierten Zustand der gegenseitigen Durchdringung von Menschen- und Gottesliebe, der das geistige Klima der Bünde charakterisieren wird, wird sich, aufbauend auf dem universalen „Sakrament des Alltags" ein neuer, bedeutungsvoller Weiheakt ausbilden: Das „Sakrament der Feundschaft" als Siegel des neuen Menschentums des Wassermann-Zeitalters. Die Materie dieses „Sakramentes" besteht aus der leibhaften Existenz der Befreundeten. Durch die Wirkung solcher Weihe werden diese in einer erhöhten Seinsweise miteinander verbunden — zu Erkenntnis und Tat, zu Liebe und Opfer, zur Erweckung und Ausgestaltung der im Menschen angelegten schlummernden göttlichen Freundschaftskraft, des „Göttlichen im Menschen". Im Rahmen dieses den ganzen Menschen umfassenden Freundschafts-Sakramentes wird das Heilige Mahl zum Sakrament des Bundes werden, im alten und doch zugleich in einem neuen Sinn. Das Evangelium der Freundschaft, das Christus als den Kern der Gotteskindschaft und das eigentliche Geheimnis des Gottesreiches vielfältig verkündet hat (noch in seinen letzten Abschieds- und Einsetzungsworten, Joh. 21. 16, spricht er davon[39]), wird endlich seine irdische Verwirklichung in den Sakramenten der Freundschaftsbünde finden. Da sich diese aber unter den verschiedensten Vorzeichen, wenn auch in gleicher Gesinntheit, wie ein Netz über die ganze Erde verbreiten werden, wodurch die Menschheit, wenigstens in ihren oberen Vertretern, kommuniziert, wird sich mit dem Freundschafts-Sakrament auch das Heilige Gottesmahl über die Erde verbreiten. Es ist denkbar, daß dieses — auf seinen unvergänglichen Kern zurückgeführt — nun in verschiedenartigen, von Völkern und Kulturen bestimmten Weisen des Vollzuges zum Gemeingut der Menschheit wird, als das künftige universale Sakrament der Gemeinschaft und der Teilhabe der Menschheit an der Gottheit.

Das zwölfte Feld

Im ursprünglichen Lebensrade wirken sich im 12. Feld die Tendenzen des Fische-Zeichens aus, des letzten der Tierkreiszeichen und Lebensurbilder. Hier ist das Ende aller Wege erreicht, die Einsamkeit, die Gefangenschaft, das Exil, die Auflösung aller Verhältnisse. Hier herrscht das Schweigen, die Dunkelheit des Grabes, in dem sich das in die Erde versenkte Samenkorn verbergen zu künftigem Wachstum bereitet. Denn die Kräfte des so empfindsamen, reaktiven und leidensbereiten Zeichens der Fische vermögen dem Ansturm der Schicksalsgewalten keinen Widerstand zu leisten. Der sich hier äußernden Hingabefähigkeit und Leidenstendenz sind darum die Aspekte des 12. Feldes durchaus angemessen.

Anders aber verhält sich dies, wenn im Horoskop des Wassermann-Zeitalters das Zeichen des Steinbocks, dessen Impulse zu intensiver Tätigkeit, zur Beherrschung der Außenwelt drängen, in dieses Feld einrückt. Der Steinbock ist ursprünglich zugeordnet dem 10. Feld des öffentlichen Wirkens, der sozialen Verhältnisse, das die objektiven Gesetze, die Tradition und das geschichtlich Gewordene repräsentiert und in dem die flutenden Kräfte kristallhaft zur Einheit konzentriert sind. Seiner Natur nach muß er in einem spannungsvollen Widerspruch zu den Auflösungstendenzen und zur weichen Leidensbereitschaft des 12. Feldes stehen. Die durch den tätigen Mann, den ordnenden Vater oder den Gesetzgeber repräsentierten Steinbockkräfte sind hier in Gefangenschaft geraten. Sie wollen und müssen sich aber in der geschichtlichen Welt objektivieren, wenn sie nicht, in die Enge zurückgeworfen, Zustände der Erstarrung, der Rechthaberei oder der Verdumpfung herbeiführen sollen. Aus diesem unvereinbaren Widerspruch entsteht im Wassermann-Zeitalter eine schwierige Problematik. Die Situation ist so, als ob ein riesiger Steinklotz immer tiefer in einen Sumpf, in eine quallige Unterwelt einsinken würde, in der keine Entscheidungen und Bestimmungen mehr möglich sind. In einer solch ungemäßen Situation müssen sich die beiden durch die Konstellation des Weltjahres miteinander verkoppelten Prinzipien feindlich gegenüberstehen. Sie hindern sich gegenseitig an der Auswirkung ihrer positiven Möglichkeiten.

Im Horoskop des Fische-Zeitalters wirkte im 12. Feld das Lebensurbild des Wassermann. Diese Verbindung zeigt ungewöhnliche und tiefe Erkenntnisse an, die allerdings nicht aus der Verborgenheit hervortreten konnten. Erst als das Fische-Zeitalter sich seinem Ende zuneigte, konnten diese kühnen und eigenwilligen Erkenntnisse gefahrlos offen mitgeteilt werden. So wie die freie Geistigkeit des Zeichens Wassermann sich im hierarchischen Traditionalismus der Fischezeit nicht öffentlich auswirken konnte, so wird es sich nun im Wassermann-Zeitalter in Bezug auf die Tendenzen der auf Tradition und geschichtlicher Erfahrung gegründeten steinbockhaften Gesetze verhalten. Der rasche Wechsel aller Verhältnisse, Ordnungen und Formen im Wassermann-Zeitalter wird den auf überdauernde Werke gerichteten Gestaltwillen des Steinbockprinzips, seinen Willen zur Bewahrung der Tradition zur Illegalität verurteilen. Zwar wird die Menschheit im Wassermann-Zeitalter über eine unerschöpfliche, staunenerregende Erfindungsgabe verfügen, aber gerade der dadurch hervorgerufene rasche Gestaltwandel wird dem Dauer heischenden Objektiven und Unwandelbaren des Steinbockprinzips entgegenwirken. Die Folge wird sein, daß es im Wassermann-Zeitalter nicht mehr zur Bildung großer zeitüberdauernder Werke kommen kann (das Steinbockprinzip beherrscht die Zeit, weiß sie aber auch zu fassen), wie in den letzten 6000 Jahren. Keine Riesenwerke wie einst die megalithischen Steinsetzungen, der Pyramiden, der babylonischen und indischen Tempeltürme, der Kathedralen, der mythischen Epen, der Göttlichen Komödie, der Psalmen, des J-Ging (des universalistischen chinesischen Weisheitsbuches), auch nicht der Systeme der griechischen und indischen Philosophie, werden darum dieses Zeitalter überdauern. Denn diese tief bewegte, sich aber in der Bewegung verbrauchende Zeit, deren Zeitgenossen, ganz auf das Zweckmäßige und auf die Stillung augenblicklicher Lust gerichtet, unaufhörlich Neues hervorbringen werden, vermag, weil sie zwar tief schöpft, sich aber zugleich dabei tief erschöpft, weder eine sakrale Architektur, noch Dichtungen von überzeitlicher, allgemeiner Gültigkeit hervorzubringen.

Dem Menschen des Wassermann-Zeitalters wird zwar für seine schöpferischen Spiele das ganze Menschheitserbe als „Material" zur Verfügung stehen, alle Kräfte, Erfahrungen und Formen der Vergangenheit und der Tradition. Aber nichts davon wird für ihn eine dauernde Gültigkeit erlangen. Gerade ein solcher Überreichtum an Möglichkeiten, eine allzu große seelische und geistige Beweglichkeit kann dem Entstehen hoher und dauernder Werke nicht günstig sein. Was entsteht, vergeht wieder schnell, auch wenn es für Augenblicke großartig erscheint. In dieser Hinsicht wird das Wassermann-Zeitalter im Gegensatz stehen zur Widder-Periode, die man als eine typische „Zeit der Werke" und zwar der für Jahrtausende vorbildlichen „Originalwerke" bezeichnen könnte. Aber durch die Gefangenschaft des Steinbockprinzips im 12. Felde des Exils werden die großen Werke kein Klima für ihre Entfaltung vorfinden.

Diese auswegslose und leidvolle Situation wird dazu führen, daß Täter, die einer objektiven Lebensordnung verpflichtet sind, Denker, die das widerspruchsvolle Lebensgefüge in kristallene Formeln von zeitüberdauernder Gültigkeit zu bannen versuchen, Menschen von hoher, strenger Väterlichkeit das Dasein wie eine Hölle erfahren werden, nicht als Hölle im transzendenten Sinne, sondern als Sinnlosigkeit des Überlebens, als ein gegenwärtiges Höllen-Leben. Dies wird sich auswirken als Versiegen der Liebeskraft, als ausweglose Verfangenheit sowohl in der äußern Situation wie im eigenen Ich, als Einkrustung des Wesens, als Angst vor dem Ersticken in der Verfestigung, als Versinken in der eigenen Dunkelheit und als Protest gegen unerträgliche Isolierung. Aus einem Leiden, das sowohl aus dem eigenen unerfüllten Anspruch wie aus der allzu großen Wandelbarkeit der Umwelt stammt, wird der „Gefangene" wiederum seine Umwelt leiden machen. So wird im Grund des Zeitalters ein Unmaß von Leiden verborgen sein — das Leiden der verhinderten Täter, der beharrlich Erkennenden, die in der Unrast der neuen Lebensformen nicht auf Gehör rechnen dürfen.

Aus der Wirkung solcher Gefangenschaft und Einsamkeit wird die blitzfunkelnde Intellektualität und die geistige Helligkeit des Wassermann-Zeitalters immer wieder plötzlich in Dunkelzustände der Seele und des Geistes umschlagen. Massenhysterie und Massendepressionen werden miteinander abwechseln. Im Zusammenhang damit wird wahrscheinlich der Selbstmord eine weit verbreitete Krankheitserscheinung bilden. Denn nicht ein jeder wird dem unaufhörlichen Schaukelspiel zwischen den Extremen gewachsen sein. Das Überhandnehmen der Schizophrenie (oder desjenigen Krankheitskomplexes, den man mit diesem Begriff umschreibt), die Persönlichkeitsspaltung durch den Überdruck der total mobilisierten äußern Wirklichkeit, dem die Psyche nicht mehr gewachsen ist, wird eine weitere Folge der Exilierung des tätigen Steinbockprinzips im 12. Feld sein. Aber in der ebenso kühnen wie kühlen Betrachtungsweise des Wassermann-Zeitalters wird man die periodische Wiederkehr solcher Epidemien zu den Kultur-Betriebsunfällen zählen.

Die Gefangenschaft der saturnischen Steinbockkräfte im Bereich des 12. Feldes wird darum Qualzustände herbeiführen, die ihren Niederschlag in psychischen Krankheiten oder Lastern und Grausamkeiten vieler Art finden werden. Denn die Unmöglichkeit, in bestimmter Hinsicht unmittelbar wirkend gestalten zu können, wird die Versuchung hervorrufen, die Immanenz des Lebens zur Transzendenz umzubiegen, das Leben, die „Existenz" als das totale Spielfeld der Mächte und Kräfte anzusehen und sich dadurch der Welt zu eigenem Nutzen und Lustgewinn zu bemächtigen. Die Wissenschaft wird einerseits bis zu den Grenzen des Daseins vorstoßen und dadurch innewerden, daß es eine — das Urschöpferische vom Geschaffenen scheidende — Grenze gibt, die der Mensch nur zu überschreiten vermag, wenn er gewillt ist, den Tod hinzunehmen. Andererseits wird die Wissenschaft zu ihrem Triumph fähig werden, die Mehrzahl der Lebensphänomene, vielleicht sogar die Urzeugung, künstlich hervorzubringen. Hieraus wird sie das Prinzip der Selbststeuerung der Schöpfung ableiten, und weil sie (zum Teil schon heute) auch die äußern Phänomene der Mystik und der religiösen Erfahrung physikalisch-chemisch nachahmend hervorzubringen weiß, wird die Verkündigung einer Lehre von der totalen Immanenz des Lebens die Folge sein. Darum ist bisher nur die erste Phase des Materialismus überwunden; er wird aber in Zukunft noch in unendlich differenzierteren Formen hervortreten. Man täusche sich nicht: Eine gewaltige, mit den feinsten Verführungskräften wirkende, metaphysikfreie Wissenschaft und ein auf der fast unermeßlichen Kenntnis des Weltalls und der Funktion des Lebens beruhendes, wertfreies mathematisches Weltbild ist im Kommen — alles Bisherige war nur ein Vorspiel.

Die tragische Position der eingeschloßnen Steinbockkräfte weist andererseits auch auf eine letzte Einsamkeit des unbarmherzig zur Konfrontation mit sich selbst getriebenen Menschen. Als „Mensch in der Zelle" — sei es freiwillig oder gezwungen — muß er lernen, sich in seiner Nacktheit anzuschauen und anzunehmen. Von allem Hilfreichen, von allen Illusionen entblößt, gestachelt von einem Scharfsinn, der alle Masken, alle nur unpersönlichen Archetypen durchdringt, in die sich die Seele einzukleiden sucht, vermag der Mensch zwar zu seinem Kern vorzustoßen, aber er wird sich dort ohne Schöne und Gestalt finden. Dann wird sich der von tröstlichen Illusionen Entblößte endlich als den „menschlichen Menschen" entdecken, hinter den nicht mehr zurückgegangen werden kann. Ähnliches mögen die Gefangenen der Konzentrationslager erfahren haben. Die einen sind vielleicht durch ein solches Martyrium der Selbstbegegnung in Verzweiflung oder in Welt- und Selbsthaß verfallen. Aber aus jenen, die durch Schicksalszwang das totale Leiden und die illusionslose Erkenntnis erfahren haben und die es nun vermögen, sich selber und damit den „bildlosen Gott" ohne Fälschung und Widerspruch anzunehmen, wird möglicherweise eine neue Menschenart hervorgehen: Der still liebende, nicht mehr begehrende, dabei tätige und in jeder Stunde mit sich selber einige Mensch.

Wenn auch der mächtige Block der Steinbockkräfte im Zeichen des gestaltlosen 12. Feldes einen unauflösbaren Widerspruch bildet, so vermag dieser dennoch in der höheren Oktave des Lebensurbildes

Steinbock aufgelöst zu werden. Wenn dies jedoch nicht gelingt, so kann der Anspruch auf Gerechtigkeit, das Bestimmen des objektiv Wahren und Richtigen durch die Starre dieses im 12. Felde eingeschlossenen Prinzips in Trotz und Selbstgerechtigkeit ausarten. Damit schlägt das „gute Recht" ins Rechthabenwollen um (Michael Kohlhaas)und das lebensnotwendige Gesetz wird zur lebensfeindlichen Tyrannei. Es gibt aber eine dem Steinbock durchaus angemessene Haltung, die die Gefahr solcher Hybris überwindet. Die Träger des Prinzips müssen ihr Rechthaben, ihr Aufrechtsein in Demut wandeln, die Knie beugen vor der höheren Macht, um ihr zu dienen. Der demütige Steinbock ist der Überwinder seiner selbst: Als der Beter, der nicht mehr erbittert seiner eigenen Leiden und seiner schmerzhaften Exilierung, sondern des Leidens der Welt gedenkt und dies opferwillig auf sich nimmt. So könnte das Steinbock-Zeichen im 12. Feld in einem positiven Sinne die Schar jener heimlichen Beter andeuten, die nicht mehr ihr Recht erzwingen wollen, die Segen auf jene herabflehen, die Unrecht tun, anstatt ihnen zu zürnen. Ihnen wird sich die Einsicht eröffnen, daß sich das Recht in der Welt niemals unmittelbar durchsetzen läßt, daß vielmehr das Geschick der Welt an ihrer Verbindung mit der „oberen Wurzel" hängt und an dem Dienst, den man ihr leistet. Vielleicht werden erst die einsamen „Menschen der Zelle" (gleichviel ob diese nun sichtbar oder unsichtbar sei) als die Helden und Heiligen der Selbstüberwindung aus voller Einsicht und hingegebenem Willen beten können: Dein Reich komme[40]).

Der Gegen-Stand und zugleich die Ergänzung des 12. Feldes ist das 6., die Situation des Alltags mit seiner Mühe, dem unpathetischen Dienen, der Krankheit und ihrer Heilung. Da im Wassermann-Horoskop das Krebs-Zeichen, die mütterlich sammelnde Kraft, die quellende Lebenstiefe ohne Eigen-Sinn und ohne scheidende Wert-Setzungen im 6. Felde herrscht, bezieht das starre Steinbockprinzip aus dessen nährender Fülle die Kräfte, die es zu kristallenen Einsichten und Gesetzen, zu väterlichen Scheidungen verdichtet. Wie die wuchernde Formlosigkeit des Krebs-Zeichens der einengenden, gestaltgebenden Kräfte des Steinbocks bedarf, so ist dieser, um sich zu erneuern, immer wieder genötigt, in den ihm so fremden Muttergrund hinabzusteigen, wenn er nicht männlich-rechthaberisch erstarren will. Solches „Hinabsteigen" bedeutet aber für den „väterlichen" Steinbock einen Akt äußerster Selbstentäußerung und Verdemütigung, zugleich aber auch ein Übersteigen des Zeitlichen ins Zeitlose. Diese „maßlose Herablassung" wirkt sich aus als Hingabe an das Kleine (was an sich seiner Neigung zur Größe verhaßt ist), als Annahme des geringen Platzes entgegen dem Bewußtsein des eigenen Wertes. Solche Selbsthingabe, sei es als Abstieg ins Untere und Kleine, sei es betend ans Jenseitige, vermag die dunklen Seiten der Steinbocksituation und ihre Qual aufzulösen.

Wenn aber keiner dieser beiden Wege gegangen wird, wenn die im Abgeschiedenen gefangenen Steinbockkräfte trotzig im Protest aufbegehren, dann wird ein Reigen unheimlicher Gestalten heraufsteigen. Denn die Konstellation des Steinbock-Zeichens im 12. Feld – in spannungsreicher Verbindung mit dem Skorpion-Zeichen im 10. des öffentlichen Lebens und der Leistung – eingebettet in die so ambivalente Gesamtatmosphäre des Wassermann-Zeitalters, deutet auf eine Menschenart hin, die nicht nur mit hoher Intelligenz und unerschöpflichen Triebkräften begabt, sondern auch von unbedenklicher Grausamkeit ist. Dann ergibt sich die Möglichkeit, daß im Menschen rasende Kräfte, ein aus Haß und Machtlust gepaartes Verlangen entfesselt werden, daß mit Hilfe ungeheurer Affekte genau gezielte Aktionen große Teile der Menschheit in unermeßliches Leiden oder in Vernichtungskatastrophen führen. Immer wieder werden sich dämonische Gestalten aus dem Hintergrunde, aus ihrer eigenen Qual zum Quälen verführt, des Lebens zu bemächtigen suchen. Dies wird sich umso gefährlicher auswirken, als durch die weltweit strahlende Geistkraft des Wassermannprinzips die Tore aller Möglichkeiten und Sphären weit geöffnet sind. Solche Menschen – die Dämonischen nennt sie Goethe – sind kaum mehr unmittelbar zu bekämpfen.

Aber vielleicht gibt es doch Mächte, die sie zu bannen wissen und die sie durch Leid und Niederlage hindurch wieder in ihre Schranken zu weisen vermögen – jene Mächtigen, von denen einer einst Petrus aus der Zelle, der Gefangenschaft herausgeführt hat: die Engel. Wenn sich auch die Engel, wie es den Anschein hat, in der letzten Monatstriade der Fischezeit in den Welthintergrund zurückgezogen haben, so darf wohl aus den Zusammenhängen erwartet werden, daß sie sich zu Beginn der Wassermannzeit als schöpferische, steuernde, helfende Kräfte wieder dem Bereiche zuwenden, in dem wir leben. Auf jeden Fall werden sie wieder als Wirklichkeit wahrgenommen werden und sich als die Wirklichen durch Aktionen bezeugen. Und da der Mensch das Dämonische und seine Vertreter nicht alleine bekämpfen kann, ohne zu unterliegen, werden ihm diese bauenden, heilenden Engelkräfte heilend zur Seite stehen – wenn der Mensch sie ruft und einläßt.

Zuletzt ist noch eines schmerzlichen und, wie es scheint, in dieser Weltzeit unlösbaren Teilstücks aus dem Bereich der Steinbockproblematik zu gedenken. Es handelt sich um einen Stein, ja einen Felsblock des Anstoßes, gestern, heute und morgen. Das jüdische Volk gilt nämlich von altersher als vom unerschütterlichen Steinbockprinzip geprägt. Da sich aber das Zeichen Steinbock innerhalb des Wassermann-Weltjahres im 12. Feld befindet, so ist daraus zu schließen, daß das jüdische Geschick in den nächsten Jahrtausenden die Exilsituation nicht abstreifen kann. Was immer das jüdische Volk unternehmen wird, es wird sich hierbei in „Verbannung" befinden. Daran ändert auch der heutige weltliche Kleinstaat Israel, dessen Sinn und Struktur nichts mit dem des alten Volkes, des Bundesvolkes gemein hat, nicht das geringste. Ein besonderer jüdischer Auftrag wird ja innerhalb dieses Staatgebildes schon darum nicht sichtbar, weil der Glaube der Juden, soweit er monotheistisch ist, nicht mehr wie im Altertum im Gegensatz zur Umwelt steht, denn auch der Islam wie das Christentum teilen diesen Glauben der Juden. Aber auch wenn der Staat Israel einst in einem arabischen Staatenbund aufgehen wird, so wird seine Exilsituation, die sich heute in der ständigen Bedrohtheit zeigt, erst recht deutlich werden. Inzwischen wogt der latente Antisemitismus in den Völkern hin und her, da und dort aufflammend, obwohl die demokratische Ideologie ihn „abgeschafft" hat. Das Unbehagen, die Trauer, das Leiden, die Müdigkeit, als Gegenwehr der übertriebene Selbstbehauptungswille und der Trotz der Juden werden im Wassermann-Weltjahr kein Ende nehmen, sondern immer wieder nur die Ausdrucksweise wechseln. Zudem wird der Messianismus, den das Judentum nicht aufgeben kann, ohne geistig oder sozial zum Fellachentum herabzusinken, in einer Zeit der religiösen Indifferenz, der Gleichschaltung der Religionen, der Allerweltsreligion des künftigen Pseudobuddhismus und der aristokratischen Freundschaftsbünde ein ständiger Stachel der Völker und der Gemeinschaften sein. In der Folge wird das über die Welt zerstreute jüdische Volk immer erneut in irgend eine Art von Isolation getrieben werden. Erst im Zeitalter des Steinbocks, von etwa 4000 an, wenn dies Zeichen aus der Verborgenheit des 12. Feldes hervortritt, wird die Judenheit in einen gewissen Einklang mit der allgemeinen Lebenssituation und -stimmung gelangen können.

Wie lange noch wird die unheimliche Problematik des Steinbocks im letzten Felde des Lebensrades andauern? So lange, bis der Zeiger der Weltenuhr wieder um eine Weltstunde weitergerückt sein wird. Wenn sich der Frühlingspunkt in 2100 Jahren durch die kreiselnde Bewegung der Erdachse in das Zeichen Steinbock verschiebt, dann werden die geballten Kräfte dieses Bereiches aus der Gefangenschaft entlassen werden und — einen neuen Anfang bildend — das 1. Feld des Lebensrades prägen. Dann werden alle Gesetze des Stoffes und des Lebens durchschaut und offenbar geworden sein. Die Menschheit wird ausgerast und ausgespielt haben. In einer tiefen Erschöpfung ihrer Kräfte, auf einer ausgeglühten verkarsteten Erde lebend, wird sie nach einer unerbittlich klaren, gerechten, objektiven Ordnung verlangen.

Diese wird im Zeichen Steinbock herannahen, unter dessen Wirksamkeit sich auch die großen Erd-Teilstaaten zum Erdstaat einen werden, in dem die Menschen nicht mehr wie im Wassermann-Zeitalter totalmobilisiert, sondern an den Ort ihrer unauswechselbaren Berufung eingefügt sein werden. Die Erde wird bis dahin in all ihren Teilen geplant und bewirtschaftet sein. Dann werden nicht mehr die Reisen, wie heute von erregendem Interesse sein, denn es wird ja überall mehr oder minder ähnlich aussehen; zudem ist dann der Erdstaat, samt seinen planetarischen Kolonien — die organisierte Einheit der Menschheit — Wirklichkeit geworden. Das Gesetz des Lebens wird nicht mehr erforscht und bedacht, sondern es wird gelebt und behütet. Das Leben wird hart und in allen Teilen genau bestimmt sein — aber da das Sinnvolle der Bindungen offenbar sein wird, werden die Menschen das „totale Gesetz" auf sich nehmen.

Die „Feuer" Katastrophe am Ende der Wassermannzeit

Als der Frühlingspunkt um 8550 v. Chr. in den 30. Grad des Krebs-Zeichens vorrückte, soll sich vielen Überlieferungen nach die „große Flut" ereignet haben — eine Verwässerung der Erde, sei es nun durch den wahrscheinlichen Untergang von Atlantis oder durch eine kosmische auf die Erde zurückwirkende Katastrophe. Dies erscheint aus vielen, teils kosmischen, rhythmischen, erdgeschichtlichen Begründungen als wahrscheinlich. Aber schon bei Platon (im Timaeus), bei den Stoikern und auch sonst in den antiken und den darauf beruhenden mittelalterlichen Überlieferungen, stehen vergangene Sintflut und künftiger Weltbrand in einer Entsprechung. Die Wasserkatastrophe ereignete sich, als der Frühlingspunkt das Krebs-Zeichen erreichte, die Feuerkatastrophe aber wird sich dann ereignen, wenn der Frühlingspunkt um das Jahr 4000 sich dem 30. Grad des Steinbock-Zeichens nähert. Sie ist im 2. Petrusbrief, 3. Kapitel, wenn auch in eschatologischer Deutung, angekündigt.

Wie aber soll man diesen Vorgang verstehen? Tatsächlich ist es so, daß schon heute die verborgenen Anzeichen einer künftigen Feuerkatastrophe feststellbar sind. Ihre Einzelheiten sind allgemein; freilich muß die Zusammenschau derselben erarbeitet werden.

Gehen wir davon aus, daß wir einer im ganzen nicht mehr rückgängig zu machenden Störung im Wasserhaushaltes der Erde entgegengehen. Durch übermäßigen Verbrauch und Raubbau geht der Wasservorrat auf der ganzen Erde zurück, der Grundwasserspiegel sinkt, weil das Grundwasser immer mehr angezapft werden muß — die Bevölkerung der Erde steigt sprunghaft und auch in Zukunft ist eine Verminderung nicht abzusehen. Statistiker rechnen erst mit einer Stabilisierung der Menschenzahl bei etwa 8 Milliarden. Eine Versteppung der Erde droht durch die notwendig gewordenen Meliorierungen wie durch den räuberischen Kahlschlag der Wälder an vielen Orten. Gewiß hat man die ungeheuren Schäden bereits bemerkt und versucht ihnen unter Aufwand großer Mittel entgegenzutreten. Da aber die Bevölkerung unaufhaltsam wächst, werden die Elemente der Selbstregulierung der Natur notgedrungen immer mehr lahmgelegt werden. So wird der Tag herankommen, an dem das Wasser Mangelware wird (die Industrie verschluckt und verschmutzt ungeheure Mengen, mehr als der Mensch zum Trinken und Waschen braucht). Die Erde vertrocknet, sie wird dürr — sie kann nur noch durch riesige künstliche Bewässerungssysteme fruchtbar erhalten werden — jede der künftigen Kulturkatastrophen, an denen das Wassermann-Zeitalter so reich ist, wird aber dies künstliche Gleichgewicht erschüttern.

Zudem erzeugt der Mensch künstlich die Hitze der Sonnenexplosionen, und mehr als diese, bereits auf Erden. Es scheint, daß die Erzeugung von konzentrierter Kraft auf der künstlichen Hervorbringung ungeheurer Wärmeeinheiten beruht. Auch diese werden auf die Dauer ausdörrend auf die Erdatmosphäre und die Erdsubstanz wirken. Alles wird im Wassermann-Zeitalter in Bewegung gesetzt: Die Materie, die Elemente, der Mensch — alles Lebendige und Tote gerät, auch geistig, in rasende Bewegung. Das Leben und die Materie wird dadurch nicht nur aus — sondern auch abgenutzt. Der Stoff wird durch diese Überbeweglichkeit, in die er versetzt wird, immer mehr erhitzt. So wird, aufs äußerste aufgestört, schließlich alles in Feuer aufgehen — ob dies nun die Raserei des Geistes, die Verdorrung der Erde, die Verstörung und Verdorrung des Seelischen, (das Erkalten der Liebe), das Schwinden des Wassers, den Verlust des Gleichgewichtes im Bau der Elemente oder katastrophaler Klimawechsel bedeutet. Gewiß wird der Mensch immer wieder einen Ausweg aus der drohenden Gefahr finden. Aber eines Tages wird sich die maßlose Ausnützung des Lebens, der Schöpfung, dennoch summieren. Eine Verkarstung der Erde wird einsetzen, nach der wasserhaften Aufblähung eine Schrumpfung und Verhärtung. Das Zeichen des Steinbocks ist das Symbol für alles Knochenhafte, für das Skelett — das Harte, Steinige, nicht mehr Sprossende. Vielleicht werden am Ende des Wassermann-Weltjahres furchtbare Bruderkämpfe auf Erden wüten: Der Kampf um die noch feuchten, fruchtbaren Teile der Erde. Wie die Menschheit sich nach der Sintflutkatastrophe nach Süden flüchtete, dorthin wo sich anscheinend die Wasser eher verlaufen hatten als in Atlantiknähe, so wird es vielleicht zu gewaltigen Völkerwanderungen und zu einer kollektiven Wassersuche kommen — vielleicht wandert diesmal die Menschheit, oder ihr Rest, nicht nach Süden, sondern nach Norden, in Polnähe.

Die Erde wird durch die Feuersphäre hindurch gewandelt werden — gereinigt und erneuert. Wie ein Phönix wird sie den Feuertod erleiden und aus diesem gleichsam wiedergeboren und entschlackt hervorgehen. Darum ist die Feuer-Katastrophe, der die Erde und der Mensch am Ende des Wassermann-Zeitalters entgegengeht nicht nur ein Ende, sondern auch ein Anfang. Wie in der Sintflut verschlingen sich auch in der Feuerflut Ende und Anfang. Auch in der Nacht der im Brand „verrußten" Welt, wird das Licht in die Finsternis scheinen, wird der Mensch des göttlichen Wortes und seiner Erleuchtung nicht ermangeln. Auch dann wird es noch gelten: „Die Weisheit ist ein Baum des Lebens, für den der sie ergreift."

EPILOG

Die Weltalter kommen und gehen wie die Jahre des Menschen. Aber einmal wird ihr Kreislauf, der in Christus Jesus schon durchbrochen ist, auch zeitlich und physisch enden. Wann dies sein wird, wissen wir nicht. Es ist uns freilich gesagt, daß wir uns zu jeder Stunde für das Ende bereit zu halten haben — denn das Ende und der neue Anfang, der Herr und das Gericht kommen wie der Dieb in der Nacht — unversehens. Vielleicht kommt das Ende der Zeiten gerade dann, wenn sich die Menschen durch technische Einrichtungen oder falsche Prophetensprüche auf lange hinaus gesichert glauben. Auch haben bisher und wohl künftig alle Berechnungen des Endes getrogen. Joachim von Fiore erwartete die Vorstufe des Endes, den Abbruch des Zeitalters des Hl. Geistes um das Jahr 1260, Bengel und Jung-Stilling das 1000jährige Reich um das Jahr 1836, P. O. Hesse sieht den „Jüngsten Tag" um das Jahr 1962, das allerdings bedeutsam genug sein wird, herannahen. Doch wie trügerisch sind diese Zahlenspiele. Wir können zwar die Zeichen der Zeit, ihre Rhythmen und Abläufe deuten — mehr aber ist uns nicht zugewiesen. Alles andre ist in der Vorbehaltenheit Gottes verborgen.

Aber bis das Ende naht, wird sich die Welt von Weltjahr zu Weltjahr weiter wandeln. Uns aber, auf der Wasserscheide zweier Weltjahre zum Leben berufen, ist es geboten Sinn und Auftrag der Stunde zu erkennen: der Übergang vollzieht sich mitten durch uns hindurch — unter tausend Schmerzen, während wir auf die Krücken von trügerischen Hoffnungen gestützt einherwanken. Nach zwei Seiten werden wir gezerrt, nach der mit Schätzen gesättigten Vergangenheit. die uns geboren und von deren Geschichte wir liebevoll Abschied zu nehmen haben. Und andererseits zur Zukunft hin, die uns und unsre Kräfte einfordert. An was sollen wir uns halten, um diese Zerrung, ohne zu erkranken und ohne süchtig einer Seite zu verfallen, auszuhalten! Alles ist in Bewegung geraten, vieles zerbricht, das Neue ist noch nicht da, aber es lockt mit schillernder Verheißung.

So möge uns das Wort eines Sehers ins Künftige geleiten, der vor 150 Jahren von dem gleichen Zwiespalt, der uns heute erfaßt hat, bedrängt wurde und der sich in wahrhafter Größe, ein Adler und eine Taube zugleich, über ihn erhob — der ihn nicht nur schaute, sondern auch schon durchschaute. Es war der Dichter Freiherr von Eichendorff, der uns in seinem Romane „Ahnung und Gegenwart" diese seherischen Worte hinterlassen hat.

„Mir scheint unsre Zeit einer weiten, ungewissen Dämmerung zu gleichen! Licht und Schatten ringen noch ungeschieden in wunderbaren Massen gewaltig miteinander, dunkle Wolken ziehen verhängnisschwer dazwischen, ungewiß, ob sie zum Tod oder Segen führen, die Welt liegt unten in weiter, dumpf stiller Erwartung. Kometen und wunderbare Himmelszeichen zeigen sich wieder, Gespenster wandeln wieder durch unsre Nächte, fabelhafte Sirenen selber tauchen, wie vor nahen Gewittern, von neuem über den Meeresspiegel und singen, alles weist wie mit blutigem Finger warnend auf ein großes unvermeidliches Unglück hin. Unsre Jugend erfreut kein sorglos leichtes Spiel, keine fröhliche Ruhe, wie unsre Väter, uns hat frühe der Ernst des Lebens gefaßt. Im Kampfe sind wir geboren, und im Kampfe werden wir, überwunden oder triumphierend, untergehen. Denn aus dem Zauberrausche unserer Bildung wird sich ein Kriegsgespenst gestalten, geharnischt, mit bleichem Totengesicht und blutigen Haaren; wessen Auge in der Einsamkeit geübt, der sieht schon jetzt in den wunderbaren Verschlingungen des Dampfes die Liniamente dazu aufringen und sich leise formieren. Verloren ist, wen die Zeit unvorbereitet und unbewaffnet trifft; und wie mancher, der weich und aufgelegt zu Lust und fröhlichem Dichten, sich so gern mit der Welt vertrüge, wird, wie Prinz Hamlet, zu sich selber sagen: Weh, daß ich zur Welt, sie einzurichten kam! Denn aus ihren Fugen wird sie noch einmal kommen, einen unerhörten Kampf zwischen Altem und Neuem beginnen, die Leidenschaften, die jetzt verkappt schleichen, werden die Larven wegwerfen und flammender Wahnsinn wird sich mit Brandfackeln in die Verwirrung stürzen, als wäre die Hölle losgelassen, Recht und Unrecht, beide Parteien, in blinder Wut einander verwechseln. — Wunder werden zuletzt geschehen, um der Gerechten willen, bis endlich die neue und doch ewig alte Sonne durch die Greuel bricht, die Donner rollen nur noch fernab in den Bergen, die weiße Taube kommt durch die blaue Luft geflogen und die Erde hebt sich verweint, wie eine befreite Schöne, in neuer Glorie empor ... Wer von uns wird das erleben?" —

ANHANG

PROGNOSEN / TABELLEN
ANMERKUNGEN

PROGNOSEN ÜBER DAS SCHICKSAL EUROPAS

nach dem Prinzip des Geschichtsparallelismus

*K*ANN AUF EINE ZUVERLÄSSIGE WEISE SCHON HEUTE VON künftigen Ereignissen gesprochen werden? Sind geschichtliche Prognosen in ähnlicher Weise möglich wie Prognosen über den Verlauf der Witterung oder einer Krankheit? — Sie sind möglich unter der Voraussetzung, daß es sich hierbei nicht um unkontrollierbare Visionen, sondern um die folgerichtige Anwendung geschichtsrhythmischer Gesetzmäßigkeit handelt. Ihre Kenntnis steht durchaus nicht in Parallele zur „göttlichen Prophetie", durch die Gott seine Beauftragten, die Propheten, sagen läßt, was er von den Menschen fordert oder was er mit ihnen vorhat. Denn eine „rationale Prophetie" auf Grund der Gesetze der Geschichtsrhythmik vermag sich auf nüchterne Weise nur mit innerweltlichen Vorgängen zu befassen und kann nur Einsichten in typenhafte Vorgänge vermitteln. Denn so wie der einzelne, personhafte Mensch im Laufe der Äonen niemals wiederkehrt, wohl aber immer wieder sein Typus, und wie bestimmte Menschentypen (die zugleich stets Typen des Handelns sind) in gewissen Zeiten sich häufen, in andern mangeln, so kehren auch typische Ereignisse, durch den Wechsel der Vorherrschaft der handelnden Typen, in regelvollen Abständen wieder. So entspricht z. B. der Typus des Griechen im 4. Jahrhundert v. Chr. — wenn auch mit verschiedenen, durch den Wechsel der Weltalter bestimmten Vorzeichen — dem Typus des Franzosen des 18. Jahrhunderts. Alexander der Große und sein Vordringen bis nach Indien, sein Wunsch, ein Weltreich mit einer einheitlichen Gesinnung und Gesittung zu schaffen, steht in Analogie zu Napoleon und seinem Vordringen nach dem Osten, mit Indien als Ziel und seinem Versuch eines säkularisierten Pan-Europa. Beide fanden, bei fast gleich langer Regierungszeit, die Grenze ihrer Macht im Osten, Alexander erlitt dort den Tod, Napoleon den Zusammenbruch seiner Macht. So ist in deutlicher Entsprechung Napoleon gewissermaßen der Alexander des Fische-Weltjahres. Jedoch ist ein wesentlicher Unterschied beider Gestalten darin gegründet, daß Alexander in einem klassischen Zeitpunkt, nämlich im Widder-Monat des Widder-Weltjahres hervortrat. Dadurch erscheint er als der klassische Repräsentant seines Zeitalters und als Symbol einer Weltbewegung, der großen und lange nachwirkenden Kulturwelle des Hellenismus, durch deren Auswirkung das, was wir heute Europa nennen, überhaupt erst möglich wurde. Ein

Gleiches kann man jedoch von der Wirkung Napoleons nicht feststellen. Denn die klassische Zeit des Fische-Weltjahres ist bereits im Fische-Monat seines Anfangs zu suchen.

Ein solcher geschichtsrhythmischer Vergleich von Alexander und Napoleon, die im Abstand von 2100 Jahren lebten und wirkten, ist ein Beispiel für das Gesetz des Parallelismus der Ereignisse in den einander folgenden Weltjahren. Denn der Ablauf eines jeden ist in typischer Hinsicht gleichartig gegliedert, ob wir uns dies nun unter den rhythmischen Folgen von Jahreszeiten, von einander ablösenden Kunststilen oder von Lebensaltern vorstellen wollen. Jedenfalls stehen die Abschnitte eines Weltjahres in Analogie mit den entsprechenden jedes andern Weltjahres. Es ist also die geschichtliche Parallelität von Ereignissen festzustellen und auszuwerten. Erleichtert wird dies durch die Unterteilung des Weltjahres in jeweils 12 „Weltmonate" — eine Methode, die hier zum ersten Mal angewandt wird. Gemäß dieser ist jedes Weltjahr in 12 Weltmonate von je 175 Jahren gegliedert, die dem Lauf der Präzession folgend im Rückwärtsgang abzuwandeln sind, wie die Bewegung der Weltjahre selber, d. h. mit dem Tierkreiszeichen der Fische beginnend und mit dem des Widders endend. Auf diese Weise können nicht nur einzelne Geschichtsereignisse, sondern auch ganze, eine Einheit bildende Abschnitte der Geschichte untereinander in Beziehung gesetzt und nach Gemeinsamkeiten, aber auch nach Unterschieden beurteilt werden.

Mit der Aufdeckung und Darstellung des Parallelismus geschichtlicher Ereignisse haben sich in unserm Jahrhundert verschiedene Geschichtsforscher beschäftigt. Dennoch wurde ein Gesamtsystem des Geschichtsparallelismus bisher noch nicht geschaffen. Nach Spengler und Toynbee hat Franz Altheim in seinem Werk „Gesicht von Abend und Morgen" (Fischer-Bibliothek) einen wichtigen Ansatz hiezu unternommen. In diesem Werk äußert er die Überzeugung, daß die kulturelle und politische Entwicklung der Spätantike typische Parallelen zum heutigen Geschehen aufweise und daß man darum bei einer Vergleichung beider Zeitkreise zu Schlüssen hinsichtlich der kommenden Entwicklung gelangen könne. Denn „im Blick auf das Vergangene enthüllt sich das Heute und die Kenntnis dessen, was sich vollendet hat, ermöglicht eine Vorausschau des Kommenden" (Altheim). Er legt weiterhin dar, daß die Aufdeckung der Geschichtsparallelität die notwendige Distanz zur Gegenwart und eine Schärfung des Blickes für das uns Entgegenkommende ermögliche. „Der Vergleich weit zurückliegender Ereignisse mit den gegenwärtigen gestattet, Zufälliges und Zeitbedingtes von dauernd Gütigem zu scheiden. An die Stelle des zeitlichen Nebeneinanders treten überzeitliche und darum wesenhafte Gemeinsamkeiten; an die des Ineinanders der Abläufe die in ihnen sich offenbarende Übereinstimmung der geschichtlichen Funktion... Der Vergleich mit vollendeten Abläufen gestattet, eine Diagnose der Zeit, vielleicht eine Prognose zu geben." (Altheim).

Aus seiner Kenntnis der geschichtlichen Zusammenhänge hat Altheim die Einsicht gewonnen, daß die „Geschichte der Gegenwart den Spiegel vorhalte; daß durch den Vergleich mit dem Einst Struktur und geschichtliche Funktion dessen ans Licht trete, das sich vor und an uns vollzieht." Aber selbst die Anschauung eines Meisters der Geschichtsforschung, wie dies Altheim ist, wird notgedrungen durch seinen eigenen Standort mitbestimmt, wenn er es aus seinem reichen Wissen unternimmt, geschichtliche Abläufe in Parallele zu setzen. Es hat aber den Anschein, als ob die systematische geschichtsrhythmische Deutung der Weltjahre einen objektiveren Maßstab, wenn auch nicht ohne die Gefahr von Fehldeutungen, liefern würde.

Bei der Anwendung desselben weist der zeitliche Ansatz Altheims eine Verfrühung von etwa 300 Jahren auf. Für ihn stehen nämlich das Jahrhundert zwischen der Regierung des Kaisers Commodus und dem Regierungsantritt des Kaisers Diokletian, wie die Umwälzungen und Völkerwanderungen des folgenden 3. Jahrhunderts in Parallele zur Struktur und den Ereignissen unserer Zeit. Er ist der Überzeugung, daß mit jenem Zeitalter eine der großen geistigen Formen der Menschheit im 3. Jahrhundert zur Rüste ging und als Folge ein Niedergang aller Werte und Ränge sich ereignete, ein Versagen der Fähigkeit, neue Möglichkeiten ins Auge zu fassen. „Ausgangspunkt der großen (Völker-)Bewegung (im 3. Jahrhundert n. Chr.) bildete das eurasische Steppengebiet, daneben die arabische Halbinsel. Von dort brach das Neue in die Zonen der Hochkulturen, nach China, Iran und ins Mittelmeergebiet ein." Den Umschwung jener Zeit sieht nun Altheim in Parallele mit der Gegenwart.

Würde dies jedoch zutreffen, so würden wir uns heute im Westen in der Untergangszone einer abgelebten Kultur befinden, die ihre schöpferische, weltgestaltende Kraft eingebüßt hätte und auf Zufluß aus den Barbarengebieten angewiesen wäre. Aber bei genauem Hinsehen erweist sich die Wirklichkeit unserer Gegenwart als eine durchaus andere. Gewiß überschreiten wir eine gewaltige Kulturschwelle, die in Analogie steht zu jener, welche die Menschheit am Ende der Jungsteinzeit überschritt. In einer solch mächtigen Bewegung sind schmerzliche Verluste an kostbarem Kulturgut nicht zu vermeiden. Aber andererseits ist Europa, auch wenn es seine beiden schrecklichen Riesentöchter Amerika und Rußland ausgeboren und mit Zeugungskräften ausgestattet hat, noch immer prall gefüllt mit schöpferischen Kräften, mit Neuem, Unerhörtem.

Europa ist im Begriff, die Frucht seines Geistes und seine Lebensformen, geeignet, in einem eisernen Zeitalter zu bestehen, allen Völkern mitzuteilen. Jedoch nicht Europa wird asiatisch oder afrikanisch, noch lange nicht oder nie, so unabwendbar dies auch erscheint, sondern Asien und Afrika werden europäisch. Das Abendland weitet sich durch seine Ausstrahlung zur Welt. Nicht die große europäische Kultur geht zugrunde, sondern die der alten Völker und Barbaren. Europa teilt seine Erkenntnisse und Erfindungen, auch wenn es sich durch sein Übermaß an schöpferischen Prozessen in schmerzhaften Wachstumskrisen befindet, den Völkern der Erde mit, sie damit bis auf die Wurzel umgestaltend und sie buchstäblich dadurch ernährend, ihnen physisches und geistiges Leben spendend.

Gierig greifen die Völker nach den kostbaren Früchten der europäischen Kultur, ohne deren Besitz sie, durch das unaufhaltsame Zerbrechen ihrer Wirtschaftssysteme und ihrer geistigen Kraft, in kürzester Zeit zugrunde gehen müßten. Es ist aber die Tragik Europas, dieser Nährmutter der Völker, daß diese wohl die Früchte seiner Kultur begehren, ohne den hohen Preis dafür erlegen zu wollen, den Europa gezahlt hat. Die Ursache davon ist einleuchtend: Der schöpferischen Produktivität des Westens (die allerdings bis zum Mißbrauch ausgebeutet wird) steht in Asien - Afrika nur eine einfühlende, reproduktive Fähigkeit gegenüber. So ist zwar tatsächlich ein gewaltiger Kampf um die geistige und materielle Gestaltgebung der Menschheit im Gange. Aber wenn es auch noch zu riesigen Opfern kommen wird und manche Phasen des Kampfes schmerzliche Erschöpfung hervorrufen, so kann doch der Ausgang nicht zweifelhaft sein: Der Westen wird, trotz all seiner Mißstände, die nun einmal auch durch wirkliche Größe nicht ausgeschaltet werden, der ganzen Erde seinen Stempel aufprägen. Damit wird aber die Botschaft Christi, wenn auch — was Form und Mittelbarkeit betrifft in einer wesentlich gewandelten Weise — in die Impulswelt des Unbewußten wie in das formende Bewußtsein der Völker eingehen.

Die Folge einer solch realistischen Betrachtung der Gegenwart ist allerdings, daß wir uns nach einem andern geschichtlichen Vergleichspunkt für unsere Gegenwart in der Antike umsehen müssen, als Altheim ihn wählte. Erst von einem wirklich gemäßen Ausgangspunkt läßt sich der Standort der Gegenwart und von diesem aus die Zukunft erschließen. Dieser geschichtliche Vergleichspunkt ist in der Zeit um 150 v. Chr. zu finden. Damals begann das Fische-Zeitalter — in genauer Entsprechung zum heute beginnenden Zeitalter des Wassermann — was in beiden Fällen krisenhafte Übergangserscheinungen von weltweiter Wirkung auslöste. Wesentlich aber ist, — und darum erscheint dies Datum als unausweichbar — daß beide Daten, 150 v.Chr.

und 1950 n. Chr., sich in einem Abstand von 2100 Jahren, dem Zeitraum eines Weltjahres befinden. Wenn wir nicht darauf bestehen, in einer Art Übergenauigkeit auch die Jahrzehnte zu wägen, was für die Beurteilung so großer Zeiträume wohl nicht zu fordern ist, dann lassen sich sogleich eine Fülle paralleler Geschichtsereignisse nur für diesen einen Zeitpunkt feststellen. Wenn der Ansatz der Parallelsetzung richtig ist, dann müssen die Mehrzahl der Daten, die von diesem zentralen Ausgangspunkt zu erschließen sind, wiederum in Entsprechung stehen. Sehen wir zu.

Um das Jahr 150 v. Chr. eroberten die Juden in den Makkabäerkämpfen wieder das kleinsyrische Palästina und errichteten unter der Hasmonäerdynastie ein Staatsgebilde hellenistischer Prägung, das, nur noch formal sakral bestimmt, in Wirklichkeit durch das nationalistische Prinzip zusammengehalten wurde. Ähnliches, nur nicht mehr unter dem monarchistischen Vorzeichen, ereignete sich zwischen 1920 und 1950: Die Juden erkämpfen sich in verschiedenen Phasen Palästina und gründeten dort, genau im Abstand von 2100 Jahren zur Makkabäerzeit, einen formalreligiös und dem Volkstum nach jüdischen, in Wirklichkeit laizistischen Staat. Um 150 v. Chr. kam der erste Großtyrann Chinas, Schi-huang-ti zur Herrschaft, der — ähnlich wie Hitler etwa 2100 Jahre später — Konzentrationslager, riesige Befestigungen gegen den Westen (Große Mauer / Atlantikwall) und autobahnartige Reichsstraßen anlegen ließ, das föderalistische China zum zentralistischen Beamtenstaat umbildete, die persönliche Freiheit vernichtete, ein umfassendes Spitzelsystem einführte, die heilige Tradition auszulöschen oder zu entwerten suchte und ebenso wie Hitler Bücherverbrennungen anordnete. In fürchterlichen Kriegen gingen beide unter — die untersten sozialen Schichten, Bauern und Arbeiter bemächtigten sich der Herrschaft. Erst allmählich erfolgte eine Restauration der Überlieferung, der Religion, der Lebensformen. Auch die Lenin-Stalinsche Tyrannei steht geschichtsrhythmisch in Bezug zu den Taten des chinesischen Großtyrannen.

Etwa 100 Jahre lang — sowohl vor wie nach dem Jahre 150 — beunruhigten weltweite Sklavenaufstände, hervorgerufen durch den erbarmungslosen Landkapitalismus, die ganze damalige „Welt" von China bis nach Spanien. Der bekannteste war der römische Sklavenaufstand unter der Führung des Spartakus. Auch unsere Zeit ist seit fast hundert Jahren in steigendem Maße durch die „Sklavenaufstände" der Proletarier tief beunruhigt. Daß zwischen ihnen und den antiken Aufständen eine Parallele besteht, die im Bewußtsein der Heutigen lebt, erweist die „Spartakusgruppe" nach dem ersten Weltkrieg. Die drei punischen Kriege, durch die Rom erst zur Weltmacht aufstieg, gingen mit dem dritten etwa um 150 v. Chr. zu Ende. Sie entsprechen in der Bedeutung und in ihren Folgen den drei „deutschen Kriegen", demjenigen von 1870 gegen Frankreich und den beiden Weltkriegen. Deutschland erfuhr dabei dasselbe Schicksal wie Karthago: Einen schnellen, zur Eifersucht herausfordernden Aufstieg als Händlervolk und einen ebenso schnellen und blutigen Sturz. Amerika-Rom besiegte Deutschland-Karthago. — Seit dem Jahrhundert der Französischen Revolution begannen sich die großen Religionen immer mehr von ihrem völkischen Mutterboden zu lösen. Wie einst in der Spätantike „der Rückgang der Nationalkulturen Voraussetzung war für die Ausbreitung des Buddhismus, des Christentums, des Islam, des Manichäismus und eine Voraussetzung für die Mysterienreligionen" (Altheim), so werden auch heute durch den Rückgang der Nationalkulturen die lange organisch herangewachsenen Religionen wurzellos.

Spengler hat Frankreich geschichtsrhythmisch mit Griechenland verglichen und seine Kulturmission in Parallele mit der griechischen im Mittelmeergebiet gesetzt. Das ist in mancher Hinsicht richtig — schon darum, weil Alexander wie Napoleon aus den Randgebieten dieser beiden „Griechen-Länder" stammten. Aber darüber hinaus weltpolitisch gesehen ist ganz Europa Griechenland gleichzusetzen. Beide haben eine ähnliche Mission und, wie es sich heute abzuzeichnen scheint, ein ähnliches Geschick. Beiden sind äußerst zerrissene Küsten und höchst eigenwillige, streitbare und auf ihre Selbständigkeit bedachte Völker eigen. Beide sind in der Hochschätzung der Person, des Individuums, der Freiheit, in der großartigen künstlerischen und technisch wissenschaftlichen Begabung verwandt. Und beide haben Weltkulturen, Weltsprachen und eine auf Jahrtausende hinaus wirksame Weltgesittung begründet. Beide waren auch lange durch eine aus dem Osten kommende Fremdherrschaft gefährdet, Griechenland durch die Perser — Europa durch die Türken.

Wie Rom auf der griechischen, so beruht 2100 Jahre später Amerika (und allerdings auch Rußland) auf der europäischen Kultur. Und wie das römische Reich geistig von der griechischen Kultur abhängig blieb, so auch Amerika von der europäischen. Im Übergang vom Widder- zum Fische-Weltzeitalter bemächtigte sich Rom der Gebiete im östlichen Mittelmeer und anschließend Vorderasiens. Um 184 v. Chr. wird Mazedonien römisch, und um 146 v. Chr. wird Griechenland selber römische Provinz. Dem entspricht, daß Amerika heute in Europa, Afrika und Vorderasien Fuß gefaßt hat. Rom beerbte Griechenland und seine Tochterstaaten, ebenso beerbt heute Amerika Europa und seine Kolonien. Um 201 v. Chr. wird Spanien an Rom abgetreten, um 1898 die spanischen Philippinen an Amerika. Um 133 v. Chr. gewannen die Römer ihren ersten Landbesitz in Vorderasien; dem entspricht (etwa 1960), daß heute Vorderasien als Erbe der Engländer unter amerikanischen Einfluß gerät. Auf diese Weise kommt Amerika notgedrungen, bei der Ausbeutung des größten Ölschatzes der Erde, sowohl in Kontakt wie in Konflikt mit den vorderasiatischen Völkern. Einst ist Rom durch die griechische Uneinigkeit und Eifersucht zur einzigen Schutzmacht gegen den Osten geworden, heute ist — im Abstand von 2100 Jahren — Amerika in die gleiche Rolle Europa gegenüber eingerückt.

Die Parallelen ergeben, daß um 63 v. Chr. (was ungefähr dem Jahre 2050 n. Chr. entspricht) Syrien römische Provinz wurde, um das Jahr 30 v. Chr. geriet Ägypten unter römische Herrschaft. Die „Paradieslandschaft" zwischen Euphrat und Nil (siehe „Die Welt nach der Sintflut") wird zum wichtigen Grenzland des großen Westreiches — damals des römischen, heute des amerikanisch-europäischen. Denn es ist zu erwarten, daß, unter welcher Differenzierung auch immer, das „Westreich" Amerika, Europa und Teile Afrikas umfassen wird. Wie die Grenzen des römischen Reiches unaufhörlich durch die Parther, Perser und ihre Nachfolgestaaten beunruhigt wurden, so wird auch die Grenze des heutigen und kommenden Westreiches durch ständige Grenzkämpfe mit den asiatischen, wahrscheinlich mit den indischen Völkern bedroht sein. Die Ostgrenze Roms lag zwischen dem 30. und dem 40. Längengrad. In etwa ähnlicher Lage, wenn auch durch Kämpfe hin- und hergeschoben, wird sich künftig die Grenze des Westreiches wieder befinden. Innerhalb derselben, gerade noch mit eingeschlossen, befindet sich Syrien mit der alten Paradieslandschaft, die Drehscheibe der Welt. An dieser Grenze wird es in den nächsten Jahrzehnten, vielleicht auch noch Jahrhunderte lang, zu immer erneuten kriegerischen Auseinandersetzungen kommen. Dort werden Amerika-Rom und Rußland-Persien-Parthien nicht nur um die Vorherrschaft in einem zwar riesigen, aber doch begrenzten Gebiet, sondern darüber hinaus um die Weltherrschaft ringen. Man könnte diese immer wieder aufflammenden Konflikte den „dritten Weltkrieg" nennen — aber nur unter der Voraussetzung, daß man damit nicht eine weltweite Kriegsaktion versteht, die auf lange hinaus ausgeschlossen erscheint. In begrenzten Gebieten werden nämlich künftig große Probleme zur Entscheidung gebracht werden. Aber gerade weil die Länder des Vordern Orients in einer ständigen Konfliktzone gelegen sind, kann von einer wirklichen Selbständigkeit derselben keine Rede sein. Sie sind Fische im Netze der beiden Großreiche und werden je nach wechselnder Situation von einem Netz ins andere geworfen werden.

Aber auch wenn Europa mehr und mehr das Schicksal Griechenlands erleiden wird, nämlich die politische Entmachtung und das Aufgehen in einem größern Reich, so wird es dennoch überleben. Denn die Welt steht in den nächsten 2000 Jahren, zumindest aber in den nächsten 1000 Jahren unter der Prägung der europäischen Kultur. Wie von Griechenland, so strahlt auch von Europa eine Weltkultur aus — das griechische Bild vom Menschen wirkt bis heute nach — Mensch sein wird im nächsten Jahrtausend heißen: wie ein europäischer Mensch sein. Auch wenn Europa, der „Lehrmeisterin aller Völker" mehr und mehr die Zügel der Herrschaft entgleiten, so imprägniert es doch durch die Ausbreitung seiner Kultur über die Erde alle Völker, auch die schon dahinwelkenden, mit neuer schöpferischer Kraft.

So wie es infolge seines schöpferischen Überreichtums niemals gelang, Griechenland im Laufe eines Jahrtausends ganz auszurauben, so bleibt auch Europa heute und künftig eine unaufhörlich spendende Macht. So sehr auch heute und in Zukunft die unschöpferisch gebliebenen oder die unterentwickelten Völker Europa auszunützen trachten — sie werden es nicht erschöpfen. Aber sie erlangen durch seine Hilfe Kräfte und Anschluß an die Kultur- und Bewußtseinsstufe und an die Lebensformen und Zukunftshoffnungen des Wassermann-Zeitalters, ohne die sie als „Dämmervölker" (Carus) vegetieren müßten. Schließlich wird sogar das Herrschaftszentrum des westlichen Weltreiches, in Analogie zur Gründung Konstantinopels durch Kaiser Konstantin um 325, wieder nach Europa zurückkommen, und zwar etwa um 2425. Dann werden die amerikanischen Züge des „Westreiches", die sich durch die Übermacht der Technokratie und des Funktionalismus herausbildeten, zugunsten der europäischen wieder zurücktreten. Und schließlich wird dann von Europa aus, ein durch das kalte Feuer wassermannhafter Geistigkeit hindurchgegangenes und geläutertes Christentum, das mit dem heutigen die Substanz der Botschaft gemeinsam haben wird, seinen Siegeszug durch die Völker antreten.

Wie steht es mit Rußland? Es ist vielleicht das zukünftigste, aber auch das unglücklichste Land. Nicht weil ihm die Weltherrschaft zufallen wird. Dieser undurchschaubare, von einem Extrem ins andere gesteuerte Koloß, wird zu ungewöhnlichen Wandlungen befähigt sein, aber auch ein Übermaß von Leiden durchstehen müssen. Im russischen Volk verkörpert sich die Mentalität des Lebensurbildes Wassermann am intensivsten. Nicht Festigkeit, sondern Strahlkraft, nicht das Erstreben des Gewöhnlichen und Naheliegenden, sondern des Ungewöhnlichen und Fernen ist für Rußland kennzeichnend; es wird unaufhörlich schwanken zwischen einer extremen Brüderlichkeit und unfaßbarster Grausamkeit. Beweglich, vorurteilsfrei, unbeständig, von blitzartigen Impulsen durchzuckt, dann wieder von der Kraft großer Entwürfe und Tiefe der Einsicht durchglüht, von kalter Ideologie fasziniert, aber auch jede Kontinuität über den Haufen werfend — all dies wird die Lebensatmosphäre und das Handeln Rußlands bestimmen. Seine Kraft und Mentalität wird sich in der klassischen Zeit des neuen Weltalters, im Wassermann-Monat des Wassermann-Weltjahres, in den Jahren 2125—2300, am ungehemmtesten auswirken. Am Ende dieser Periode wird aber die große Völkerwanderung vom Rand der Reiche her stattfinden: Chinesen, Neger und die „grüne Rasse" Südamerikas, vielleicht auch die arabischen Völker drängen mit Heftigkeit, indem sie sich die ungeheuren Mittel der Hoch-Reiche aneignen, nach neuen Herrschafts- und Lebensgebieten suchend in die Reichsmitten. Dann wird die ganze Menschheit in intensiver Weise wassermannhaft flutend werden. Das Unterste kommt nach oben — alles wird von seinem Platz gerückt. Dann wird sich enthüllen, ob und wie die Führer der Menschheit, nur noch mit den weit über die Erde hinauswirkenden technischen Machtmitteln ausgerüstet, der Völkerstürme Herr werden können. Erst nach der Überwindung dieser Barbarenstürme (es handelt sich um Ereignisse in Analogie zu dem von Altheim als Vergleichspunkt angenommenen Zeitraum des 2. und 3. Jahrhunderts nach Chr.) wird das Westreich sein Zentrum in Europa zurückgewinnen.

Rußlands politische und kulturelle Wirkung erstreckt sich nicht, oder doch nur bedingt, nach Westen, sondern nach Osten hin. Dort leben die Völker noch auf einer tieferen, weil älteren Kulturstufe als Rußland (dieses einstige Kolonial- und Herrschaftgebiet des Westens) und die impulsgebenden Völker des Westens. Gewiß wird Rußland versuchen, den Westen zu verschlingen und sich einzuverleiben, wie einst die Perser, Parther und Sassaniden dies in bezug auf Rom versuchten. Doch so gefährlich die Schwächen Europas, seine Schuld und seine Versäumnisse auch sein mögen — sein Erbe ist so groß und großartig, so tief in der Substanz seiner Völker gegründet, daß Rußland, das wohl in große Weiten auszufahren, aber schlußendlich nichts zu halten vermag, daran scheitern wird. Rußland wird ohnedies — nicht jetzt, sondern erst in etwa 250 Jahren — ernstlich mit China in Konflikt geraten. Nach der Revolutionszyklen-Theorie von Stromer-Reichenbach wandern die Revolutionen in der Richtung des Uhrzeigers mit einem Zeitabstand von 130 Jahren um die Erde. Die Revolution Cromwells ereignete sich 130 Jahre vor der Französischen; ungefähr 130 Jahre nach dieser wurde die Deutsche geschichtliche Wirklichkeit und wieder 130 Jahre später wird die eigentliche Russische Revolution losbrechen. Denn die jetzige ist nur eine deutsche Revolution auf russischem Boden. 130 Jahre darnach werden die Chinesen bis zum Grund aufgerührt werden. Wie einst der Westen in den letzten Jahrhunderten vor Christus China zu überrennen suchte (Hunnen und Mongolenvölker, die „große Mauer" als Abwehr), so wird sich dieses jetzt gegen den Westen wenden; Rußland wird das erste und hauptsächlichste Opfer sein. Als Folge wird es dann, wenn auch nur vorübergehend, zu einem Bündnis des Westreichs mit dem russischen kommen.

Bleibt der Kommunismus in Rußland bestehen? Vorerst gewiß. Aber auch Rußland wird ihn modifizieren und ihn schließlich, wenn auch niemals ganz verleugnen, so doch in seinen negativen Aspekten überwinden. Praktisch aber kann dies nicht eher geschehen, als sich ein neues wassermannhaftes Christentum ausgebildet hat, das sich nicht mehr in fischehaften Formen ausprägt. Denn heute gibt es keine wirklich geistige, zur Umbildung des Vorhandenen befähigte Macht im Westen, die imstande wäre, durch seine Kraft und Substanz den Kommunismus zu überwinden. Zudem ist ein Christentum aus der Prägung des Fische-Zeitalters für das Wassermann-Rußland unannehmbar. Jedenfalls kann es dort keine geschichtsbildende Kraft entfalten. Aber ein wassermannhaftes Christentum, das die Herzen, die Leiber und den Geist durchdringt, das von ebenso großer Beweglichkeit ist, wie der Rhythmus der sprunghaften (d. h. akausal denkenden und lebenden) Wassermannzeit, wird genau auf die heimliche Erwartung Rußlands stoßen. „Gott ist jünger als alle" (Augustinus). Will man mit Gott sein und wirken, muß man sich seiner Jugend anpassen. Dies wird das Christentum einmal trotz seiner erhabenen und vorerst durch nichts zu ersetzenden Tradition zu vollziehen fähig sein. Dadurch daß es zu ständiger Präsenz gezwungen sein wird, wird zwar seine Erhabenheit in den unablässigen Kämpfen der kommenden Zeit dahinschwinden. Im selben Maße wird dann seine Lebendigkeit, durch die alle verjüngt und wiedergeboren werden, die mit seinem Geist und seiner Kraft in Berührung kommen, auf eine heute noch unvorhersehbare Weise wiedergewinnen.

Im Nachfolgenden sind eine Anzahl Daten in paralleler Reihung einander gegenübergestellt. Diejenigen des Altertums (links) sind solche teils vor, teils nach dem kritischen Datum 150 v. Chr. (dem Übergang des Weltalters des Widders in das der Fische). Diejenigen aus unserer Zeit (rechts) gruppieren sich, — teils vor, teils nach — um die kritische Jahreszahl 1950, den Beginn des Wassermann-Weltalters. Das linke Datum entspricht, im Abstand von jeweils etwa 2100 Jahren dem rechten, beide beziehen sich jeweils auf typologisch ähnliche Ereignisse. Es wird auffallen, daß sich in solcher Gleichordnung der Ereignisse und ihrer Daten oftmals eine Differenz bis zu 50 Jahren ergibt. Diese relativ geringe Unschärfe läßt sich nicht beseitigen, sie liegt wohl im Spielraum des Lebendigen begründet. Nachfolgende Tabelle stellt einen Versuch dar, der sich leicht ergänzen und weiterführen läßt.

Jeweils im Abstand von 2100 Jahren entsprechen sich

500—450 v. Chr.: Perserkriege gegen die Griechen 480 2. Perserzug geg. Griechld. Darnach klassische Zeit Griechenlands, höchste Blüte der Kunst, Klassik des griechischen Dramas Philosophie als von Religion, unabhängige Geistmacht, Platon, Sokrates, Aristoteles Nach kurzer Klassik Barock, Größte Expansion Griechenlands	1668—1699 n. Chr.: Kriege der Türken gegen Europa 1683 2. Belagerung von Wien Darnach höchste, reichste Blüte der Kunst im Barockzeitalter, Klassik des Dramas Philosophie von Leibnitz bis Kant als eine von der Religion unabhängige Geistmacht Nach kurzer Klassik Barock, Größte Expansion Europas
336—323: Alexander der Große einigt gewaltsam die Griechen, will das griechische Reich bis Indien erweitern, Begründung einer Weltkultur, Synkretismus und beginnender Skeptizismus	1802—1814: Napoleon einigt gewaltsam die Europäer, will das europäische Reich bis Indien ausdehnen. Erstes rein weltliches Reich in Europa, Synkretismus und beginnender Skeptizismus
Nach dem Tod Alexanders Zerfall des Reiches, Diadochen, Ende des Legitismus, üppiges Aufblühen der Zivilisation, von Wissenschaft und Technik, Warenherstellung in Großbetrieben, Welthandel	Nach Napoleons Sturz Rückfall in kleineuropäischen Nationalismus, Vordringen des republikanischen Prinzips, Üppiges Ausblühen der Zivilisation, Warenherstellung in Fabriken, Welthandel
2. Jhrhdt. v. Chr.: Rom steigt empor und greift nach dem Erbe Alexanders, unter Antiochus d. Gr. (Seleukidenreich) noch einmal Ausdehnung bis nach Indien	19. Jhrhdt: Amerika steigt empor und greift nach dem Erbe der Kolonialmächte, Englands kurze Herrschaft über Indien
2. Jh. v. Chr. Rom erzwingt die Freigabe aller Teilstücke des ehemaligen Alexanderreiches: Kleinasien, Syrien, Palästina und Ägypten	Im 19. und 20. Jhrhdt zerstört Amerika das europäische Herrschaftssystem und erzwingt die Freisetzung der außereuropäischen und europäischen Kolonien
241—146 v. Chr. die drei punischen Kriege Roms gegen Karthago um die Herrschaft im Mittelmeer und die Weltherrschaft. Niederlage Karthagos, Rom steigt an seiner Stelle zur Weltherrschaft auf	1870—1945, die drei „deutschen“ Kriege um die Vorherrschaft in Europa und die Weltherrschaft. Schneller Aufstieg Deutschlands — wird aber von Amerika besiegt, Amerika steigt zur Weltherrschaft auf
Um 150 Schi-huang-ti, Tyrann von China, zentralistischer Beamtenstaat, Absage an die bisherige Religion und Ethik, Reichsstraßen, große Mauer, Konzentrationslager, Bücherverbrennungen	1930/40 Hitler, Tyrann Europas, Versuch eines Zentralismus, Absage an bisherige Religionen und Ethik, Autobahnen, Atlantikwall, Westwall, Konzentrationslager, Bücherverbrennungen
Um 150 v. Chr. Makkabäeraufstand in Palästina, Wiederaufrichtung eines säkularisierten jüdischen Staates	Zwischen 1920 und 1950 Rückwanderung der Juden und Wiedererrichtung eines säkularisierten jüdischen Staates

Jeweils im Abstand von 2100 Jahren entsprechen sich

146 v. Chr. Zerstörung Karthagos	1945 Zerstörung Berlins
201 v. Chr. Spanien wird römisch	1898 die spanischen Philippinen werden amerikanisch
Im 2. bis Mitte des 1. Jhrhdts große Sklavenaufstände von China bis Spanien	Von Mitte des 19. bis ins 20. Jahrh. die großen Aufstände der Proletarier und Kolonialvölker
133 v. Chr. Rom in Vorderasien: Provinz Asia Heraufkunft der röm. Literatur Rom wird Schutzmacht Europas gegen Asien	Seit dem 1. Weltkrieg Amerika vorderasiatische Ölmacht Heraufkunft der amerik. Literatur Amerika wird Schutzmacht Europas gegen Asien
Um 63 v. Chr. wird der jüdische Staat römischer Vasallenstaat Syrien römische Provinz	Um 2050 wird Israel Vasallenstaat, das Westreich erstreckt sich im Osten bis zum Reichslimes zwischen dem 30. und 40. Längengrad
30 v. Chr. Aegypten Provinz des römischen Reiches	Um 2080 Aegypten Glied des westlichen Reiches
Um 60 v. Chr. Triumvirat Pompejus, Caesar, Crassus. Darnach Bürgerkrieg zwischen Pompejus und Crassus	Um 2050 gemeinsame Herrschaft der Regenten von Vorderasien, Europa und Amerika, darnach „Weltkrieg" zwischen den Teilreichen
45 v. Chr. Alleinherrschaft Caesars	Um 2075 tritt ein löwehafter Machthaber an die Spitze des westlichen Imperiums
30 v. Chr. bis 14 n. Chr. Augustus, Friedenszeit, Wiederherstellung der Tradition, des Kultes, der Sitte. Augustus pontifex maximus	Um 2080: das Kollegium der Wissenden ergreift die Herrschaft, Wiederherstellung der Tradition, ein neues christliches Reich in Amerika. Der Papst als Statthalter und Patriarch von Europa?
Etwa 25—200 n. Chr. Jesus Christus, Ausbreitung des Christentums unter Verfolgungen und Leiden, Entstehung der Evangelien als zeitüberdauernde Zeugnisse des Wirkens Jesu. Der Stoizismus mild, verständig, human als neue Sittenlehre des römischen Reiches	2225 — 2400 der klassische Wassermann-Monat im Wassermann-Jahr, das neue Denken setzt sich durch, dynamische politische Organisation, Höhepunkt der Wassermann-Technik, die sich über diesen Stand nicht weiterentwikkeln wird
107 n. Chr. Trajan, Unterwerfung Dakiens, größte Ausdehnung des röm. Reiches, 117—138 Hadrian, Friedenspolitik, Erneuerung der griechischen Denkart	2207 n. Chr. größte Ausdehnung des Westreiches, Australien, Kanada, Südamerika im Westreich?, die europ. Geistigkeit dringt im Reiche durch. Friedenszeit
Um 226 Neubegründung des Perserreiches (Sassaniden), neue Angriffskriege gegen Rom	Nach 2400 Aktivierung Indiens und Chinas, Angriffe gegen das Westreich. Gewaltige Völkerbewegungen

Jeweils im Abstand von 2100 Jahren entsprechen sich

250 erste allgemeine Christenverfolgung unter Kaiser Decius	Verfolgung aller Religionen durch die globale Wissenschafts-Religion
260—25 n. Chr. Rückzug Roms im Norden und Nordosten (Germanien, Dakien)	2360—75 Angriffe asiatischer Völker (Chinesen?) auf das amerikanische Westreich, Rückverlagerung der Reichsmitte nach Europa
293 Ende der bürgerlichen Freiheiten im allmächtigen Zwangsstaat	Um 2400 Ende der Demokratie im technokratischen Zwangsstaat
325 Kaiser Konstantin Alleinherrscher, neue Hauptstadt Konstantinopel im Osten, Erneuerung der griechischen Kultur unter christlichen Vorzeichen	Um etwa 2425 Verlagerung des politischen und geistigen Gewichtes des Westreiches nach Europa, vermutlich durch die Bedrohung Amerikas durch Asien. Östliche und westliche Elemente mischen sich unter der Vorherrschaft der abendländischen Kerntradition
Nach 325 Toleranzedikt Konstantins, Christentum Staatsreligion, 1. allgemeines Konzil von Nicea	Die neue wassermannhafte Form der christlichen Botschaft ergreift die Völker, ein Herrscher vom „Löwetypus“ (siehe 7. Feld) verhilft dieser zum Durchbruch

DER ZYKLUS DER ZWÖLF TIERKREISZEICHEN

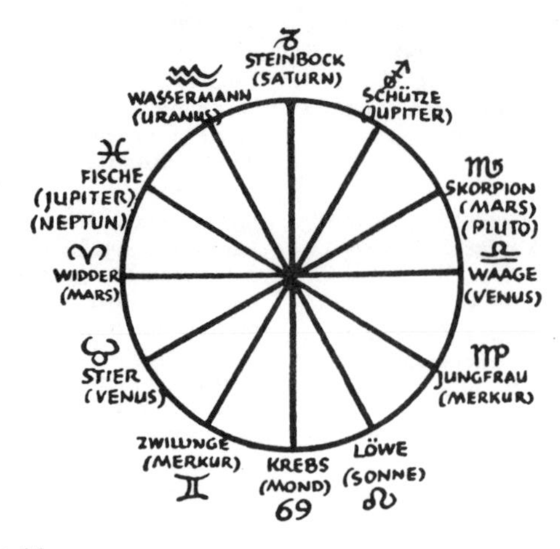

1. Der Widder

   Feurig und impulsgebend, heftig und gespannt, zur Führung drängend, pionierhaft, zäh, liebt die Gefahr, in hohem Grade egozentrisch. Als Antriebskraft wirkt der Planet Mars.

2. Der Stier

   Erdhaft schwer, weiblich, ausgestaltend und formgebend, geduldige Liebe und unbewußte Sinnlichkeit, traditionsbestimmt, festhaltend bis zum Eigensinn. Als Antriebskraft wirkt der Planet Venus.

3. Die Zwillinge

   Luftig beweglich, Tendenz zur Vereinfachung und Beschleunigung, hohe Intellektualität, kritisch und scharf, schlau, redselig, weitschweifig, sachliche, analytische Denkweise. Als Antriebskraft wirkt der Planet Merkur.

4. Der Krebs

   Wäßrig fließend, Gefühl und Phantasie, empfindlich und rezeptiv, von Stimmungen abhängig, schutzlos weich, nach rückwärts gewandt, Dynamik in Wellenbewegungen, Kreisen, Schwüngen. Nicht das Individuelle, sondern das Allgemeine tritt in den Vordergrund. Als Antriebskraft wirkt der Mond.

5. Der Löwe

   Feurig und zentral, machtvoll und selbstbezogen, hochherzig und stolz, standhaft und unwandelbar, Ausbildung der Persönlichkeit, das Lebensspiel und die Macht liebend. Aktivität und Kraftentfaltung. Als Antriebskraft wirkt die Sonne.

6. Die Jungfrau

Erdhaft ordnend, nachbildend, nicht schöpferisch, das Kleine, Nützliche liebend, lehrhaft, methodisch, nicht Einzel- sondern Gemeinschaftsarbeit, das Team-work, gewissenhaft und gründlich. Als Antriebskraft wirkt der Planet Merkur.

7. Die Waage

Luftig, harmonisch ausgleichend, hohe Bewußtheit, darum auch „erst unterscheiden, dann verbinden". Maß und Mitte, tolerante Gesinnung. Liebe zur Schönheit, aber auch zum Luxus und Wohlleben. Als Antriebskraft wirkt der Planet Venus.

8. Der Skorpion

Gleichsam Wasser im Sturm, zerstörende Gewalt und unermeßliche Tiefe, scharfe Aggression, Versuch den Kern aller Dinge und des Lebens zu finden. Stolz, Ehrgeiz, Energie, aber auch Mißtrauen, Härte, Grausamkeit. Als Antriebskraft wirken die Planeten Mars und Pluto.

9. Der Schütze

Von feuriger Dynamik, optimistisch der Welt zugewandt, idealistisch gesinnt, ins Weite blickend, religiöse, ethische und philosophische Probleme, Vertrauen und Hoffnung, lebensfrohe Individualität. Als Antriebskraft wirkt der Planet Jupiter.

10. Der Steinbock

Erdhaft, zäh ringend, unermüdlich ausdauernd, voll Härte gegen sich und andre, pflichttreu, auf das Hohe gerichtet, aber auch voll Ehrgeiz, schwerfällig, schwerblütig, durch das Gesetz objektivierend. Als Antriebskraft wirkt der Planet Saturn.

11. Der Wassermann

Luftig und geistig, scharfsichtiger, kühner in die Ferne dringender Geist, hell scharf, klar, von blitzartiger Beweglichkeit, Gegensätze vereinigend, universale Brüderlichkeit. Als Antriebskraft wirken die Planeten Uranus und Saturn.

12. Die Fische

Wasserhaft anschmiegend, voll einfühlender Mit-Liebe und Mit-Leiden, empfindlich und hingebungsvoll, ohne Grenzen, darum auch trotz All-Liebe zerfließend und formlos. Als Antriebskraft wirken die Planeten Jupiter und Neptun.

Das große oder platonische Weltjahr besteht aus 25 200 Sonnenjahren.

Dieses ist durch 12 kleine Weltjahre von je 2100 Sonnenjahren untergeteilt. Die 12 kleinen Weltjahre sind durch die Tierkreiszeichen als Lebensurbilder geprägt — ein jedes steht unter der besonderen Einwirkung eines solchen. Die Reihenfolge der Tierkreiszeichen ist die umgekehrte wie beim Sonnenjahr, beginnend mit den Fischen, endend mit dem Widder.

Jedes kleine Weltjahr ist wiederum unterteilt durch 12 Weltmonate von je 175 Sonnenjahren. Auch in diesem Bereich ist die Reihenfolge der Tierkreiszeichen eine rückläufige.

Als die klassische Zeit eines kleinen Weltjahres gilt jene, in der das Tierkreiszeichen eines kleinen Weltjahres und eines Weltmonats identisch sind, so z. B. der Widder-Weltmonat im Widder-Weltjahr, der Fische-Weltmonat im Fische-Weltjahr, der Wassermann-Weltmonat im Wassermann-Weltjahr.

In jedem kleinen Weltjahr sind die drei letzten Weltmonate als Zeit der Auflösung und die drei ersten Weltmonate als Zeit der Neubildung von besonderer Bedeutung.

In jedem kleinen Weltjahr wandelt sich die Gestalt des Religiösen in dreifacher Weise: zuerst prophetisch-aktiv, dann mystisch-passiv und schließlich intellektuell-doktrinär.

Jedes kleine Weltjahr kann durch ein Horoskop ausgegliedert werden. In die 12 Lebensfelder geteilt, gibt es Aufschluß darüber, unter welchen Vorzeichen die einzelnen Lebensfelder gestaltet und gelebt werden.

DIE 12 LEBENSFELDER

1. Feld
Das Ich, die ursprüngliche Anlage, der Typus und die Grundqualität, die Welt auf das Ich bezogen.
2. Feld
Materielle Mittel, Besitz, Art der Wirtschaft, Leiblichkeit.
3. Feld
Das Inverbindungtreten mit der Welt, die kleine Gemeinschaft, die Geschwister, Literatur und Verträge. Zweckdenken.
4. Feld
Herkunft, Erbmasse, die Familie, das Haus, das Alter.
5. Feld
Die lustvolle Entfaltung der Persönlichkeit, Spiel, Theater, Erotik, die Kinder, Selbstdarstellung.
6. Feld
Der Alltag, Dienst und Last, Arbeitsweise, Krankheit und Heilung.
7. Feld
Das Du, Partnerschaft, Ehe, erstrebte Verhältnisse und Ideale, Öffentlichkeit.
8. Feld
Das Stirb und Werde, die Verwandlung, der Tod und das Schöpferische als Abstieg in das Tief-unten, das Unzugängliche.
9. Feld
Religion, ethisches und philosophisches Denken. Alles, was in die Weite führt, irdisch und geistig: Gott oder große Reisen.
10. Feld
Die Stellung in der Welt, Leistung, Beruf, Führertum, öffentliches Leben.
11. Feld
Die Freiheit, Freundschaft jenseits der sozialen Bindungen, die große Überschau.
12. Feld
Die Abgeschiedenheit, Einsamkeit, Kloster, Gefängnis, das Verborgene, die Ergebung, Ahnung des Jenseits, an der Grenze.

ANMERKUNGEN

1.) Siehe C. G. Jung, Ein moderner Mythus. Von Dingen, die am Himmel gesehen werden, Zürich, 1958, insbesondere S. 7/9. Dies Alterswerk Jungs ist eine ausgezeichnete Diagnose des heutigen Menschen und dessen was kommt, von der Innenseite her gesehen. Ein tiefer Ernst leuchtet aus den prophetischen Warnungen Jungs hervor. Er bekennt sich hier zu der alt-neuen Lehre von den Weltaltern.

2.) Das umfassendste astrologische Lehrwerk ist das 6bändige Forschungs- und Unterrichtswerk von Kündig/Sementowski „Astrogica", Metz-Verlag, Zürich 1949—1956.

3.) Joachim von Fiore, Das Reich des Hl. Geistes, O. W. Barth-Verlag, München 1955. In diesem Werk sind die ersten deutschen Texte des bedeutendsten christlichen Geschichtstheologen und -propheten Joachim von Fiore enthalten. Joachim faßte in seiner Schau von den „drei Reichen", dem des Vaters, vor Christus, dem des Sohnes als Zeitalter der Kirche und des künftigen des Hl. Geistes, die Erfahrungen und Thesen einer Reihe von Vorgängern zusammen. Hiezu auch H. Grundmann, Joachim von Fiore, in „Die Wahrheit der Ketzer", Stuttgart 1968.

4.) Alfons Rosenberg, Zeichen am Himmel (Das Weltbild der Astrologie), Metz-Verlag, Zürich 1949.

5.) Die Bibel, in deren Texten die allgemeine Menschheitsüberlieferung durch göttlichen Spruch legitimiert ist, weiß von einer Wasserkatastrophe, der Sintflut, in der Vergangenheit einer früheren Erdperiode und von einer Feuerkatastrophe in der Zukunft. Die Reihenfolge ist darum kaum umkehrbar.

6.) Nach dem ausgezeichneten „Handbuch der Weltgeschichte", Walter Verlag, Olten-Freiburg, herausgegeben von Alexander von Randa, 1.Band, vor allem die Spalten 193—198 und a. a. O., das hier mehrfach zu Rate gezogen wurde, ergibt sich, daß das Kulturzentrum der Menschheit im Vordern Orient lag. „Die Anerkennung der führenden Stellung Südeurasiens führt zu dem Schluß, daß Vorderasien der eurasische Drehpunkt raschesten Kulturaufschwunges ist". (ebenda, Sp. 193)

7.) Otto Muck, Atlantis, die Welt vor der Sintflut. Walter Verlag, Olten-Freiburg 1956.
Aus der Untergangskatastrophe von Atlantis leitet Muck die Entstehung einer Sintflut her, die große Landteile in die Tiefe riß, andere auf lange Zeit verheerte und unbewohnbar machte. Munk ist der Ansicht, daß diese Katastrophe, die zur Vernichtung eines Teiles der Menschheit und zu einem Traditionsbruch führte, durch einen aus dem Weltall herabstürzenden Planetoiden verursacht wurde, der an der Nordamerikanischen Westküste (Charleston, Carolina) die Erdrinde durchschlagen, sie auf 4000 km Länge aufgerissen und so einen Unterwasservulkanausbruch von riesenhaften Ausmaßen hervorgerufen habe. Als Folge davon sei das Meer als Springflut über die Küsten und Länder hereingebrochen oder als Blut- und Schlammregen auf sogar entfernte Erdteile niedergegangen. Durch eine damit zusammenhängende Magmapegelsenkung ist schließlich die Atlantis-Insel versunken und zu

einem heute noch feststellbaren untermeerischen Landmassiv geworden, dessen höchste Bergspitzen jetzt die Azoren bilden. Mit der Darstellung dieser Ereignisse macht Munk den realen Hintergrund der Sintflutsagen der Völker und vor allem die Sintflutüberlieferung der Bibel als Nachhall und geistige Deutung einer Menschheitskatastrophe, die den Untergang von ganzen Kulturen, Menschen- und Tiergruppen, die Verödung großer Landstriche, die Veränderung des Klimas zur Folge hatte, glaubwürdig. Zudem weiß er anschaulich zu machen, daß der „Aufschlag des Planetoiden eine verstärkte Taumelbewegung der Erdachse verursachte". Eine solche Veränderung in der Lage und Bewegung der Erdachse erscheint aber für unsere Untersuchung besonders bedeutungsvoll, da sie auf eine ganz andersartige Bewegung der Erdachse „vor der Sintflut" hinweist. Dies bedeutet, auf unsere Gedankengänge übertragen, daß seitdem auf Erden eine andere Klimaverteilung herrscht, daß sich seitdem aber auch — weil das Physische und Psychisch-Geistige in einer Wechselwirkung stehen — die Mentalität des Menschen wesentlich geändert hat. Munk nimmt an, daß durch die verstärkte „Taumelbewegung der Erdachse" sich eine Polverlagerung um etwa 3500 km ergeben habe. Seither sind der Drehpol und der magnetische Pol (im Norden) nicht mehr ortsgleich. „Das Erdenklima ist betont solarperiodisch geworden" und damit auch, ist zu schließen, das Kulturgefüge der Menschheit.

„Nun wird es begreiflich, warum die Frühblüten am Nil und am Euphrat, im Kykladenraum wie im Bereich der Megalithbauten (bis nach Indien und China) annähernd gleichzeitig um etwa 4000 v. Chr. sich eröffneten. Überall keimt neues Leben aus den von der Sintflut und den sekundären Nachwirkungen der Atlantiskatastrophe hinterlassenen Ruinen" (Muck).

8.) Randa, Handbuch der Weltgeschichte, Walter-Verlag, Olten/Freiburg.

9.) Jedes Weltalter wird durch eine Achsenzeit oder besser noch durch ein „Reformationszeitalter" von drei Welt-Monaten (525 Jahre) beschlossen. Man könnte eine solche Periode eine Inkubationszeit nennen, in Analogie zu den 9 Monaten des vorgeburtlichen Menschenlebens. Die „Achsenzeit" ist zudem identisch mit der jeweiligen „Neuzeit" am Ende eines Weltalters.

10.) Randa, Handbuch der Weltgeschichte, 1. Bd. Das messianische Zeitalter.

11.) Hiezu W. Bitter (Herausgeber): Meditation in Religion und Psychotherapie, Kindler-Taschenbuch.

12.) Siehe auch C. G. Jung, Aion, Zürich 1951, insbesondere die Kapitel: „Das Zeichen der Fische" und „Über die geschichtliche Bedeutung des Fisches".

13.) Hiezu A. Rosenberg: Engel und Dämonen (Gestaltwandel eines Urbildes), Prestel Verlag, München 1967. Die Lehre von den Engeln und Dämonen hat im Fische-Zeitalter ihre höchste Ausbildung erfahren.

14.) „Aufrichtige Erzählungen eines russischen Pilgers", Herder-Bücherei.

15.) Hiezu A. Rosenberg, Engel und Dämonen, München 1967, S. 92: Der Erzengel Michael, Auftrag und Gestalt. Da das Weltenjahr mittels der Projektion des irdischen Jahres erkannt und umschrieben wird, ist es von Nutzen, sich zu vergegenwärtigen, daß im Waageabschnitt desselben,

Ende September bis Ende Oktober, im christlichen Kirchenjahr das Fest des Erzengels Michael, des Helfers im Gericht, im altjüdischen und babylonischen Kulturkreis aber das Neujahrsfest mit seinem Gerichtstag fällt.

16.) Die erneute Hochschätzung der bisher verurteilten Ketzergestalten und -Bewegungen zu Beginn des Wassermann-Zeitalters hängt damit zusammen, daß diese bisher im 12. Feld als illegal gebannten geistigen Formen und Strebungen als geschichtsbestimmende Mächte hervorgetreten sind. Die eindrücklichste Darlegung hierfür ist dokumentiert in „Die Wahrheit der Ketzer“ (herausgegeben von H. J. Schultz), Stuttgart 1968).

17.) Valentin Andreä, Die Chymische Hochzeit, O. W. Barth-Verlag, München 1957. Der Text der Urschrift der Rosenkreuzerbewegung.

18.) Hiezu A. Rosenberg, Experiment Christentum, München 1969.

19.) Alfons Rosenberg, Der Christ und die Erde. Kap. Heilung durch den Glauben, Walter-Verlag, Olten/Freiburg 1953.

20.) In diesem Zusammenhang sei auf das geistreiche Werk des englischen Historikers R. C. Churchill: „Welt wohin? Kurze Geschichte von Morgen und Übermorgen 1957—6601,“ Diana Verlag, Zürich 1956, hingewiesen. Nur ein Engländer kann heute den tiefen Ernst seiner Überlegungen in eine scheinbar gewichtslose humoristisch-sarkastische Weise einkleiden. Churchill nimmt nämlich die großen, bedeutsamen Utopien unserer Zeit, jene von George Orwell, Eveleyn Waugh, Nevil Chute, Aldous Huxley, R. R. Graves und andre mehr (auffallend: nur Angelsachsen! — sind diese heute weitsichtiger als andere Völkergruppen?) als Geschichtsquellen und baut daraus, mit Karten und „wissenschaftlichem“ Apparat, eine „Geschichte der Zukunft“. Manches mag dabei fantastisch klingen, aber als „Einübung in Zukunft“ ist dies gewiß ein fruchtbares Werk. Mit Unrecht schilt ein Aufsatz im „Hochland“ (Februar 1958) solche und andre Werke als eine Vorschubleistung zur „Flucht in die Prognose“. In Wirklichkeit erweist sich diese heute auf allen Gebieten, der Wirtschaft, der Politik, des Wetters, der Seuchenbekämpfung und der Medizin u. s. w. als unerläßlich. Es gibt heute Prognosetechniken in jeder Hinsicht und es ist zu erwarten, daß diese immer mehr verfeinert und ausgebaut werden. Einer der Gründe für das Überhandnehmen der Prognostik ist das Anwachsen der Statistik, die heute wie ein Netz über alle Lebensphänomene geworfen ist. Wer heute nicht, wenn auch auf die bescheidenste Weise, Prognostik treibt, hat kaum Aussicht im raschen Wandel aller Lebensverhältnisse zu bestehen. Mag er theoretisch auch dagegen protestieren, praktisch übt er sie doch — wenn er leben will.

21.) Es herrscht keineswegs Übereinstimmung über das Datum des Überschrittes (der Wanderung, Präzession des Frühlingspunktes in ein weiteres Tiekreiszeichen) — ja nicht einmal über die Auswirkung dieses Faktums auf den Menschen herrscht Einheitlichkeit. Die beiden so verdienstvollen Strauss-Klöbe‘s, W. Knappich leugnen überhaupt einen Zusammenhang. Th. Ring ist skeptisch, während G. Paris, H. Fischer, Hans Künkel, E. Sänger, C. G. Jung, ebenso H. H. Kritzinger, der sich mit vielen und guten Gründen zur „langperiodischen Einwirkung der Sonne auf die Völker“ bekennt, in einer positiven Weise zur Lehre von den Weltaltern auf Grund der irdischen Präzession stehen. Die genaue Ansetzung der Präzession ist verschieden; nach v. Sebottendorf

erreichte der Frühlingspunkt um 9 v. Chr. das Sternbild der Fische, infolgedessen im Jahre 1843 deren 26. Grad — heute würden uns dann noch 3 Grade oder etwa 200 Jahre vom Sternbild Wassermann trennen. Eine andere Berechnung setzt, nach E. Sänger, den Augenblick des Übergangs erst in das Jahr 2469 n. Chr., Günther Paris (Amor fati, 1949) nennt unsre Gegenwart als Zeit des Übergangs, Hanns Fischer (Aberglaube oder Volksweisheit. 1939) bestimmt das Jahr 1950 als das in Frage kommende, ebenso Hans Künkel (Das große Jahr, 1922), C. G. Jung weist in „Äion", Zürich 1951, S. 141, Anm., auf Folgendes hin:
„Da die Abgrenzung der Sternbilder bekanntlich arbiträr ist, ist diese Zeitangabe (daß nämlich der Frühlingspunkt im Laufe des 3. Jahrtausends in den Aquarius eintreten werde) sehr unbestimmt. Sie bezieht sich auf die wirkliche Konstellation der Fixsterne, nicht aber auf das zódion neotón, d. h. auf den in Sektoren von je 30 Grad eingeteilten Zodiacus. Astrologisch dürfte der Beginn des nächsten Aeons, je nachdem welchen Ausgangspunkt man wählt, zwischen 2000 und 2200 p. Chr. n. liegen." C. G. Jung meint, es könnte sich um das Jahr 2154 oder um das Jahr 1997 handeln. In seinem bisher letzten Werk „Der neue Myhtus" (Zürich 1958) nähert er sich allerdings dem von mir und andern vorgeschlagenen und durchaus wahrscheinlichen Datum 1950.
Das Geheimnis dieser verschiedenen Aussagen beruht auf der verschiedenartigen Ausdehnung der Tierkreis-Sternbilder, die nach der Leidener Astronomen-Konferenz von 1923 ganz uneinheitlich zwischen 19 (Krebs) und 37 (Fische) Grade aufweisen. Aber das Geheimnis löst sich, wenn wir, mit andern, annehmen, daß „die zodiakalen Qualitäten nur dem Zeichenkreis, als unserm eingeborenen Sonne-Erde-Kraftfeld, nicht aber dem Sternbilderkreis zugehören". Dadurch ergibt sich die auch anderwärts übliche Einteilung der Tierkreiszeichen in jeweils 30 Grade, während die Tierkreis-Sternzeichen durch ihre unterschiedliche Ausdehnung auch eine verschiedene Anzahl von Graden aufweisen. Diese abstrakte 30 Grad-Einteilung ist die Summe einer jahrtausendlangen Menschheitserfahrung und stellt eine schöpferische Erkenntnis von höchster Bedeutung dar. Denn erst dadurch wurde eine Überschau (Theoria) über den Lebensrhythmus möglich und eine Koordination des menschlichen Erdrhythmus mit dem kosmischen Sonnenrhythmus, von dessen Einwirkung die Periodizität alles organischen und geistigen Lebens auf Erden abhängt. Nachzutragen bleibt, daß das Jahr 150 v. Chr. als Übergang des Widder- in das Fische-Zeitalter und davon abhängend das Jahr 1950 n. Chr. als Übergang vom Fische- in das Wassermann-Zeitalter, unabhängig von den damit übereinstimmenden Forschern durch die Methode des Geschichtsparallelismus gefunden wurde. Es fiel mir nämlich anfangs der dreißiger Jahre die Ähnlichkeit des gegenwärtigen Geschichtsverlaufes mit dem um 150 v. Chr. auf. Darin wurde ich dadurch bestärkt, daß die Prognosen, die ich auf Grund dieser Beziehung unternahm sich als stimmend erwiesen und die Jahr um Jahr sich ereignenden Geschehnisse immer wieder auf ähnliche im Abstand von etwa 2100 Jahren hinwiesen. Wie die Zeit um 1950 stellte auch jene um 150 v. Chr. einen Krisenpunkt von weltweiter Wirkung, ja eine Kulturwende dar. Die Vermutung lag nahe, daß es sich bei diesen beiden Daten um Übergänge von Weltjahren handeln müsse. Eine Fülle von Indizien haben schließlich die Vermutung zur Gewißheit reifen lassen.

22.) Leopold Ziegler, Menschwerdung, Olten 1948, und ebenso L. Ziegler, Traktat vom allgemeinen Menschen, Hamburg 1956.

23.) Siehe: So spricht Fr. Oetinger, O. W. Barth-Verlag, München 1957.

24.) Hier ist nochmals auf „Engel und Dämonen“ hinzuweisen, das Werk, in dem die menschliche Gesamterfahrung von den Engeln vom Altertum bis zur Gegenwart in Bild und Wort zusammengefaßt ist.
Alfons Rosenberg, Michael und der Drache, Olten/Freiburg 1956.
Matthäus Ziegler, Engel und Dämonen in der Bibel, Zürich 1957.

25.) Giselher Wirsing, Die Menschenlawine, Stuttgart 1956.
Die Drei-Milliarden-Grenze wurde bereits 1965 überschritten — die Sechs-Milliarden-Grenze um 2000; Fucks ist der Ansicht, daß die Erdbevölkerung in etwa 100 Jahren bei der Zahl von 8 Milliarden stabilisiert werden wird. Das ungeheuer schnelle Wachstum der Menschenzahl ist ja nur zum Teil durch Erhöhung der Geburtsrate, sondern ebensosehr durch das Sinken der Sterblichkeitsrate, bedingt. Notgedrungen muß es einmal zu einem Ausgleich der Geburts- und Sterblichkeitsrate kommen — dies scheint um 2050 der Fall zu sein. Aber bis dahin wird die kollektive Problematik der menschlichen Existenz dadurch kompliziert, daß die anbaufähigen Erdreserven in Bälde aufgebraucht sein werden. Von der Gesamtmasse des anbaufähigen Bodens auf der Erde — 2 Milliarden Hektar — werden heute bereits 1,35 Milliarden bearbeitet. Als Reserve stehen nach Schätzung britischer Bodenfachleute noch etwa 700 Millionen Hektar zur Verfügung (120 Millionen in Nordamerika und Sowjetunion, 360 in Südamerika und Afrika, 40 Millionen auf den südostasiatischen Inseln). Aber alleine die Sowjetunion hat 1953/55 etwa 35 Millionen Hektar in Mittelsibirien unter den Pflug genommen. Auch wenn es sich am Beispiel Europas und Nordamerikas gezeigt hat, daß sich der Bodenertrag auf die dreifache Menge intensivieren läßt, werden längstens bis 2020 die Landreserven gänzlich aufgebraucht sein. Die Menschheit wird zwar auch dann nicht hungern müssen, ja völlig genügend ernährt werden können. Jedoch wird sich die schwierige Situation dadurch fortsetzen, daß sich gegenwärtig die Hälfte der Erdbevölkerung auf 5 Prozent der Landfläche der Erde zusammendrängt, und 57 Prozent derselben weniger als 5 Prozent der Erdbevölkerung aufweist. Zudem ist der größte Teil der Landoberfläche der Erde kaum besiedelbar. Auch lebt in Südostasien auf etwa einem Zehntel der bewohnbaren Erdoberfläche ungefähr die Hälfte der Menschheit. — All dies wird sich auch in Zukunft, trotz der Besiedelung der bisher unbewohnten, aber kultivierbaren Böden, nicht wesentlich ändern lassen. Aber beides, das schnelle Anwachsen der Menschheit, wie der nur beschränkte Siedlungs- und Nutzungsraum, müssen zu einer immer intensiveren Planung der gesamten Wirtschaft führen.

26.) In der „Weltwoche“, Zürich, berichtet Georg Gerster in der Nummer vom 9. Mai 1958 von einer „Biokontrolle“ genannten Steuerungs- und Planungstechnik des Menschen, deren Grundzüge heute bereits entwickelt werden und die zu einer Versklavung von Teilen der Menschheit führen kann, insbesondere wenn diese Technik in die Hände von besessenen Sozial-Organisatoren, die im Grunde viel gefährlicher als die bisherigen politischen Tyrannen sind, fallen würde.
Am Horizont einer ohnehin schon genug geängstigten Menschheit zeichnet sich eine neue Bedrohung ab: die Biokontrolle. Nicht der Sache, aber der Bezeichnung nach ist die Biokontrolle eine Schöpfung

Curtiss R. Schafers, der für eine New-Yorker Firma elektronische Apparate entwirft und entwickelt. Schafer warnte unlängst auf einer Tagung in den Vereinigten Staaten, die dem letzten Schrei in der Elektronen-Technik galt: „Biokontrolle kann definiert werden als Kontrolle über die physischen Bewegungen, die Denkvorgänge, die Gefühle und Sinnesempfindungen bei den höheren Formen von tierischem Leben (inbegriffen beim Menschen) mittels bioelektrischen Signalen, die dem zentralen Nervensystem des Opfers ‚eingeimpft' werden."

Die Schreckensvision der Biokontrolle, die Curtiss R. Schafer entwirft, kann sich auf zahlreiche Ansatzpunkte stützen.

„Verschiedene Autoren haben in letzter Zeit für den Fall eines dritten Weltkrieges die Massen-Versklavung ganzer Nationen vorausgesagt. Diese Versklavung könnte dem Besiegten als Friedensbedingung aufgezwungen werden, oder auch durch die Drohung eines Angriffs mit Wasserstoffbomben. Biokontrolle könnte die Versklavung vollständig und endgültig machen, denn den einmal Kontrollierten würde niemals mehr erlaubt, als Einzelmenschen zu denken. Wenige Monate nach der Geburt würde bei jedem Kind von einem Chirurgen ein Steckkontakt unter der Kopfhaut montiert, ferner eine Reihe von Elektroden, welche diesen Kontakt mit ausgewählten Stellen des Hirngewebes verbinden. Ein oder zwei Jahre später würden an diesem Steckkontakt ein Miniatur-Empfänger und eine Antenne angeschlossen. Von diesem Augenblick an könnten die Sinneseindrücke und die Muskeltätigkeit des Kindes entweder beschränkt oder vollständig kontrolliert werden mittels bioelektrischen Signalen, die von staatlich betriebenen Rundfunksendern ausgestrahlt werden. Zeitung, Radio und Fernsehen wären überflüssig, denn die Information, die sie heute vermitteln, würde direkt jedem einzelnen Gehirn zugeleitet. Das Wesen, das einst ein menschliches war, wäre — derart kontrolliert — die billigste der Maschinen, sowohl was die Herstellung als auch was den Betrieb betrifft. Auch nur einen einfachen Roboter zu bauen, kostet zehnmal mehr, als ein Kind auf die Welt zu stellen und bis zu seinem 16. Altersjahr aufzuziehen."

27.) Die bisher gründlichste Schilderung der „Band-Städte" in USA ist enthalten in Karl Korn, Faust ging nach Amerika, Olten/Freiburg 1958, in dem Kapitel „Megapolis, Leben und Wohnen am laufenden Band". Diese „Band-Städte", aus den Suburbs entstanden, haben, wie z. B. in der Gegend von Boston bis Washington, eine Ausdehnung bis zu 800 Kilometern. In dieser wohnen 30 Millionen Menschen. Aber es gibt auch kleinere, wenn auch immer noch riesenhafte, so im Zusammenhang mit Los Angeles, oder an der Küste des Michigansees um Chikago. Die Streifen- oder Bandstädte, von denen bereits mehr als ein halbes Dutzend auf Karten eingezeichnet sind, verdanken ihre Entstehung den Superhighways, die gewissermaßen das Rückgrat dieser amorphen Riesensiedlungen, die nur noch das Shopping Center als Mittelpunkt kennen, bilden. Man rechnet damit, daß um 1990 über 80 % der Bevölkerung Amerikas und Eurasiens in den amorph gewordenen Riesenstädten wohnen werden — die Urbanisierung der Erde.

28.) Die jeweilige Art einer Kultur und des sozialen Lebens ist immer grundgelegt durch das Verhältnis und die Gestaltung der Geschlechtlichkeit. Sie ist gewissermaßen die breite und zugleich verborgene Basis, über der die Pyramide der Kultur errichtet ist. Das jeweilige Verhältnis von Mann und Frau, insoweit es typisch und verbindlich ist, bestimmt gewissermaßen als Modell alle andern Beziehungen und Verhaltungsweisen des Menschen. Insofern kann die Art der Beziehungen von Mann und Frau, und die Gestaltung der Geschlechtlichkeit niemals nur Privatsache sein. Eine Veränderung in der Beziehung von Mann und Frau oder der Bewertung des Geschlechtlichen zeigt darum stets einen Kulturumschwung an. Und da der Geist im Menschen, der andere Pol" des Geschlechtes, immer, wenn auch heimlich auf dieses bezogen ist, weisen Veränderungen im erotischen Verhalten auf solche im geistigen Bereich.

29.) Siehe A. Rosenberg, Die Entstaltung des Vaters, in: Vorträge über das Vaterproblem, herausgegeben von Dr. Bitter, Hypokratesverlag, Stuttgart 1969.

30.) Siehe Alfons Rosenberg, Der Christ und die Erde, Kapitel „Die Heilung durch den Glauben", Walter Verlag, Olten/Freiburg 1953.

31.) Die Todesproblematik wurde von Wissenden umgreifend dargestellt in dem Sammelband „Was ist der Tod", Piper Paperback.

32.) Hiezu „Aufrichtige Erzählungen eines russischen Pilgers", herausgeg. von Reinhold von Walter, Herder-Bücherei.

33.) Die Ansätze hiezu sind heute von den verschiedensten Seiten her vorhanden. So gebraucht der hl. Bruder Albert von Polen, der noch im 20. Jahrhundert gelebt hat, den Ausdruck „Gott im Sakrament des Nächsten", in der Überzeugung, daß Gott im Nächsten ebenso in realer Weise anwesend und verhüllt sei, wie im Brot. Eine ähnliche Gesinnung waltet bei der italienischen Laienbewegung der Focolarini, einem der noch jungen, religiösen Lebensbünde, in die sich künftig die Kirche ausgliedern werden wird.

34.) Nur die griechische Sprache läßt die Unterscheidung in Eros und Agape zu. Die hebräische Sprache und die aramäische, deren sich Jesus bediente, wie auch die meisten europäischen Sprachen kennen diese Unterscheidung, die sich verhängnisvoll ausgewirkt hat, nicht. Denn durch die griechische Formulierung der Botschaft Jesu ist seitdem eine Zerreißung des Eros, einerseits eine Vergeistigung, andererseits eine Sexualisierung des Eros, angebahnt worden. Das christliche Abendland hat die intensivste Erotisierung der Gottesliebe (formal durch die mystische Deutung des Hohenliedes) vollzogen (auch wenn man bedenkt, daß die Gottesliebe in Asien keine geringe Rolle spielt). Auch Dantes Beatricegestalt ist ein Zeugnis hierfür. Aber andererseits wurde durch solchen pneumatischen Aufschwung des Eros im Christentum die Sexualität in die bloße Nützlichkeitsfunktion abgedrängt, die Geschlechtlichkeit wurde zur „dunklen, unerwünschten Triebseite" des Menschen. Als Folge bildete sich eine Geschlechtsproblematik heraus, eine neurotische Weise der Geschlechtlichkeit, die in Asien und im Bereich der asiatischen Religionen bis heute, auch noch im Verfallszustand der asiatischen Völker, unbekannt geblieben ist. Diese Spaltung des Eros läßt sich symbolisch an der gegenläufigen Doppelheit (dem Zwiespalt) des Fischezeichens ablesen. Mit dem nun erreichten Ende seiner allgemeinen Wirksamkeit muß sich darum auch die bisherige Geschlechtsproblematik auflösen. Es ist allerdings nicht wahrscheinlich, daß die Einheit des Eros im Sinnlichen, wie im Widder-Weltjahr wiederhergestellt werden wird. Im Gegenteil — es hat den Anschein, daß die Spaltung des sinnenhaften Eros fortschreiten wird — die Lösung, die neue Einheit ist einzig vom Geistigen her zu bewirken.

35.) Angesichts der Verhärtung und des Zerfalls der Religionen auf der ganzen Erde, hervorgerufen durch eine Wandlung der Empfindungsweise und einer gewandelten Bewußtseinslage des Menschen, kann man sich mit berechtigter Sorge fragen, ob der christliche Glaube, ob die christliche Kirche noch eine Zukunft habe. Daß die Menschheit heute weithin dem Materialismus verfallen ist, in Asien ebenso wie in Europa und Amerika, hängt mit dem Abbau sämtlicher Kulturen der Erde zusammen. Die „Tempel des Geistes" werden abgetragen, da man ihr „Material", ihre Bausteine, für neue Bauten gewinnen will. Der Mensch hat heute in jeder Weise, geistig oder dinglich, mit der Materie zu tun. Der Materialismus ist auf die Dauer reines Gift, er führt in der Konsequenz zu einer totalen Nivellierung des Menschen. Dennoch ist der Mensch heute zu einer dringlichen Beschäftigung mit der Materie, die sich bei schwächeren Geistern ideologisch als Materialismus äußert, genötigt. Er muß sich infolge des ungeheuren und sprunghaften Wachstums der Menschheit, das seit der Entdeckung des Planeten Uranus eingesetzt hat, völlig neue Lebensmöglichkeiten schaffen. Es geht buchstäblich um Leben oder Tod eines Großteils der Menschen. Erst wenn die Kontinuität des Lebenkönnens wieder gesichert sein wird, wird sich auch das religiöse Leben erneuern und in Fülle ausbreiten.

Hat der christliche Glaube eine Zukunft? Um dies zu erwägen, müssen wir von der Einzigkeit desselben ausgehen. Der Mensch ist dazu berufen, Mensch zu sein. Jede der Religionen hat dem Menschen ermöglicht, einen Aspekt des Menschseins zu realisieren, aber nur der christliche Glaube ermöglicht die allmähliche Herausbildung der vollen Komplexität des Menschen, die Heraufkunft des „menschlichen Menschen" — die Realisierung seines Zusammenhangs sowohl mit der Schöpfung wie mit der Ursprungswelt (die da ist Gott), die Polarisierung des Äußern und des Innern, der völligen Inbezugsetzung von Peripherie und Mittelpunkt, die Beherrschung der Welt wie die Befreiung des Menschen. Daß Gott Mensch geworden ist, das ist schlechthin der Wendepunkt der Entwicklung des Menschen zu sich selber, ganz gleichgültig, ob man sein Ziel als Realisierung seines Seinsstandes, auf den hin er von Gott aus angelegt wurde, oder in einer Selbstübersteigung als „Übermensch" definiert. Auf jeden Fall handelt es sich um eine Qualitäterhöhung des Menschen durch „Wandlung" — sei es als einer Wandlung zu sich selber (wie dies wohl Christus verkündet hat, wenn ersagt: „Ihr seid Götter" und nicht meint: Ihr werdet Götter sein) oder als einer Wandlung über sich hinaus. Daß es sich aber bei der Fleischwerdung Gottes nicht nur um das Bewirken einer einmaligen Wandlung des Menschen handeln kann (d. h. um die Heraufkunft nur einer neuen Seins- und Bewußtseinsstufe), sondern um den Anstoß zu einer Wandlung des Menschen bis zur Vollendung, der totalen Vermenschlichung des Menschen, die freilich erst am Ende der Zeiten ganz in Erscheinung treten wird, davon zeugt die „fortdauernde Inkarnation" — Gott will ewig Mensch werden und sich durch den Hl. Geist fortlaufend inkarnieren. So bricht durch Gottes Menschwerdung die Wirklichkeit „Gott im Menschen" und „der Mensch in sich selber" immer erneut auf jeder Stufe der Wandlung auf.

Die Einzigartigkeit des christlichen Glaubens zeigt sich aber auch daran, daß sich seit dem Erscheinen Christi im Fleische eine Wandlung aller Religionen vollzogen hat — nicht in der Weise unmittelbarer und nachweisbarer Beeinflussung. Der Duft der Botschaft Christi hat seitdem alle geistigen Formen durchdrungen. Seit der Zeitwende tauchen in allen Religionen der Erde Elemente christlicher Gesinnung auf. Man könnte sagen, daß seit Christus alle Religionen, bisher echte und notwendige Vorstufen des Christlichen, zu einem unbewußten Christentum ohne Christus geworden sind. Es hat nun den Anschein, als ob sich dieser Prozeß der substantiellen, wenn auch nicht namentlichen Verchristlichung der Weltreligionen, der sich in den ersten Jahrhunderten nach der Geburt Jesu vollzog, heute auf einer neuen Stufe wiederholen würde. Keine der Weltreligionen ist mehr schöpferisch, es sei denn sie nehme, gewollt oder ungewollt, christliche Einflüsse in sich auf. Auch dort, wo mehr und mehr die Missionare abgewiesen werden, dringt als Atmosphäre, als Kraft der Erneuerung der christliche Geist durch.

Im Gegensatz hiezu ist das Christentum auch heute noch schöpferisch, ungeachtet dessen, daß es heute in eine schmerzhafte Krise geraten ist. Dies hängt nicht nur mit der Art seiner Stiftung zusammen, durch die Gott sich für immer an den Menschen gebunden hat und der Sinn des Menschseins freigelegt wurde, sondern auch damit, daß die künftige Bewußtseins- und Seinsstufe der Menschheit einzig und alleine von Europa, seinen Völkern und Tochtervölkern, ihren Ausgang genommen hat. Das europäische Christentum befindet sich in der Kern- und Feuerzone des künftigen Welt- und Menschenstandes. Es ist darum wie keine Glaubensweise irgendwo auf der Erde zu einer Auseinandersetzung mit dem gewandelten Bewußtsein, zu einer grundlegenden Selbst- und Neubesinnung und zu einer Umschmelzung genötigt. Wie Europa stellvertretend für die ganze Erde in einem gewaltigen schöpferischen Prozeß ohnegleichen neue Lebensformen ausbildet, so bilden sich im Schoße des Christlichen die neuen Geistformen als Weg des Menschen zu sich selber und zu Gott aus. Die Völker der Erde würden verhungern ohne die intensivierenden neuen Methoden der europäischen Wissenschaft und Technik, und sie würden auf archaische Stufen des menschlichen Selbstverständnisses zurücksinken ohne die vorwärtsdrängenden Impulse, die unaufhörlich vom christlichen Glauben ausgehen.

Auch wenn das Christentum in einer gewaltigen und umwälzenden Selbstreformation begriffen ist, in der viele historische Formen seiner Selbstdarstellung zerschlagen und zugrunde gehen werden — zugunsten eines Hervortretens seiner unvergänglichen Botschaft, seine Gestalt nicht mehr so deutlich und zentralistisch, sondern diffuser sich darstellen wird, wird sich seine Strahlkraft nicht mindern. Im Gegenteil — wenn die Schalen fallen, tritt der Kern hervor. Die christliche Theologie ist großenteils derart an abendländische Denk- und Gestaltungsweisen gebunden, daß sie dadurch zeitbedingt ist. Für die Erneuerung des Christlichen und seine direkte oder indirekte Ausbreitung, seine Wirkung als Sauerteig aller Religionen, wird man weithin auf die historischen, theologischen Denkweisen, die ja keinesfalls identisch mit dem Glauben sind, verzichten müssen. Unendlich viele Aspekte des Christlichen sind überhaupt noch nicht gesichtet worden — sie werden nun hervortreten, teils durch unmittelbare Erleuchtung durch den fortwirkenden Hl. Geist, teils durch die Auseinandersetzung, zu der das christliche Denken durch die Begegnung mit den asiatischen Religionen genötigt ist. Das Pfingstereignis ist zudem bisher noch gar nicht im Bereich des Christlichen Wirklichkeit geworden — es ist Verheißung geblieben. Aber es hat den Anschein, als ob sich heute und künftig diese mehr als bisher realisieren werde. Nicht als ob nun ein Zeitalter des Hl. Geistes anbrechen wird — ein solches würde ja bereits den Vollendungszustand des Menschen anzeigen. Daß aber heute das Bild desselben so sehr die Menschen bewegt, zeigt doch an, in welcher Richtung die Entwicklung zu gehen scheint. Damit hängt wohl auch zusammen, daß die Gottesbilder immer mehr verschwinden, daß Gott immer gestaltloser, aber deswegen nicht weniger erfahrbar wird. Gott schwindet in den Menschen hinein und so wird er mehr und mehr nur noch durch den (und im) Menschen erfahren werden. Siehe hiezu A. Rosenberg, Experiment Christentum, München 1969.

36.) Es ist kennzeichnend, daß selbst die heutigen noch in Europa aktiven Nachkommen der großen Herrscherdynastien, die Thronprätendenten, in Assimilierung an die heutigen Verhältnisse, zu Wirtschaftstheoretikern und Sozialpolitikern geworden sind.

37.) Wie oft in der Verkündigung Jesu tritt hier eine Paradoxie zutage: Christus zielt zwar auf die Erlösung aller Menschen, er versucht aus göttlicher Alliebe, alle Menschen auf den Weg des Heils zu leiten — dennoch spricht er immer nur von der „kleinen Schar" — und meint wohl mit dieser diejenige Minderheit, die sich wirklich auf den Weg macht und nicht nur „Herr, Herr" sagt, ohne sich um die Wegweisung zu kümmern.

38.) Gewiß gab es auch in der Vergangenheit Freundschaften zwischen Mann und Frau — aber diese waren doch nur die „berühmten Ausnahmefälle", die immer wieder, weil sie dem Lebensgesetz der vergangenen Zeitalter nicht entsprachen, der Mißdeutung ausgesetzt waren. Nun aber handelt es sich um einen allgemeinen und nicht nur außerordentlichen Zustand der männlich-weiblichen Gesellung.

39.) Offensichtlich ist das im Gesamt-Kodex des Evangeliums enthaltene Freundschafts-Evangelium bisher nicht in seiner vollen Bedeutung wahrgenommen und verkündet worden. Viele Seiten der Botschaft Jesu Christi sind der Erkenntnis noch verborgen und werden erst künftig aufleuchten — hiezu ist auch das Freundschafts-Evangelium zu rechnen. Ähnlich wie Joachim von Fiore die Enthüllung eines evangelium aeternum, als des Tiefsinns des Evangeliums, hervortreten sah, wird aller Wahrscheinlichkeit im Wassermann-Zeitalter das christliche Freundschafts-Evangelium entdeckt und grundlegend für das Verständnis des Verhältnisses von Mensch und Gott, von Mensch und Mensch in diesem Zeitalter werden.

40.) So bitter eine solche Einsicht auch sein mag: die Konzentrationslager werden zum Lebensstil des Wassermann-Zeitalters gehören — das Steinbockzeichen im 12. Feld weist darauf hin. Die Menschen, die auf den Gesetzen einer objektiven Lebensordnung bestehen, die den ständigen, unbeständigen Wandlungsprozeß, das Gaukeln zwischen den Polen, nicht mitmachen wollen oder können, werden, in welcher Form auch immer, „verbannt" werden. Die KZs sind der bisher deutlichste Modellfall hierfür. Aber wahrscheinlich wird gerade aus diesen Zucht-Lagern eine neue, harte und einfache, ganz geklärte, innerlich ungeschiedene und auf das Eine, das nottut, gerichtete Menschenart hervorgehen. Mögen diese nun auch Einsame und Einzelne sein, sie bilden vorerst illegal den Typus des kommenden Menschen im Steinbock-Zeitalter.

INHALTSVERZEICHNIS

EINLEITUNG

ERSTER TEIL

DIE LEHRE VON DEN WELTZEITALTERN

ZWEITER TEIL

VON DER SINTFLUT BIS ZUR GEGENWART

DRITTER TEIL

DAS WASSERMANN-ZEITALTER
1950—4050 n. Chr.

ANHANG

Alfons Rosenberg

DIE SEELENREISE

Das Werk von Alfons Rosenberg „Die Seelenreise“ bietet einen hochinteressanten Durchblick durch die Geschichte der Auffassungen über die Zustände und Läuterungen der Seele nach dem Tode. Mit sicherem Takt und großer Exaktheit werden die christlichen Vorstellungen von den außerchristlichen Wiederverkörperungslehren des Ostens, der antiken, der mittelalterlichen Welt samt ihren neuzeitlichen Ausläufern abgehoben. Zugleich tritt jedoch hervor, wieviele dem außerchristlichen Bereich entstammende Motive in den Jenseits-Visionen der christlichen Seher und Dichter aufgenommen worden sind und als Ausdrucksmittel für den Glauben des Christen dienen. In der Darbietung der von der christlichen Antike über Dante, Swedenborg, Anna Katharina Emmerich bis zu Goethe reichenden Schauungen der jenseitigen Seelenzustände beruht der Hauptwert des Werkes. Es nimmt ein Anliegen auf, welchem das große, leider längst vergriffene Buch des Paderborner Bischofs Wilhelm Schneider „Das andere Leben“ gedient hat. In mannigfachen und doch einheitlichen Bildern und Gestalten wird von katholischen und evangelischen Visionären die Läuterung der abgeschiedenen Seele, das heißt das Purgatorium geschildert. So wird das unsagbare Geheimnis vergegenwärtigt, daß seine Fülle und Kraft hervortritt. Mit Recht betont der Verfasser, daß derartige Visionen mit der Offenbarung selbst nicht identisch sind, daß wir aber ihrer Bilder bedürfen, um uns von der jenseitigen Welt eine konkrete und lebendige Vorstellung zu bilden. Das Werk bedeutet ein Geschenk für alle, welche von der Frage nach dem Schicksal des Menschen jenseits des Todes bewegt werden.

Prof. Dr. Michael Schmaus, München

TURM VERLAG 712 BIETIGHEIM/WÜRTT.

Arthur Schult

ASTROSOPHIE

Mit der vorliegenden Fundamentaldarstellung der Astrologie schließt Arthur Schult sein geistiges Lebenswerk ab. Es ist ein Buch, das nicht nur dem Kenner der Sternenweisheit manch Neues bringen wird, sondern das gerade dem Anfänger eine umfassende Einführung bietet. Darüber hinaus werden der eine wie der andere in jene tiefer liegenden Bereiche geführt, die man als Esoterische Astrologie zu bezeichnen pflegt. Damit hat der weiten Kreisen bekannte Autor, der sich selbst jahrzehntelang mit Wesen, Sinn und Bedeutung der Kosmischen Signaturenlehre vom Menschen befaßt hat, ein Standardwerk geschaffen, das in einer Zeit überwiegend materiell verstandener Astrologie einen nahezu einmaligen geisteswissenschaftlichen Rang besitzt. Dementsprechend verbindet Schult das Kosmische mit dem Überkosmischen, das Archetypische mit dem Religiösen, die Astrosophie mit der Christologie. Deshalb wird gerade auch der religiöse Mensch nach diesem Buch greifen. Es bietet ihm, wonach ihn verlangt: eine heute fast nicht mehr vorhandene Zusammenschau von Urgeschichte und Mysterienwissen, von antiker Philosophie und christlicher Weisheit, von Charakterologie und christlicher Psychologie.

Berühmte Geburtstage werden jeweils am Schluß der Tierkreiszeichen aneinandergereiht, geschichtlich hervorragende Geburtsthemen ebenso wissenschaftlich genau wie tief und schön durchleuchtet (Dürer - Raffael - Michelangelo - Leonardo da Vinci - Leibniz - Goethe - Beethoven - Hitler - Cayce). Gegen Ende des geschichtlichen Anhanges kommt das Große Platonische Weltenjahr (Krebs bis Wassermann) zur Darstellung, und zuletzt wird dem in fast alle Sternen-Geheimnisse eingeweihten Leser mit der Auslegung des „Abendmahles“ von Leonardo da Vinci die bedeutendste astrologische Kostbarkeit der Christusgeschichte vor Augen geführt.

Alle Menschen mit kosmischem Bewußtsein kann dieses Werk zum wiederholten Studium empfohlen werden, insbesondere Soziologen, Pädagogen, Kommunalpolitikern, Physikern, Ärzten und Pfarrern.

TURM VERLAG 712 BIETIGHEIM/WÜRTT.